KB103191

온리 타이베이 예류 스펀 지우펀

Only Taipei Yeliou Shifen Jiufen

온리 타이베이 예류 스펀 지우펀

발　행 | 2023년 06월 23일
저　자 | 재미리
펴낸이 | 한건희
펴낸곳 | 주식회사 부크크
출판사등록 | 2014.07.15.(제2014-16호)
주　소 | 서울특별시 금천구 가산디지털1로 119 SK트윈타워 A동 305호
전　화 | 1670-8316
이메일 | info@bookk.co.kr

ISBN | 979-11-410-3294-4

www.bookk.co.kr

온리 타이베이 예류 스펀 지우펀

Only Taipei Yeliou Shifen Jiufen

차례

바다
주밍 미술관
바다
양밍산
단수이
예류
바리
베이터우
지룽
지우펀
진과스
신베이
쑹산 국제공항
타오위안 국제공항
스펀
타이베이
징퉁
핑시
타오위안
잉거
신뎬
핑린
싼샤
우라이

타이완 북부

1. 타이베이 소개

01 타이베이 개요

〈타이완 개요〉

- 국명&역사

정식 국호는 중화민국(中華民國 Republic of China)이고 약칭으로 **타이완**(臺灣, Taiwan)이라고 한다. 우리식으로 한자를 읽어 **대만**이라고 하기도 한다. 중화민국은 1912년 중국 대륙에서 쑨원이 세운 아시아 최초의 공화국으로 1949년 장제스가 타이완으로 이주하면서 타이완이 중화민국이 되었다. 언어는 중국어(만다린), 타이완어(주로 중국 푸젠에서 사용되는 민난어에서 파생된 방언), 객가어(타이완과 인접인 중국 광둥, 광시, 푸젠, 장시 지역의 방언) 등을 사용한다. 주로 중국어를 쓴다고 생각하면 되고 관광지와 쇼핑센터 등에서는 간단한 영어소통도 가능하다.

- 역사

고대부터 타이완에는 말레이-폴리네시아계 원주민이 살고 있었다. 이들 원주민은 현재의 고산족인 고사족(高砂族)이라 불렀으나 해안과 고산에 아미족(阿美族), 파이완족(排灣族), 아타얄족(泰雅族), 브눈족(布農族), 르카이족(魯凱族), 프유마족(卑南族), 츠우족(鄒族), 사이시얏족(賽夏族), 타오족(達悟族), 싸오족(邵族), 카바란족(噶瑪蘭族), 타로코족(太魯閣族) 등에 다양한 원주민이 있었다. 이들 원주민들은 현재의 한족의 후손인 타이완 사람과 달리 동남아의 원주민과 비슷해 보인다.

옛 문헌에 따르면 3세기 중엽 중국 삼국시대에 중국에서 타이완으로 이주한 기록이 나온다. 7세기 수나라 때 타이완을 유구라 칭하며 정찰했고 14세기 원나라 때 타이완 남동부의 평후섬(澎湖島)에 순검사라는 기관을 설치하기도 했으나 여전히 타이완 본섬은 진출하지 않았다.

1590년 명나라 때 포르투갈 인들이 동방무역을 위해 처음으로 타이완을 방문해 아름다운 섬, 포르모사(Formosa)라 불렀다. 1616년에는 일본 에도 막부가 타이완을 침략하려다 풍랑 때문에 실패했다. 1624년 네덜란드가 동방무역을 위해 타이완 남부 점령하고 타이난 안핑에 지란디아성(안핑구바오)을 쌓았다. 이어 1626년 지룽, 1629년 단수이에도 성을 쌓았다. 1661년에는 반청 세력인 정성공이 타이난에 상륙해 네덜란드인들을 몰아내고 처음으로 타이완을 국가로써 통치했다.

1683년 청나라가 타이완을 공격하여 징성공 후손의 항복을 받았고 1684년 타이완 본섬에 푸젠성 타이완부를 설치하였다. 1884년 청나라와 프랑스 간의 청불전쟁 중 타이완이 성(省)으로 승격되었으나 청나라와 일본제국(일제) 간의 청일전쟁에서 패하면서 1895년 시모노세키조약으로 타이완은 일제의 식민지가 되었다. 이에 반발한 타이완은 그해 5월 타이완 민주국을 설립하고 일제와 전쟁을 벌였으나 10월 일본군에게 진압되었다. 1895년부터 1945년까지 타이완을 지배했던 일제는 제2차 세계대전에서 패배하며 물러났다.

이후 타이완은 중국의 일부가 되어 국민당정부의 영향권 아래 있게 된다. 1947년 2월 28일 오래 전 타이완으로 이주해 타이완 사람으로 살던 본성인과 1945년 무렵 타이완으로 이주해 타이완의 지배층이 된 외성인 간의 갈등이 쌓여, 충돌한 얼얼바(2·28) 사건이 발생한다. 이 사건으로 인해 수많은 사람들이 희생되었다. 이후 1949년부터 1987년까지 38년간 계엄령이 선포된다.

1949년 국공내전에 패한 장제스와 중화민국 정부가 타이완으로 이주했고 1999년까지 장제스의 국민당이 정권을 잡았다. 민주화 바람으로 1989년 복수정당제, 1996년 총통 직선제가 도입되었고 2000년에 처음으로 여당인 국민당에서 야당인 민진당으로 정권이 교체되었다. 이후 국민당과 민진당이 번갈아 정권을 운영하고 있다.
*1992년 한국은 중국과 수교하는 동시에 타이완에서 대한민국 대사관을 철수(단교)했으나 1993년 양국 협의 하에 타이완에 대사관 격인 대한민국 대표부를 개설.

- 국토 면적과 인구, 주민

타이완은 타이완 섬과 부속 도서로 이루어져있고 국토 면적은 35,980㎢, 인구는 약 2천3백만(2014년 기준)이다. 인구의 대부분은 도시에 몰려 있고 근교나 지방도시는 한산한 편! 타이완 주민은 고대부터 살았던 말레이-폴리네시아계의 여러 원주민(전인구의 2%), 조기에 중국에서 이주한 내성인(타이완인, 85%), 1949년 장제스와 국민당 정권과 함께 이주한 외성인(13%)으로 구성된다.

- 기후&시차

타이온 북부는 아열대기후, 남부는 열대기후이고 연평균기온은 북부가 22℃, 남부가 24℃ 정도이다. 여름은 5월~9월로 매우 덥고 습하고 6~9월 중간간히 태풍이 발생하며 평균온도는 27~35℃, 겨울은 12월~2월로 온화하나 때때로 찬바람이 불며 평균온도는 12~16℃. 봄과 가을, 겨울이 여행하기 적당한 시기. 타이완(GMT+8)과 한국(GMT+9) 간 시차는 타이완이 한국에서 비해 한 시간 늦다. 예를 들어, 한국이 10시면 타이완은 9시.

- 정치체계

타이완은 국민대회 및 총통 아래 입법원(국회), 행정원(내각), 사법원, 고시원, 감찰원 등 5권 분립제로 운영된다. 국민대회는 헌법상 국가권력의 최고기관으로 각 지역·단체에서 선출된 국민대표(일종의 국회위원)로 구성되고 입법권과 감찰권, 헌법개정권을 갖는다. 총통은 국가원수로서 국민대표에서 선출하다가 1996년부터 직선제로 선출되며 임기는 4년, 1번 재임(중임)이 가능하다. 1949년에서 1989년까지 계엄령(얼얼바 사건으로 인해)이 실시되었고 1949년 이래 국민당 정부가 집권하다가 2000년 민진당 정부로 처음 정권으로 교체되었다. 초대 총통은 국민당의 장제스, 현재 14~15대 총통(2016~)은 민진당의 차이잉원이 맡고 있다.

- 경제규모

타이완의 국민총생산 GDP(Gross Domestic Product)는 7,591억달러로 세계 21위(2022년 기준)의 경제규모를 가진다. 산업별 GDP 분포는 서비스업 73.3%, 광공업 25%, 농업 1.7%로 서비스업과 광공업이 주도적인 산업임을 알 수 있다. 광공업 중 IT 제조업에 강점을 가진 것으로 알려졌고 산지가 많은 국토 특성상 농업의 비중은 작은 편. 한때 한국, 홍콩, 싱가포르 등과 함께 아시아의 4마리 용으로 불렸으나 중국의 제조업 성장과 이에 따른 경기 침체로 어려움을 겪고 있다. 최근 타이완 반도체와 IT산업 호황으로 2023년 타이완의 1인당 국민총생산이 3만

5510 달러로 한국(3만3590달러)과 일본(3만4360달러)을 제칠 것으로 예상되고 있다.

- 행정구역

타이완 행정구역은 성(省)-직할시(直轄市)-현(縣)/성할시(省轄市)-구(區)/현할시(縣轄市)/진(鎮)/향(鄉)으로 구성된다. 이들 행정구역은 타이완성(臺灣省) 같은 1개의 성, 타이베이시(台北市), 신베이시(新北市) 타오위안시(桃園市), 타이중시(臺中市), 타이난시(臺南市), 가오슝시(高雄市) 등 6개 직할시, 신주현(新竹縣), 먀오리현(苗栗縣), 장화현(彰化縣), 난터우현(南投縣), 윈린현(雲林縣), 자이현(嘉義縣), 핑둥현(屏東縣), 이란현(宜蘭縣), 화롄현(花蓮縣), 타이둥현(臺東縣), 펑후현(澎湖縣), 롄장현(連江縣), 진먼현(金門縣) 등 13개 현, 지룽시(基隆市), 신주시(新竹市), 자이시(嘉義市) 등 3개 성할시, 170개 구, 14개 현할시, 38개 진, 146개 향으로 되어 있다.

- 종교

타이완 사람들은 불교, 도교, 유교, 일관도, 천주교, 기독교 등의 종교를 갖고 있으나 보통 불교, 도교, 유교를 함께 믿는 경향이 있다. 타이완의 사원에서 흔히 불교, 도교, 유교의 신을 함께 모신다. 종교 별 신자 수는 불교, 도교, 유교의 혼합 93%, 기독교 4.5%, 기타 2.5%로 볼 수 있다.

- 공휴일

공휴일은 원단(신정, 1월1일), 춘절(설날, 음력 1월1일), 228 기념일(평화기념일, 2월28일), 어린이날&청명절(4얼 4일, 음력 3월 경), 단오절(음력 5월5일), 중추절(추석, 음력 8월15일), 쌍십절(신해혁명 기념일·국경일, 10월10일) 등이 있다. 보통 공휴일 전후로 2~3일의 연휴가 있고 음력을 따르는 춘절, 청명절, 단오절, 중추절 등은 매년 날짜가 바뀌니 참고!

- 통화&환율

타이완 통화는 뉴 타이완 달러(흔히 타이완 달러)라고 하고 TWD, NT$, NTD로 혼용, 표기하며 중국어로는 위안(元)이라고 표기한다. 통화는 주화로 0.5 달러, 1달러, 5달러, 10달러, 20달러, 50달러, 지폐로 100달러, 200달러, 500달러, 1000달러, 2000달러가 있다. 1달러는 10쟈오(角), 100펀(分), 최소 주화 단위인 1/2 달러는 5

쟈오, 50펀. 환율은 2023년 5월 현재 타이완 1달러는 한화 약 43원

- 전기&콘센트

타이완 전기는 110V, 60Hz로 11자 콘센트를 사용하므로 11자 콘센트 → 2구 콘센트 어댑터를 준비하는 것이 좋다. 일부 호텔이나 호스텔의 경우 어댑터를 무료 대여해주기도 한다. 어댑터+2구 멀티 탭 사용하면 스마트폰, 노트북 등을 동시에 이용하기 편리.

- 전화&인터넷

· 공중전화

타이완 공중전화는 NT$(元) 1, 5, 10 주화를 이용하는 동전 공중전화와 일반 전화카드(마그네틱)를 이용하는 일반 전화카드 공중전화, IC 카드를 이용하는 IC 공중전화가 있다. 동전 공중전화 통화방법은 ① 수화기를 들고, ② NT$ 1 주화(3분 통화)를 투입, ③ 발신음을 듣고, ④ 전화번호 누르고 통화, ⑤ 통화 후 잔돈 회수.

일반 전화카드와 IC 카드 공중전화 통화방법은 ① 수화기를 들고, ② 카드 투입 후 통화, ③ 통화 후 카드 회수. 전화카드(NT$ 100)와 IC 카드(NT$ 200, 300)는 편의점에서 구입가능하다.

한국 → 타이완
_KT 001기준 1,056원/분 내외
001/002(한국 국제전화 번호)+886(타이완 국가번호)+0을 뺀 스마트폰번호/지역번호 전화번호

타이완 → 한국
002(타이완 국제전화 번호)+82(한국 국가번호)+0을 뺀 스마트폰번호/지역번호 전화번호

· 타이완 국가번호&지역번호

타이완 국가번호 886, 지역번호_타이베이/지룽 02, 타오위안 03, 타이중/장화 04, 자이 05, 아리산 05, 타이난 06, 가오슝 07, 핑둥 08, 화롄 38

· 콜렉트콜 Collect Call

긴급 상황일 때 주화나 전화카드 없이 전화할 수 있는 콜렉트콜 번호를 알아두면 유용하다.
타이완 콜렉트콜_008-0182-0082
_KT 유선발신 957원/분, 무선발신 1,089원/분

- 국제전화 선불카드

국제전화 선불카드는 전화 걸때 카드의 번호를 입력해 충전 액만큼 통화할 수 있다. KT 국제전화 선불카드를 이용하면 국내는 물론 타이완에서도 통화, 가능하다. KT 국제전화 선불카드는 5,000원~50,000원권이 있고 통화 시(국내→타이완) 유선발신은 123원/분, 무선발신은 148원/분 지불된다. 타이완의 편의점, 상점 등에시도 국제전화 선불카드를 구입할 수 있고 통화방법은 KT의 경우와 비슷하다(선불카드 뒷면 통화방법 있음).

· **KT 국제전화 선불카드 통화방법**

한국 → 타이완

*구매 시 언어선택하면 바로 해당 언어로 서비스됨.

161+언어선택+카드번호+#+886+0을 뺀 스마트폰번호/지역번호 전화번호+#

타이완 → 한국

82(한국 국가번호)+안내+2번 선택+카드번호+#+0을 뺀 스마트폰 번호/지역번호 전화번호

· **로밍** Roaming

타이완에서 스마트폰 로밍을 하면 현지에서 편리하게 이용할 수 있다. 로밍의 종류는 통신사와 해당 나라에 따라 음성(통화), 데이터, 문자, 와이파이 등으로 다양하다. 로밍은 따로 신청하지 않더라도 **해외 현지에서 스마트폰을 켜면 자동으로 로밍(또는 로밍 체크)**된다.

자동 로밍 요금(KT)은 현지/해외(한국) 통화 119원/분, 현지/해외(한국) 문자 22원/건, 데이터 1일 1만1천원까지 부과되디가 이후 추기 요금없이 200Kbps 속도로 지속 이용. *자동 로밍 요금이 예전에 비해 많이 내려가, 한국 내 요금과 거의 같아짐. 자동 로밍을 사용하지 않으려면 스마트폰에서 **비행기 모드**(와이파이 사용가능)로 설정.

통신사에 로밍 상품을 신청해 로밍을 사용할 수도 있다. KT로밍 주요 상품으로는 하루종일ON(데이터) 2만2천원, 하루종일ON(카톡) 6천6백원, 아시아에그(데이터) 1만6천5백원, 로밍ON 음성 하루종일 2만2천원, 데이터로밍 함께ON 아시아/미주(데이터 4G) 3만3천원/15일 등. *타이완 → 한국 전화걸기_'+'표시는 0을 길게 누름/+82+0 빼고 스마트폰 번호/지역번호 전화번호

타이완 → 타이완

_'+' 표시 없이 지역번호+전호번호

- 유심 USIM

전화번호, 성명 등이 입력된 식별 칩으로 선불 유심과 후불 유심이 있고 한국의 유심전문 업체나 타이완 현지에서 구입가능하다. 타이완 현지에서는 여러 타이완 통신사 중 공항이나 시내에서 가장 쉽게 볼 수 있는 중화통신(中華通信) 대리점, 전화국 내 중화통신을 이용하는 것이 편리하다. 구입한 유심을 스마트폰에 넣으면 **현지 번호**로 음성 또는 데이터를 이용할 수 있다. 데이터 이용 시 스마트폰 내 데이터로밍 체크(켬). *유심 교환 시 기존 유심은 잘 보관해 둠. 현지 구입 시 여권 필요!

(한국) 유심스토어_대만유심 중화텔레콤(데이터 매일 3G) 1만5천9백원/1일, 대만유심칩 10일(데이터 6GB) 1만9천8백원, 대만 아시아통합 15개국 5일(데이터 무제한) 1만2천9백원

· 유심 전화걸기

타이완 → 한국 전화

* '+'표시는 0을 길게 누름.

_+82+0빼고 스마트폰 번호/지역번호 전화번호

타이완 → 타이완 전화

_'+' 표시 없이 지역번호+전호번호

· 인터넷

타이완의 호텔이나 게스트하우스, 스타벅스 등의 무료 와이파이로 인터넷을 사용하거나 시내의 하이 클럽(Hi club) 같은 피시방(PC방=왕카 網咖, 1시간 NT$ 15 내외)나 큐타임(Qtime) 같은 인터넷 카페에서 인터넷을 사용할 수 있다.

- 치안

타이완의 치안은 대체로 안전하나 늦은 밤 뒷골목 같은 한적한 곳에 홀로 다니지 않도록 한다. 관광객이 많이 몰리는 시내나 관광지에서 소매치기, 소지품 분실에 유의한다. 심야의 클럽이나 바에서 모르는 사람이 주는 술을 마시지 않고 취객과 다투지 않는다.

- 유용한 사이트와 전화번호

타이완 경찰 : 110

타이완 구급대 : 119

관광안내 0800-011-765

관광통역서비스_

02-2717-3737(08:00~19:00 유료),

0800-011-765(24시간 무료)

타이완 관광청_

www.taiwantour.or.kr

주타이베이 대한민국 대표부

주소 : 台北市 基隆路 一段 333號 1506室 *전철 101역 하차, 1번출구

시간 : 월~금 09:00~12:00, 14:00~16:00

전화 : +886-2-2758-8320~5, 긴급 +886-912-069-230

홈페이지 : https://overseas.mofa.go.kr/tw-ko/index.do

가오슝 영사협력원 高雄 領事協力院

소속 : 가오숑시 한인회 / 전화 : 07-521-1933

홈페이지 : http://homepy.korean.net/~kaohsiung/www/

영사콜센터

해외 안전 정보, 해외 사건·사고 접수 및 조력, 신속해외송금 지원, 해외 긴급 상황 시 통역서비스(중국어, 일본어 등) 지원, 여권, 영사확인 등 외교부 관련 민원 상담 등 업무 담당 *자세한 내용은 영사콜센터 참고!

무료 전화앱_'영사콜센터'앱 설치 후 이용(와이파이 환경에서 무료 통화)

*카카오톡, 위챗, 라인 상담

전화_국내 02-3210-0404, 해외 +82-2-3210-0404

*통화 연결 후 2번 외국어 통역 서비스

타이완에서 무료 전화 00-800-2100-0404, 00-800-2100-1304

무료 전화(연결 후 5번) 008-0182-0082

콜렉트콜 00801-82-7353

홈페이지 : www.0404.go.kr

〈타이베이 개요〉

타이베이(台北)은 타이완 북부에 위치한 타이완(중화민국)의 수도이다. 면적은 272km2 인구는 약 269만 명. 남북으로 흐르는 단수이강을 중심으로 동쪽은 타이베이, 서쪽은 신도시 격인 신베이 지역으로 구분된다.

역사적으로 1875년 타이완 북부는 타이완 부(臺灣府)로 분리되었고 용산사가 있는 완화(萬華), 완화 북쪽 다다오청(大稻埕)을 중심으로 발전하였다. 1875년부터 1895년까지 타이베이는 타이베이 부 단수이현에 속했다. 1886년에는 타이완 성(臺灣省) 이 수립되며 타이베이가 성도가 되었고 1894년 타이완의 정식 수도가 되었다. 1895년부터 1945년 타이베이는 일제의 지배를 당했고 이후 국민당이 지배하다가 1949년 본토에서 온 장제스 일행이 타이베이를 중화민국의 수도로 선포하며 오늘에 이른다.

타이베이의 행정구역은 쑹산구, 신이구, 다안구, 중산구, 중정구, 다퉁구, 완화구, 원산구, 난강구, 네이후구, 스린구, 베이터우구 등 12개 구로 나뉜다. 타이베이의 주요 관광지는 용산사, 시먼딩, 중정 기념당, 국부 기념관, 타이베이101 빌딩, 국립고궁 박물원, 충렬사, 화시제 야시장 등이 있다.

〈타이베이 근교 개요〉

타이베이 근교는 타이베이 북쪽에 항구 도시 **단수이(淡水)**, 기암괴석이 있는 **예류(野柳)**, 홍등 걸린 찻집 거리로 유명한 **지우펀(九份)**, 금광으로 알려진 **진과스(金瓜石)**, 핑시선 기차역이자 천등 성지인 **스펀(十分)**, 핑시 폭포가 있는 **핑시(平溪)**, 핑시선 종점인 탄광 마을 **징퉁(菁桐)** 등이 있다.

타이베이 남쪽에는 아름다운 강 유원지 비탄이 있는 **신뎬(新店)**, 온천 도시 **우라이(烏來)**, 철관음 산지 **핑린(坪林)**, 근대 거리 풍경이 남아 있는 **싼샤(三峽)**, 도자기 도시 **잉거(鶯歌)** 등이 자리한다.

이들 도시는 타이베이에서 버스나 지하철, 기차로 갈 수 있어 편리하고 타이베이 도심을 벗어나 자연을 접할 수 있어 즐겁다.

02 공항에서 시내 들어가기

1) 타오위안 국제공항에서 타이베이 시내

타오위안 국제공항(桃園國際機場)은 타이베이 북서쪽 약 40km 지점에 위치한다. 공항은 대한항공, 제주항공, 진에어, 타이항공, 캐세이퍼시픽, 중화항공 등이 이용하는 제1터미널, 아시아나항공, 에어부산, 에바항공 등이 이용하는 제2터미널로 나뉜다. 제1터미널과 제2터미널 간에는 무인전철인 스카이트레인(航廈電車)과 무료셔틀버스(巡迴巴士)가 운행된다.

입국장에서 택시를 이용하려면 '지청처(計程車 택시)' 표시를 따라가고 공항버스를 이용하려면 '커윈버스(客運巴士 객운버스)', 지하철을 타려면 'MRT(捷運 지에윈)' 표시를 따라간다. 버스 정류장은 제1터미널의 지하 1층, 제2터미널의 지상 1층 동북쪽에 버스정류장이 있다. 전철은 제1,2 터미널 지하.

전화_국제선 03-398-2143, 국내선 03-398-3274

홈페이지_www.taoyuan-airport.com

- 지하철 MRT 捷運 지에윈

근년에 타이베이 역에서 타오위안 국제공항을 거쳐 쭝리(中壢)(환베이역 環北站)까지 운행하는 **타오위안공항지하철선(桃園機場捷運線** Taoyuan Airport MRT Line)이 생겨, 공항에서 시내까지 한결 편리해졌다. 보통(普通, Commuter, 청색) 편은 완행으로 타이베이 역에서 환베이역까지, 직달(直達, Express, 보라색) 편은 직행으로 타이베이 역에서 뉴타이베이산업단지역

과 창컹병원역만 경유한 뒤, 공항까지 운행한다. 보통과 직행 편 요금이 같으로 이왕이면 빠른 직행 편 이용!
시간_보통 05:57~22:55(53분 소요), 직달(직행) 05:59~22:58(39분 소요)
요금 : NT$ 150(타이베이 역) *보통, 직달(직통) 요금 같음.

- 객운버스 客運巴士 커윈버스

제1터미널 기준으로 지하 1층에 타이베이 시내로 가는 공항버스 매표소와 승차장이 있다. 지하 1층으로 가는 길의 게시판에 '목적지(目的地), 노선(路線 버스번호), 객운업자(客運業者 운수회사), 발차시간(發車時間), 주요경유지(主要停靠站)' 등 운행정보가 있어 한눈에 발차 현황을 파악하기 좋다.
매표소는 궈광커윈(國光客運), 카마란커윈(葛瑪蘭客運), 다유버스(大有巴士), 타오위안커윈(桃園客運), 퉁롄커윈(統聯客運 U-bus), 젠밍커윈(建明客運), 허신커윈(和欣客運), 창룽커윈(長榮客運) 등 각 운수회사별로 매표가 이루어진다.

타이베이 역[타이베이 역 옆 궈광커윈 타이베이처잔 버스터미널(國光客運 臺北車站) 하차]행 버스 중 운행간격이 짧은 **궈광커윈 1819번** 버스의 이용도가 가장 높으나 목적지가 같고 요금이 저렴한 **다유버스 1961번**(궈광커윈 타이베이처잔 버스터미널 하차)의 발차시간도 살펴볼만하다. 스린 지역에서 숙소가 있다면 카마란커윈 1356B번을 타고 위안산(圓山)에서 내려 MRT(지하철)를 이용하면 빠르다. *공항버스, 시외버스 티켓은 하차 시 운전기사에게 반환해야하므로 잃어버리지 않도록 한다. 타이베이 시내에서 타오위안 공항으로 갈 때에는 타이베이 역 M2 출구 **궈광커윈 타이베이처잔 버스터미널(國光客運,臺北車站)**에서 1819번 이용!

목적지	객운	노선	운행시간 /간격	소요 시간	요금 (NT $)	주요 경유지
타이베이 역 [궈광커윈 타이	궈광커윈 國光客運	1819번	00:20~23:50 /40분~1시간	55분	135	
	궈광커윈	1819A	00:20~23:50	70분	135	MRT 위안산(圓

베이처잔 터미널(國光客運 臺北車站)]	國光客運	번	/40분~1시간			山) 역
	다유버스 大有巴士	1961번	05:50~01:00 /20~30분	7~90분	110	MRT 민취안시루(民權西路)역, 시먼딩(西門町)
위안산 터미널 (圓山轉運站)	카마란커윈 葛瑪蘭客運	1356B번	05:30-22:30 /30분	90분	145	MRT 젠탄 역(스린 야시) 1 정거장
시푸 터미널 (市府轉運站)	다유버스 大有巴士	1960번	06:00~익일 01:00 /20~30분	8~90분	160	쥔위에쥬뎬(君悅酒店) 101빌딩 인근
쑹산 공항 (松山機場)	궈광커윈 國光客運	1840번	06:50~19:00 /20~25분	60분	135	싱텐궁(行天宮)
	궈광커윈 國光客運	1841번	03:30~23:45 /20~25분	60분	93	MRT 중산궈샤오(中山國小) 역

*현지 상황에 따라 노선, 시간, 요금 등 달라질 수 있음.

이밖에 난강잔란관(南港展覽館)행(궈광커윈 1843번), MRT 뤼저우(蘆洲)역행(싼중커윈 三重客運), MRT 반챠오(板橋)역행(다유버스,1962번), MRT 신뎬(新店)역행(다유버스 1968번), 중리(中壢)역행(퉁롄커윈 1627번), 타이중(台中)행(궈광커윈 1860번, 충롄커윈 1623번, 2시간 10분 소요, NT$ 240) 버스 등이 운행된다.
공항버스정보_ www.taoyuan-airport.com
타이완 버스_www.taiwanbus.tw

- 택시 Taxi 計程車 지청처

공항에서 타이베이 시내까지 약 40km 거리여서 비상상황이 아니면 택시를 이용할 일이 없다. 입국장에서 택시를 뜻하는 지청처(計程車) 표시를 따라 가면 택시 승차장이 나온다. 택시는 미터 요금으로 운영되는데 공항에서 탑승하면 미터 요금+50% 추가 요금이 붙는다. 공항에서 타이베이 시내까지 NT$ 1,200 정도 요금이 나온다. *렌터카를 이용하려면 입국장의 여행자센터(遊客服務中心) 옆 주린처푸우(租賃車服務)라고 적힌 카운터를 찾아간다.

- 대만 고속철도 台灣高鐵 타이완가오톄

고속철도를 이용하려면 입국장에서 가오톄(高鐵) 표시를 따라간다. 승차장에서 셔틀버스 가오톄졔보처(高鐵接駁車)를 탑승하고 가오톄타오위안(高鐵桃園) 역에서 내린다. 셔틀버스 티켓은 퉁롄커윈(統聯客運) 매표소에서 하고 요금은 NT$ 30 내외. 고속철도 운행 시간_06:00~24:00, 약 25분 간격, 가오톄타오위안 역에서 타이중(台中), 자이(嘉義), 타이난(台南), 쭤잉(左營 가오슝) 등으로 운행.

타이완고속철도_www.thsrc.com.tw

2) 쑹산 공항(松山機場)에서 타이베이 시내

타이베이 시내 북동쪽에 있는 도심 공항으로 주로 타이완 국내선을 운항하고 일부 국제선도 운항된다. 공항은 티웨이항공, 중화항공, 에바항공, 일본항공 등 국제선을 위한 제1터미널, 타이완 국내인 베이간(北竿), 난간(南竿), 진먼(金門), 마궁(馬公) 같은 섬, 타이둥(台東), 화롄(花蓮) 등으로 운항하는 리룽항공(立榮航空), 푸싱항공(復興航空), 위안둥항공(遠東航空), 화신항공(華信航空) 같은 국내선을 위한 제2터미널로 나뉜다.

공항에서 타이베이 시내로 가려면 입국장에서 지하철(MRT) 쑹산지창 역, 버스정류장, 택시 승차장으로 가서 지하철(MRT), 시내버스, 택시 등을 이용한다. 이중 지하철(MRT)이 교통체증 없이 가장 빠르게 이동할 수 있다.

전화_국제선 02-8770-3430, 국내선 02-8770-3460

홈페이지_www.tsa.gov.tw

- 지하철 MRT 捷運 지에윈

입국장에서 MRT 쑹산지창(松山機場) 역으로 이동해, 난강잔란관(南港展覽館) 또는 둥우위안(動物園)으로 향하는 1호선 원후선(文湖線)을 이용할 수 있다. 난강잔란관 방향_평일 06:02~00:39, 둥우위안 방향_평일 06:02~00:25, 요금 NT$ 20~65 내외. MRT 난징푸싱(南京復興) 역에서 3호선 쑹산신뎬선

(松山新店線), 중샤오푸싱(忠孝復興) 역에서 5호선 반난선(板南線), 다안(大安) 역에서 2호선 단수이신이선(淡水信義線)으로 환승

- 시내&시외버스&택시 公車&客運&計程車 궁처&커윈&지청처

공항에 MRT가 있어 굳이 시내버스를 탈 이유가 없으나 몇몇 노선은 주목해 볼 만하다. 6번 정류장에서 타오위안 국제공항행 1840번(05:20~22:45, 약 20~30 간격), 지룽(基隆)행 1802번, 7번 정류장에서 타오위안 국제공항행 5502번, 3번 정류장에서 지룽행 2002번, 타오위안(桃園)행 5116번 버스 등.

택시는 공항 제1터미널 택시 승차장에서 이용할 수 있고 미터 요금으로 비용 지불.

☆여행 팁_택스 리펀드 Tax Refund

타이완에서 택스 리펀드는 첫째, 타이완 여행 시 TRS(Tourist Refund Scheme) 표시가 있는 같은 날 동일 상점에서 NT$ 2,000 이상 상품을 구입하고 상품 담당자에게 택스 리펀드 신청서(Tax Refund Form)를 받고 90일 이내 해외로 반출하고자한다면 공항 내 세관(海關 Customs)에서 부가가치세(VAT 5%) 환급을 받을 수 있다. 공항이나 항만에서 체크인 하기 전, 세관 표시(海關申報及退稅 Customs Declare&VAT Refund)를 따라 세관에 간 뒤, 구입 물품을 보이고 여권, 영수증 택스 리펀드 신청서를 제출한 뒤 부가가치세를 수표/신용카드/현금으로 환급받는다. 현금으로 환급 받을 시 환급액은 세관 옆 환급 창구에서 내준다.

둘째, 시내 택스 리펀드 특약점에서 TRS 표시가 있는 상점에서 같은 날 동일 상점에서 NT$ 2,000 이상 상품 구입 시 상품 담당자에게 택스 리펀드 신청서를 발급 받는다. 택스 리펀드 코너에서 택스 리펀드 신청서, 여권, 사용한 신용카드를 제출하고 택스 리펀드를 받는다. 택스 리펀드를 받고 20일 이내 환급 상품과 함께 출국해야 함.

셋째, 소액 즉시 환급으로 TRS 표시가 있는 상점에서 쇼핑 누적액이 NT$ 2,000~24,000이고 상품 담당자에게 소액 즉시 택스 리펀드 신청서를 발급받았다면 매장(택스 리펀드 특약점)에서 바로 부가가치세를 환급받을 수 있다. 소액 즉시 환급 받았다면 상품 구입일로부터 90일 이내 환급 상품과 함께 출국해야 한다. *출국 시 타이완 달러 NTS 100,000 이상 보유하고 있다면 타이완 중앙은행(中央銀行)에 들려 타이완 달러 반출 확인증을 받는다.
전화 0800-880-288, 홈페이지 www.taxrefund.net.tw

03 시내 교통 / 교통 티켓

1) 시내 교통

- 지하철 MRT 捷運 지에윈

타이베이 지하철, MRT는 매스래피드 트랜짓(Mass Rapid Transit)의 약자로, 한자로는 지에윈(捷運)이라고 한다. MRT는 6개 노선이 운행되는데 **원후선(文湖線)**은 갈색(BR)으로 난강잔란관(南港展覽館)~둥우위안(動物園), **단수이-신이선(淡水信義線)**은 적색(R)으로 단수이(淡水)~샹산(象山), **쑹산-신뎬선(松山新店線)**은 녹색(G)으로 쑹산(松山)~신뎬(新店), **중허-신루선(中和新盧線)**은 진한 노란색(O)으로 뤼저우(盧州)/후이룽(迴龍)~난스쟈오(南勢角), **반난선(板南線)**은 청색(BL)으로 난강잔란관(南港展覽館)~딩푸(頂埔), **환주안선(環狀線)**은 노란색(Y)으로 까지 뉴타이베이산업공원(新北產業園區)에서 다핑린(大坪林)까지 운행된다. *지하철 6개 노선 외 **타오위안공항지하철선(桃園機場捷運線** Taoyuan Airport MRT Line)은 타이베이 역에서 타오위안 국제공항을 거쳐 쫑리(中壢)(환베이역 環北站)까지 운행.

운행 시간은 06:00~24:00, 운행 간격은 대략 6~12분, 요금은 거리에 따라 NT$ 20~65, 만 6세 이하 또는 키 115cm 이하 무료. MRT는 한 노선에서 다른 노선으로 무료 환승 가능하다. MRT와 역사 내에서 음료와 식품 섭취 시 벌금이 부과되니 주의. 아울러 MRT 내 하늘색 좌석은 일반좌석, 진청색 좌석은 노약자석(博愛座)이니 참고.

현금 이용 시 1회용 청색 코인인 1회권(單程票)을 구입해 사용하고 교통카드인 이지카드(悠遊卡, 요요카)를 이용할 수도 있다. 개찰구에 코인이나 이지카드를 터치하고 들어가고 나오면 된다.

1회권 외 1일권(一日票 NT$ 150), 24시간권(臺北捷運 24小時票 NT$ 180), 48시간권(臺北捷運 48小時票 NT$ 280), 72시간권(臺北捷運 72小時票 NT$ 380), 자녀 동행 1일권(親子同行一日票 성인1명+아동 6~12세 1명 NT$ 150) 등이 있다.

전화_02-218-12345

홈페이지_www.metro.taipei

· 티켓 자동판매기 사용법

① 티켓 자동판매기 위의 노선도에서 가고자 하는 목적지의 요금 확인(목적지 밑 20~ 숫자가 요금임), ② 화면에서 거우마이단청퍄오(購買單程票)/요우요우카쟈즈(悠遊卡加値) 중 거우마이단청퍄오 선택, ③ 딴정퍄오즈(單程票値)의 20~50 중 목적지 요금 선택, 인원이 1명 이상이면 아래 장수(張數) 2~10 중 선댁, ④ 금액만큼 동전 또는 지폐 투입, ⑤ 발행된 코인 수거

· 이지카드(悠遊卡) 충전 방법

① 이지카드 구입은 매표소에서 하고 ② 충전은 매표소이나 편의점에서 증액을 원하는 금액(NT$ 100 이상) 지불하며 '톱업 플리즈(Top up, Please)' 라고 하거나 ③ 티켓 자동판매기의 이지카드 표시 위에 이지카드를 놓고 화면에서 거우마이단청퍄오(購買單程票)/요우요우카쟈즈(悠遊卡加値) 중 요우요우카쟈즈 선택, ④ 잔액 확인하고 원하는 금액 투입, ⑤ 충전이 되었는지 확인

*이지카드 충전전용인 요우요우카쟈즈지(悠遊卡加値機) 사용법은 ① 이지카드 표시 위에 이지카드를 놓고 증액을 원하는 금액(100·500·1,000 단위) 또는 신용카드 투입, ② 충전 확인 또는 신용카드 시 원하는 금액 입력 후 충전 확인

- 시내버스 公車 궁처

타이베이 시내는 MRT 노선이 잘되어 있어 굳이 시내버스를 탈일이 없으나 시내버스를 타게 된다면 기초적인 것을 알아두는 것이 좋다. 타이베이 시내에 약 40여개의 시내버스 노선이 운행 중이고 운행간격은 대략 5~10분이다. 버스번호에 중(棕 갈색, 1호선), 훙(紅 적색, 2호선), 뤼(綠 녹색, 3호선), 쥐(橘 노란 색, 4호선), 란(藍 청색, 5호선)이 붙은 것은 MRT 노선과 연계된 것이다. 이들 색이 있는 버스는 같은 색의 MRT 역을 지난다고 생각하면 된다. 이밖에 샤오(小)가 붙은 버스 미니버스, 취(區)가 붙은 버스는 본선 중 일부 구간만 운행하는 버스다. MRT를

이용한 뒤 버스를 이용할 사람은 **MRT 역내의 지도에 버스번호가** 안내가 되어 있으니 참고.

시내버스를 타기 전, 버스정류장의 노선도를 보고 가고자하는 목적지를 확인한다. 시내버스가 도착하면 앞으로 탑승하고 뒤 또는 앞으로 내린다. 버스를 탑승할 때 버스 운전석 위에 **샹샤처서우페이(上下車收費)** 중 샹(上)에 불이 들어왔으면 탈 때, 샤(下)에 불이 들어와 있으면 내릴 때 요금을 낸다. 요금은 현금이나 이지카드로 낼 수 있는데 현금의 경우 거스름돈을 주지 않는다.

기본 요금(1단계)은 NT$ 15이고 거리에 따라 1~4단계의 요금이 책정된다. 하차 시에는 안내방송이 있는 경우도 있고 없는 경우도 있으므로 하차 정류장을 모르면 현지인에게 도움을 청하거나 구글 지도에서 자신의 위치를 파악하고 하차한다.

홈페이지_www.taiwanbus.tw

- 택시 計程車 지청처

택시는 타이베이(台北)와 타이완 도시를 여행할 때 가까운 거리를 간편하게 이동할 수 있어 편리하다. 특히 타이중(台中), 타이난(台南), 타이둥(台東) 화롄(花蓮) 같은 중소 도시를 여행할 때 잘 오지 않는 시내버스를 무작정 기다리지 말고 택시를 이용하는 게 낫다.

택시 기본 요금은 1.25km에 NT$ 85, 250m 당 NT$ 5 추가, 1분 40초 정차 당 NT$ 5 추가된다. 밤 11시~다음날 새벽 6시까지는 미터요금+NT$ 20(미터 표시 없이 20 지불)이 추가되니 밤 유흥을 즐기려는 사람은 참고하자.

택시호출(지영택시)_8787-5557

*스마트폰 호출 택시인 **우버(uber)**를 이용할 수도 있음.

우버_www.uber.com

2) 교통 티켓

- 이지카드 Easy card 悠遊卡 요우요우카

타이완 티머니 카드라고 할 수 있는 이지카드는 지하철 MRT와 시내&시외버스, 기차, 편의점, 공공자전거 대여, 주요 관광지 등에서 사용할 수 있다. 타이완 전역에서 사용 가능. 지하철에서 이지카드(悠遊卡) 사용 시, 20% 요금 할인, 시내&시외버스 이용 시 요금 할인, 1시간 내 MRT 또는 버스에서 버스 또는 지하철 환승 시 NT$ 8 할인된다.

이지카드 종류는 보통(普通卡), 학생(국제학생증 필요), 우대 등이 있다. 또 예전 IC칩 없는 이지카드가 있었으나 현재 IC칩 내장 이지카드만 판매된다. 이지카드는 MRT 매표소나 이지카드 자동판매기, 편의점(패밀리마트, 세븐일레븐, 하이라이프, 오케이마트)에서 **보증금(NT$ 100)**을 지불하고 구입할 수 있다. 이지카드 구입 후, MRT 매표소, 편의점 등에서 충전(NT$ 100~)하여 사용하고 환불 시 보증금 NT$ 100 제외하고 잔액이 지불된다. *2016년 이후 보증금 환불 불가. 환불처가 제한되어 있으므로 쓸 만큼 충전해 쓰고 귀국 시에는 기념품으로 가져오자.

전화_02-2652-9988

홈페이지_www.easycard.com.tw

- 아이패스 iPASS 一卡通 이카퉁

주로 가오슝에서 사용되던 교통카드로 현재는 가오슝은 물론 타이베이, 타이중 등 타이완 전역에서 사용 가능하다. 사용처는 타이베이 MRT, 가오슝 MRT, 기차, 타이완 전국 시내&시외버스, 연락선, 공공자전거 대여, 편의점, 주요 관광지 등. 아이패스로 지하철 이용 시 20% 할인되고 시내&시외버스 이용 시 일부 할인된다. 구입처는 편의점, 타이베이 MRT 매표소, 가오슝 MRT 매표소 등. 구입은 보증금(NT$ 100)을 지불하고 이카퉁 구입하고 MRT 매표소, 편의점 등에서 NT$ 100 단위로 충전하여 사용한다. 환불

시, 보증금+수수료 외 잔액 지불. *환불처가 제한되어 있음

전화_07-791-2000

홈페이지_www.i-pass.com.tw

-아이 캐쉬 icash 愛金卡 아이진카

이지카드, 이카통 같은 교통카드로 타이베이 MRT, 버스, 유바이크(You bike) 등을 이용할 수 있다. 타이완 전역에서 사용 가능. 단, 시외버스는 이용불가! 구입처는 MRT 역, 세븐일레븐 등, 구입방법은 보증금(NT$ 100)을 지불하고 구매하면 된다. 구매 시 잔액이 '0' 이므로 추가로 MRT 역, 세븐일레븐에서 충전해 사용. *현재 '아이캐쉬2.0'으로 판매 중

홈페이지_www.icash.com.tw

- 타이베이 펀 패스 Taipei Fun Pass 台北玩通

타이베이 펀 패스는 교통/무제한(교통+관광지 입장권)/관광지(명소)/클래식(2대 명소) 등으로 나눌 수 있다.

교통은 타이베이 MRT·버스와 타이완 하오싱 4개 노선[베이터우주지후선 北投竹子湖線, 무짜핑시선(핑시) 木柵坪溪線, 환꽌베어하이안선(예류) 皇冠北海岸線, 황찐푸룽선(지우펀) 黃金福隆線]를 이용할 수 있는 FunPASS 교통(交通專享卡) 1/2/3/5일권(NT$ 180/310/440/700) 외 타이베이 교통에 마오쿵 케이블카가 포함된 FunPASS 마오콩 케이블카 1일권(NT$ 350), **무제한**은 타이베이 교통(타이완 하오싱 4개 노선 포함)+25 관광지을 입장할 수 있는 무제한 여행 카드(無限次旅遊通行證) 1/2/3일 권(NT$ 1,500/1,900/2,200), **관광지**는 23개 관광지를 입장할 수 있는(+충전 후 교통카드로 사용 가능) 관광지 여행 카드 2/3/4일권(NT$ 650/850/1,050), 클래식은 타이베이 101빌딩 전망대+국립 고궁 박물관을 입장할 수 있는(+충전 후 교통카드로 사용 가능) 클래식 여행지 카드(NT$ 950) 등이 있다.

구입처는 MRT 매표소 및 타이베이 역의 이지카드 서비스센터(MRT 타이베이 역 M6번 출구 지하 1층), 타이베이 펀 홈페이지 등

홈페이지_http://taipeipass.travel.taipei

04 타이베이에서 다른 도시 이동하기

- 대만 고속철도 台灣高鐵 THSR 타이완가오톄

2007년 운행을 시작한 대만 고속철도는 타이완가오수톄루(台灣高速鐵路; 台灣高鐵), 영문으로는 타이완 하이스피드레일(Taiwan High Speed Rail)라고 한다.

고속철도는 타이완 북쪽 타이베이(台北)에서 남쪽 가오슝(高雄)의 쭤잉(左營)까지 1시간 36분~2시간 소요되어 타이완을 1일 생활권으로 만들었다. 고속철도는 일반 기차에 비해 역간 소요시간이 짧으나 고속철도역이 시내까지 떨어져 있어 고속철도역에서 시내까지 이동시간을 고려해야 한다.

타이완 여행 중 보통 단거리 이동 시, 일반 기차가 좋고 타이베이에서 쭤잉(가오슝) 같은 장거리 이동 시, 고속철도를 이용하는 것이 편리하다. 티켓 구입은 타이베이처잔(台北車站 기차역) 지하 1층의 고속철도 매표소나 티켓 자동판매기, 고속철도 홈페이지를 통해서 하면 된다. 외국여행자로써 빠른 시간 내에 고속철도와 타이완 기차를 이용해 타이완 전역을 여행하고 싶다면 기차 패스인 타이완 고속철도 주유권(台灣高鐵周遊券, THSR Pass)을 이용하는 것도 괜찮다.

운행노선_난강(南港)-타이베이(台北)-반챠오(板橋)-타오위안(桃園)-신주(新竹)-먀오리(苗栗)-타이중(台中)-장화(彰化)-윈린(雲林)-자이(嘉義)-타이난(台南)-쭤잉(左營, 가오슝)

주요 역 소요시간과 요금(일반석)_
타이베이-타이중_약 1시간 4분 소요, NT$ 700, 타이베이-타이난_약 2시간 소요, NT$ 1,350, 타이베이-쭤잉(가오슝)_약 2시간 14분, NT$ 1,490

전화_02-4066-3000

홈페이지_www.thsrc.com.tw

· 대만 고속철도 주유권(台灣高鐵周遊券, THSR Pass) 타이완 가오톄 저우유취안

대만 고속철도 주유권은 일정 기간 또는 원하는 날짜에 고속철도 또는 기차를 무제한 이용할 수 있는 기차 패스다. 주유권의 종류는 고속철도를 연속 사용하는 **3일권**(高鐵3日券 NT$ 2,200), 고속철도를 원하는 날짜를 선택해 사용하는 **플렉시블 2일권**(高鐵彈性3日券 NT$ 2,500), 5일 내에 2일 고속철도+3일 대만 철도의 쥐광(莒光 무궁화급) 이하 이용하는 **쌍철표준 5일권**(雙鐵標準5日券 NT$ 2,800), 5일 내에 2일 고속철도+3일 대만 철도의 쯔창(自强 새마을급) 이하 이용하는 **쌍철특급 5일권**(雙鐵特級5日券 NT$ 3,600)이 있다. 어느 패스를 이용해도 실제 요금보다 싸고 각 주유권 설명 아래 예시 일정을 참고하면 알찬 타이완 여행을 즐길 수 있다. 티켓 구입은 현지 고속철도 홈페이지, 한국의 하나투어, 네스 투어, 웹투어, TNT 투어 등

홈페이지_ https://pass.thsrc.com.tw/oatsb2c/home.do

– 대만 철도 台灣鐵路 TRA 타이완톄루

대만 철도를 타이완톄루(台灣鐵路)라하고 영문으로는 대만 철도관리국(Taiwan Railways Administration)의 약자 TRA로 표시한다. 대만 철도는 1887년 청나라 광서 13년 운행을 시작했고 타이완을 한 바퀴 도는 총연장은 1085.3km다. 대만 철도 노선은 서부간선과 동부간선의 간선철로(幹線鐵路), 간선에서 뻗어나간 핑시선(平溪線)·선아오선(深澳線) 같은 지선철로(支線鐵路), 아리산삼림철로(阿里山森林鐵路) 같은 수탁운영철로(受託運營鐵路) 등이 있다.

좌석의 종류로는 **새마을호(쾌속기차)** 격인 쯔창(自強 Tze-Chiang Limited Express)·타이루거(太魯閣 Taroko Express)·푸리마(普悠瑪 Puyuma Express), **무궁화(특급기차)** 격인 쥐광(莒

光 Chu-Kuang Express)·푸싱(復興 Fu-Hsing Semi Express), **통일호(일반 기차)** 격인 취젠콰이처(區間快車 Fast Local Train), **비둘기호(완행 기차)** 격인 취젠처(區間車 Local Train)·푸콰이처(普快車 Ordinary Express Train) 등이 있다. 타이완 여행에서 장거리 이동 시, 쯔창·타이루거·푸리마, 중간거리 이동 시, 쯔칭·타이루거·푸리마+쥐광, 단거리 이동 시, 취젠콰이처·취젠처·푸콰이처를 이용하는 것이 좋다. 티켓 구입은 타이베이처잔 1층 매표소나 티켓 자동판매기, 대만 철도 홈페이지를 통해서 할 수 있다. 매표소에서 티켓을 살 때 바로 출발일 경우, **'목적지+기차 종류+수량, 예) 타이중+쯔창+1'** 순으로 말하면 되고 예매일 경우, **'날짜+시간+목적지+기차 종류+수량'**순으로 메모해서 보여주면 된다. 대만 철도 홈페이지 예매 시, 예매번호를 메모하여 여권과 함께 매표소 창구에 보여주면 실물 기차표를 내어 준다. 홈페이지 예매가 편리하다.

홈페이지_www.railway.gov.tw

기차 시간조회_

http://twtraffic.tra.gov.tw/twrail

· 대만 철도 홈페이지 예매 방법

① 대만 철도 홈페이지에서 한국어 선택, ② 일반 예매 탭에서 일반 열차/비지니스 열차/예매 조회 중 일반 열차 선택, ③ 여권번호 입력, 편도/이중(왕복)/복수 중 선택, 열차편 별/시간대별 선택, 출발역 · 도착역 · 일자 일반석 수량 등 선택 후 검색 방식 클릭, ④ 결제, ⑤ 기차 티켓(영수증) 프린트 * 진행 어려우면 호텔, 숙소의 현지인에게 도움의 청하자. 엡스토어에서 '台鐵e訂通'앱을 설치해 예매할 수도 있음.

예매_https://tip.railway.gov.tw

- 시외버스 客運 커윈

타이완에서 딱히 시외버스와 고속버스 구별이 없어, 시외버스로 통일하도록 한다. 타이베이에서 시외버스는 크게 타이베이처잔(타이베이 기차역) 북쪽 **타이베이 좐윈잔(台北轉運站 타이베이 버스 스테이션)**과 타이베이처잔 M2 출구 **궈광커윈 타이베이처잔(國光客運臺北車站)** 버스터미널에서 이용할 수 있다. *2016년 10월 타이베이 역(台北車站) 서쪽의 타이베이시잔(台北西站) A · B동 터미널 폐쇄. 대부분 노선은 타이베이 좐윈잔과 통합!

· 대북전운참 台北轉運站(타이베이 좐윈잔) Taipei Bus Station

타이베이 좐윈잔은 타이베이 공식(?) 버스터미널로 타이베이 역 북쪽, 쇼핑센터 스샹광창(時尚廣場 Q Square) 1층에 있어 타이베이 역에서 찾아가려면 스샹광창 또는 큐스퀘어 표시를 보고 가면 된다. 터미널 이용 방법은 **1층**에서 회사별 매표소에서 티켓을 구매한 뒤, **2층** 퉁롄커윈(統聯客運 U Bus)·싼충커윈(三重客運)·신주커윈(新竹客運)·궈광커윈(國光客運), **3층** 퉁롄커윈(統聯客運)·하오타이커윈(豪泰客運), **4층** 궈광커윈(國光客運)·허신커윈(和欣客運)·펑위안커윈(豐原客運)·카마란커윈(葛瑪蘭客運)·알로하하커윈(阿羅哈客運) 승차장에서 버스를 탄다. 주요 노선은 **타이중(台中)**, **장화(彰化)**, **르웨탄(日月潭)**, **자이(嘉義)**, **아리산(阿里山)**, **타이난(台南)**, **가오숑(高雄)** 등.

매표소에서 궈광커윈이 노선이 가장 많으므로 우선 궈광커윈을 살펴보고 없으면 다른 회사를 찾아보자. 궈광커윈 외 퉁롄커윈의 타이중(1619, 1620번), 장화(1615번), 루강(1652번), 자이(1618번), 타이난(1611번), 가오숑(1610번) 등을 참고할 만하다. *타이완 동부 **이란(宜蘭)**, **화롄(花蓮)**은 기차를 이용하는 것이 편리!

교통_타이베이 역 북쪽, 도보 2분

주소_台北市 大同區 市民大道一段 209號

궈광커윈_www.kingbus.com.tw

퉁롄커윈_www.ubus.com.tw

알로하커윈_www.aloha168.com.tw

허신커윈_www.ebus.com.tw

전체버스안내_www.taiwanbus.tw

타이베이좐윈잔(타이베이 버스 스테이션)_궈광커윈 주요 노선

노선	목적지 _통과 도로	운행시간/운행간격	소요시간	요금 (NT$)
1826번	**타이중(台中)** _중칭루(中清路)	05:00~22:00 /1시간	2시간50분	288
1827번	**타이중(台中)** _중강루(中港路)	05:00~22:30 /1시간	2시간45분	288
1828번	**장화(彰化)**	15:00·17:40 *일 16:00 추가	2시간40분	315
1832번	**푸리(埔里)**	14:30·16:00	3시간40분	399
1832A번	**푸리(埔里)**_궈류(國六)	07:20~21:20 *요일에 따라 출발시간 다름	3시간10분	395
1833번	**르웨탄(日月潭)**	09:45, 14:45, 16:45	4시간	465
1834번	**자이(嘉義)**	05:00~21:00 /1시간	3시간30분	425
1835번	**아리산(阿里山)**	금 20:45·토 11:30	6시간10분	710
1837번	**타이난(台南)**	07:10~21:10 /2시간	4시간20분	455
1838번	**가오슝(高雄)** _린커우자오마(林口朝馬)	08:20~21:20 /1~2시간	5시간	560
1838A번	**가오슝(高雄)** _시루오(西螺)	06:20~18:20 /2~3시간	5시간	475

*현지 사정에 따라 노선, 시간, 요금 등 바뀔 수 있음

· 국광객운 타이베이 역 버스터미널 國光客運 臺北車站 궈광커윈 타이베이처잔

궈광커윈 타이베이처잔 버스터미널은 타이베이 역 M2 출구에 있다. 이곳에서는 지룽(基隆), **예류(野柳)** 경유 진산 청년활동센터(金山青年活動中心), 타오위안(桃園, 공항 아님), **타오위안 국제공항(桃園 國際機場)** 등으로 가는 버스가 출발한다.

교통_타이베이 역 M2 출구에서 바로
주소_台北市 中正區 市民大道 一段 168號
전화_0800-010138(궈광커윈)
궈광커윈_www.kingbus.com.tw

귀광커윈 타이베이처잔 버스터미널_궈광커윈 주요 노선

노선	목적지 *경유지	운행시간/운행간격	소요시간	요금 (NT$)
1813번	지룽(基隆)	평일_06:00~15:50 /10~20분	50분	57
1815번	진산 청년활동센터 (金山青年活動中心) *예류(野柳)	평일_07:00~23:10 /10~20분	1시간30분	128 *98
1816번	타오위안(桃園) _타오위안역 부근	06:50~20:40 /10~20분	50분	69
1819번	타오위안 국제공항 (桃園國際機場)	00:20~23:50 /40분~1시간	55분	135

*현지 사정에 따라 노선, 시간, 요금 등 바뀔 수 있음

05 타이완 하오싱과 타이완 관광버스, 택시 투어

-타이완 하오싱 台灣好行 Taiwan Tourist Shuttle

타이완 하오싱은 기차역이나 고속철도 역에서 타이완 하오싱 버스를 이용해 주요 관광지를 돌아볼 수 있게 한 것이다. 타이완 하오싱 버스는 코스에 따라 관광버스인 경우도 있고 그냥 노선 버스인 경우도 있어 역에서 관광지 가는 버스라고 생각하면 될 듯.

코스는 타이완 전역에서 50여개의 코스가 운영되고 있는데 주요 코스는 타이루거(太魯閣), 르웨탄(日月潭), 아리산 삼림유락구(阿里山森林遊樂區), 관쯔링 온천關子嶺溫泉), 이자이진청(億載金城), 컨딩(墾丁) 등이 있다.

주로 역에서 출발해 중간 중간의 관광지에서 내려 구경하고 다시 출발지로 돌아오는 식으로 운영된다. 중간에 관광지에서 내렸다 탔다 를 반복하면 실제로는 시간이 많이 걸리고 버스 시간을 맞추기 어려운 점이 있다. 타이완

하오싱은 보통 30분~1시간 간격으로 운행된다. 티켓은 운전기사에게 구입할 수 있는데 요금은 거리에 따라 낸다. 거리 요금 외 편도 요금은 보통 거리에 따른 요금이고 1일권 또는 2일권은 1~2일 동안 자유롭게 타고 내릴 수 있는 티켓이다.

구입처_전국 퉁리안커윈(統聯客運 U Bus) 매표소, 페미리마트, 7-11 ibon, KLOOK, KKday 홈페이지

홈페이지_www.taiwantrip.com.tw

타이완 하오싱 주요 노선_

지역	코스(목적지)	노선(_출발지)	운행시간	요금 (NT$)
화롄 花蓮	타이루거 太魯閣	타이루거선(太魯閣線) _화롄 역/여행자센터	평 06:30~13:40 (주 ~16:10)	편도_140 1일권_250
난터우 南投	르웨탄 日月潭	르웨탄선(日月潭線) _타이중 간청/타이중 역	평_07:20~17:45 (주 ~19:45)	편도_193 왕복_360
자이 嘉義	아리산 삼림유락구 阿里山森林遊樂區	아리산 A선 (阿里山 A線) _가오톄자이 역	09:30, 10:10, 11:00, 13:10	편도_278
자이 嘉義	아리산 삼림유락구 阿里山森林遊樂區	아리산 A선 (阿里山 B線) _자이 역	06:05~14:10	1회_251
타이난 台南	관쯔링 온천 關子嶺溫泉	관쯔링선 (關子嶺線)	주 08:30~14:00 (약 1시간 간격)	115
타이난 台南	이자이진청 億載金城	99안핑타이선 (99安平台江線) _타이난 역	주 08:20~16:20 (약 1시간 간격)	매회_18
컨딩 墾丁	컨딩 墾丁	컨딩콰이선(墾丁快線) _가오톄쭤잉(左營) 역	08:30~19:10	편도_401 왕복_600

*평_평일, 주_주말, 가오톄_고속철도. 상황에 따라 노선, 시간 등 바뀔 수 있음

- 타이완관빠 台灣觀巴 Taiwan Tour Bus

타이완 여행 중 대중교통편이 불편한 관광지나 여러 관광지를 한 번에 둘러

보고 싶을 때 타이완 광광버스인 타이완관빠를 이용하면 편리하다. 특히 쉽게 가기 어려운 국립공원이나 체험농장, 온천, 원주민 부락, 바다 여행, 야경 투어 등은 타이완 관빠로 가는 것이 나을 수 있다.

코스는 지우펀·양밍산·쑤아오 등 북부 노선, 르웨탄·루강·난터우 등 중부 노선, 아리산·불광산·컨딩 등 남부 노선, 타이루거·타이둥 등 동부 노선, 타이완 일주노선 등 90여개가 있다. 여행 코스는 보통 가이드가 중국어로 진행하나 외국인인 경우 간단한 영어 소통이 가능하니 여행을 못할 정도는 아니다. 영어, 일어 등에 능통하다면 외국어 코스를 이용해도 좋은데 기본 코스와 같이 관광지 데려다 주고 다른 관광지 옮겨가고 하는 등 다를 게 없다.

타이베이 출발뿐만 아니라 지방 도시 출발 코스도 있으니 참고. 요금은 코스별로 다르나 보통 1일 일정의 경우 NT$ 1,200~1,700 정도이고 입장료, 식사별도. 신청은 홈페이지를 통해 할 수 있고 인기 코스의 경우 주말이나 성수기에 조기 마감된다. 코스 중 식사 추가 있다면 가성비가 높으므로 신청하는 게 좋다. *타이완 하오싱, 타이완관빠의 버스는 관광버스 또는 지역 노선 버스가 혼재되어 운영됨.

홈페이지_www.taiwantourbus.com.tw

타이완 관빠 주요 코스_

지역	코스(목적지)	노선	소요시간(hr)	요금(NT$)
북부	동북해안, 핑시, 진과스, 지우펀 1일(東北角之迷~黑金的故事)	타이베이 역➔신핑시탄광박물관(新平溪煤礦博物)➔황금박물관(黃金博物館)➔지우펀(九份老街)➔수이난둥 13층 유적(水湳洞十三層遺址)➔타이베이 역	11	1,900
	북해안, 시터우산공원, 진산, 양명산 1일(台北山海戀一日遊)	타이베이 역➔시터우산공원(獅頭山公園)➔찐산(金山老街)➔양밍산(陽明山)➔타이베이 역	10	1,800
	이란, 칭수이지열, 공묘, 둥산허, 좡웨이사구 2일	1일_타이베이 역➔칭수이지열(清水地熱)➔공묘(四結金身土地公廟)➔쭝신원창(中興文創園區)➔루오둥야시장(羅東	2일	3,200(4인 1실)

	(宜蘭舊城探祕二日遊)	夜市) 2일_둥산허(冬山河生態綠洲)➜둥산(冬山老街)➜좡웨이사구(壯圍沙丘旅遊服務園區)➜타이베이 역		
중부	르웨탄 1일 (海陸空體驗日月潭之美一日)	타이중 역➜(르웨탄)자전거도로➜르웨탄 선상유람(船遊日月潭)➜르웨탄 케이블카(日月潭纜車)➜문무묘(日月潭文武廟)➜타이중 역	8~9	1,600
	칭징농장, 허환산 1일 (絕美高山景觀公路 清境農場, 合歡山)	타이중 역➜칭징농장&칭칭초원(清境農場&青青草原)➜우링(武嶺)➜칭징상권(清境商圈巡禮)➜타이중 역	8~9	1,600
	루강, 티엔후궁, 모루샹, 루강룽산사, 베이강차오티엔궁 2일 (走入鹿港雲林歷史長廊時光之旅)	1일_타이중 역➜루강(鹿港小鎮)➜천티엔후궁·모루샹(天后宮·摸乳巷)➜루강룽산사(鹿港龍山寺) 2일_베이강차오티엔궁(北港朝天宮)➜베이강춘셩훠박물관(北港春生活博物館)➜마오진공장(毛巾工廠)➜타이중 역	2일	4,700
남부	남 고궁 박물관, 아오구습지, 커우후 1일 (鰲向南故宮一日遊)	타이난가오톄역➜아오구습지(鰲鼓濕地森林園區)➜커우후(口湖遊客中心)➜고궁 박물관 남원(故宮南院)➜타이난 가오톄역	7~8	2,200
	아리산 2일 (阿里山四季風情 新中橫鹿林神木尋幽之旅)	1일_타이중 역➜신중횡경공로(新中橫景觀公路~塔塔加遊客中心)➜타이완공식 제2대신무(台灣官方排名第二大神木~鹿林神木)➜탐방기밀풍경(探訪私房景點~水山線) 2일_아리산산림철로~주산선(阿里山森林鐵路(單程)~祝山線火車)➜주산 일출➜아리산산림공원(阿里山森林遊樂區)➜펀치후(奮起湖老街)➜타이중 역	2일	5,580
	헝춘반도(컨딩) 1일 (恆春半島全島旅遊線一日遊)	集合地點➜지아야오수이(佳樂水)➜港口吊橋➜龍磐公園➜어롼비(鵝鑾鼻)➜貝殼砂島➜선반석(船帆石)➜A.海生館/B.紅柴坑半潛艇+白沙/C.古城鐵馬/D.	8.5	2,000

		後壁湖三合一水上活動➜➜貓鼻頭➜關山➜回程		
동부	타이루거 도보 1일 (太魯閣景觀步道探訪一日遊)	화롄 버스터미널➜사카당보도(砂卡礑步道)➜옌즈커우보도(燕子口步道)➜지우쿠둥보도(九曲洞步道)➜창춘사(長春祠)➜➜치싱탄(七星潭遊憩區)	8	1,180

*현지 상황에 따라 노선, 시간, 요금 등 바뀔 수 있음

- 타이완 택시 투어 Taiwan Taxi Tours

타이완 여행 시 대중교통편이 불편하거나 여러 관광지를 한 번에 여행하려면 택시를 대절하는 것이 좋다. 택시 투어는 주로 타이베이(台北) 북쪽의 예류(野柳), 진과스(金瓜石), 지우펀(九份), 스펀(十分), 하우통(猴硐) 등 일대, 화롄에서는 타이루거 계곡을 둘러볼 때 유용하다. 중국어에 능통하다면 현지 택시 업체를 섭외해도 되고 중국어에 익숙하지 않다면 한국에서 인터넷 카페에서 예약할 수 있고 약간의 한국어가 통하는 JJ투어 등을 이용하면 된다.

타이베이 근교 코스는 진과스-지우펀-스펀, 예류-진과스-지우펀-스펀, 하우통-스펀-진과스-지우펀 등이고 여기에 순서를 바꾸거나 관광지를 추가, 삭제할 수 있다. JJ투어는 타이베이 북부 코스 외 타이베이 시내, 이란&자오시 온천, 타이루거, 컨딩, 타이중 코스 등도 진행한다.

타이베이 북부 코스 요금은 보통 택시 1대(정원 4명), 1일 10시간 기준 NT$ 4,500 정도이다. 입장료, 식대 등 제외된다. 약속된 시간을 초과하면 시간당 추가 요금이 부과된다. 기본적으로 운전기사 팁은 주지 않아도 되고 점심 식사 때에도 따로 식사하니 신경 쓸 필요 없다. 여행 끝나고 감사인사만 정중하게! *인원이 많다면 택시보다 큰 밴을 이용해도 된다.

· JJ투어

코스 : ① 예류-스펀-진과스-지우펀/예류-진산라오지에-석문동-단수이(10시간)_NT$ 4,500 내외

② 타이베이-타이루거 협곡 코스_타이베이(12시간)/화롄 역(8/5시간) 출발 NT$ 6,500/3,600/3,000 내외

③ 가오슝_월세계, 불광산, 용호탑, 치진, 보얼, 아이허(9시간)_NT$ 5,500 내외
전화_한국에서 +886-978-949-590, 타이완에서 +886 빼고.
신청_
http://cafe.naver.com/jjtaiwantaxitour

· 고 택시 Go Taxi

택시나 밴을 대절해 원하는 관광지를 둘러볼 수 있다. 단, 택시 전문업체이므로 한국어 지원이 미흡할 수 있음. 간단한 영어 소통 가능할 듯!
종류 : ① 택시(4인, 8시간 기준), NT$ 4,000(시간 초과 시 NT$ 200/30분)
② 밴(8인, 8시간 기준), NT$ 6,000(시간 초과 시 NT$ 300/30분)
③ 공항 샌딩(호텔→공항), NT$ 1,800
전화_한국에서 +886-918-656-033, 타이완에서 886빼고
신청_www.gotaiwan.cc

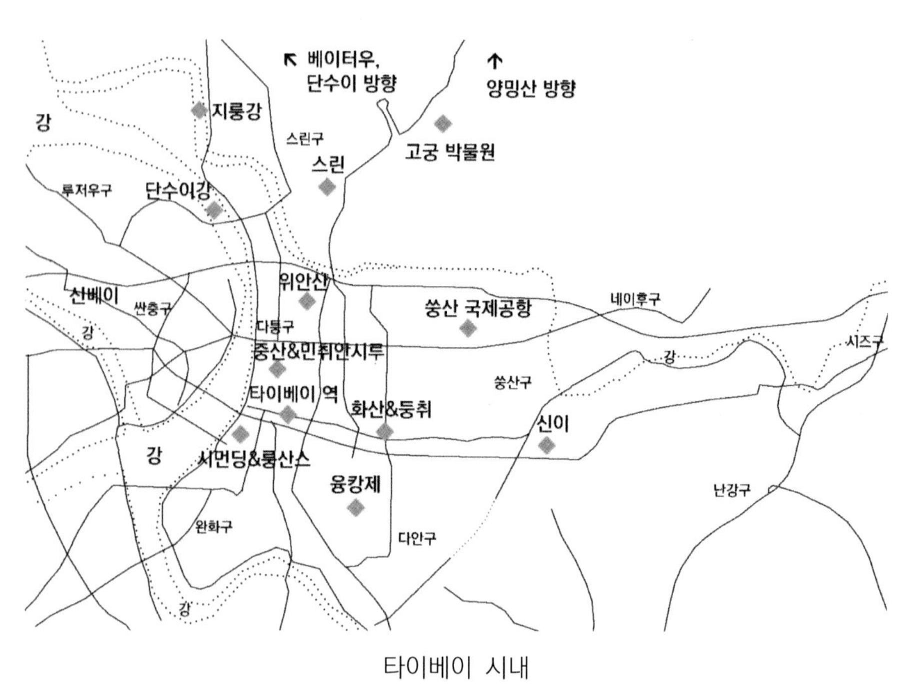

타이베이 시내

2. 타이베이 台北 Taipei

01 시먼&롱산스 西門&龍山寺 Ximen&Longshan Temple

시먼(西門)은 일제강점기 최대 상업지역으로 지금도 그 흔적이 남아 일본 행정구역 표기인 시먼딩(西門町)이라 부른다. 당시 타이베이좌, 영좌(현재, 신만국상장), 팔각당(현재 시먼홍루), 신세계관(현재 진선미희관) 같은 건물이 세워져 극장이나 상업시설로 쓰였다. 현재의 시먼은 타이베이의 명동이자 젊음의 거리라 할 수 있다.

용산사가 있는 완화구(萬華區)는 시먼 남쪽에 위치하고 원래 멍쟈(艋舺)라 불렀다. 완화구는 타이베이시의 발상지로 알려져 있고 청나라 말기 타이베이 성(총통부 일대), 다다오청(디화제 일대)와 함께 타이베이 3대 시가 중 하나였다.

이 지역에는 타이베이에서 가장 오래된 사원인 용산사(1738년), 청산궁(1856년), 지장암(1760년), 청수원(1787년) 같은 고찰, 뱀탕, 자라 보양식으로 유명한 화시제 야시장이 있어 여행자의 발길을 이끈다.

▲ 교통

① 시먼(西門)_MRT(지하철) 쑹산신뎬선(松山新店線)·반난선(板南線) 시먼 역 하차

② 룽산스(龍山寺)_MRT 반난선(板南線) 룽산스 역 하차

▲ 여행 포인트

① 타이베이 젊은이들이 모이는 시먼 거리 산책

② 타이베이 고찰 용산사에서 소원 빌어보기

③ 없는 것은 없고 있는 것은 있는 화시제 야시장 둘러보기

④ 청나라 때 거상 린번위안의 대저택 방문해보기

▲ 추천 코스

린번위안 저택→시먼딩 거리→보피랴오 역사지구→용산사→화시제 야시장

서문정 西門町 시먼딩

시먼(西門) 역 북서쪽 지역으로 동서로 뻗은 청두루(成都路)와 남북으로 뻗은 중화루(中華路) 사이에 위치한다. 서문정은 1950~60년대 타이완 최고 번화가였고 현재는 여러 복합영화관, 쇼핑센터, 의류, 신발, 액세서리 등의 상점, 타이완 분식, 중국 요리, 일본 요리 등을 맛볼 수 있는 식당, 망고 빙수를 맛볼 수 있는 디저트숍, 노래방(KTV), 게임장 등이 즐비한 젊음의 거리이다.

완화구(萬華區)는 타이베이라는 도시가 시작된 곳이고 서문정의 정(町)은 일본의 행정단위로 일제 강점기부터 시내 중심가였음을 짐작케 한다.

교통 : MRT(지하철) 쑹산신뎬선(松山新店線)·반난선(板南線) 시먼(西門) 역 6번 출구에서 한중제(漢中街) 방향, 바로

주소 : 台北市 萬華區 漢中街~武昌街

≫타투 거리 紋身街 원선제

서문정 유니클로 옆길에 위치한 문신(紋身) 거리로 치칭제(刺青街)라고도 한다. 타투 거리 입구에 '시먼딩 원선제(西門町紋身街)'라는 입간판이 세워져 있고 타투 상점에 여러 가지 문신을 한 사람들의 사진이 붙어 있어 쉽게 찾을 수 있다. 상점 앞 타투 그림책에서 원하는 타투를 골라 시술(?)을 할 수 있는데 한번 문신하면 지우기 힘드므로 주의!

교통 : MRT 쑹산신뎬센·반난선 시먼 역 6번 출구에서 한중제(漢中街) 방향, 사거리에서 유니클로 방향, 유니클로에서 좌회전, 치칭제(刺青街) 방향. 도보 4분

주소 : 台北市 萬華區 漢中街 50巷

시간 : 10:00~24:00

≫영화 거리 電影街 뎬잉제

서문정 중앙을 남북으로 가로지르는 쿤밍제(昆明街) 서쪽, 우창제(武昌街 二段)에는 럭스 시네마(樂聲影城 LUX CINEMA), 비쇼 영화관(台北日新威秀影城, IMAX), 인89 디지털 영화관

(in89豪華數位影城) 같은 복합영화관이 늘어서, 영화 거리를 형성한다. 복합영화관에는 최신 할리우드 영화는 물론 타이완 영화까지 한 곳에서 감상(영화비 NT$300 내외)할 수 있다.

교통 : MRT 쑹산신뎬선·반난선 시먼 역 6번 출구에서 북서쪽 한중제(漢中街), 유니클로 우창제(武昌街 二段) 거리로 간 뒤, 좌회전, 쿤밍제(昆明街) 거리 지나. 도보 9분

주소 : 台北市 萬華區 武昌街 二段 87號

서문 홍루 西門紅樓 시먼훙러우

1908년 일제강점기 타이완 총독부의 일본 건축가 곤도주로(近藤十郎)가 설계로 건축되었다. 서문 홍루는 붉은 벽돌 건물로 특이하게 팔각형 건물과 십자가형 건물이 연결되어 있다. 팔각형 건물은 도교의 팔괘를 형상화해 사방팔방에서 손님이 찾아오길 기원하는 의미가 담겼다고. 타이완 최초의 공영 시장으로 운영되다가 2007년 공연장과 전시장, 패션 소품, 액세서리, 디자인 상품, 핸드메이드 상품을 판매장인 16공방 등이 있는 문화상업공간으로 변모하였다.

교통 : MRT 쑹산신뎬선·반난선 시먼 역 1번 출구 나와 왼쪽. 바로

주소 : 台北市 萬華區 成都路 10號

전화 : 02-2311-9380

시간 : 일~목 11:00~21:30(금~토 ~22:00), 휴무 : 월요일

홈페이지 : www.redhouse.org.tw

코스프레 의상 거리

시먼 역 6번 출구 왼쪽 파출소 옆길에 연극 복장, 코스프레 의상 등을 판매, 대여하는 상점이 늘어서 있다. 상점에는 파티에 어울릴 듯한 화려한 드레스나 영화 〈황비홍〉에서 보았던 전통 중국의상, 애니메이션에서 봄직한 복장까지 다양한 의상들이 손님을 기다린다.

교통 : MRT 쑹산신뎬선·반난선 시먼 역 1번 출구 나와 왼쪽, 파출소 옆길 바로

주소 台北市 萬華區 漢中街 144號

시간 : 10:00~20:00

용산사 龍山寺 룽산스

1738년 처음 세워진 사원으로 현재의 건물은 1757년 새로 지은 것이다. 타이베이에서 가장 오래된 사원으로 규모도 크고 찾는 사람도 많다. 이곳에서 모시는 신들은 불교의 관세음보살뿐만 아니라 도교(?)의 마조, 성리학의 주자, 삼국지의 관우 등이 있어 유불선의 종합적인 성격을 띤다.

사원 문을 들어서면 광장에 향을 피우는 관음 향로와 천인 향로, 좌우에 북이 있는 고루와 종이 있는 종루가 있다. 본전인 엔통보전(円通宝殿)의 중앙에 관세음보살, 좌우에 보현보살과 문수보살상이 보인다. 본전 뒤에는 마조 향로, 마조를 비롯해 4신을 모시는 톈샹셩무뎬(天上聖母殿), 좌우의 관성제(관우)를 비롯한 2신을 모시는 관셩디쥔뎬(關聖帝君殿), 문창제를 비롯한 2신을 모시는 원창디쥔뎬(文昌帝君殿) 등이 있다.

신에게 기원을 하려면 사무실에서 향을 사서 피우고 원하는 신에게 가서 기원을 드리면 된다. 만사형통, 평안을 위한 기원은 엔통보전(본전)의 관세음보살이나 본전 뒤 천상성모전의 마조, 사업성공, 재물을 위한 기원은 본전 뒤 관성제군전의 관성제, 시험합격, 공부향상을 위한 기원은 본전 뒤 문창제군전의 문창제에게 하면 된다.

교통 : MRT 반난선 룽산스 역에서 바로/MRT 쑹산신뎬선·반난선 시먼 역에서 꾸이린로의 까르푸(家樂福) 거쳐 룽산스 방향, 도보 16분

주소 : 台北市 萬華區 廣州街 211號

전화 : 02-2302-5162

시간 : 07:00~22:00(입장 20:00)

휴무 : 무휴

홈페이지 : www.lungshan.org.tw

☆여행 팁_사원에서 기원 드리기와 점괘 알아보기

타이완 곳곳에서 불교, 도교, 유교가 합쳐진 전통 사원을 흔히 보게 된다. 오래된 사원의 내외 부를 둘러보는 것도 좋지만 가끔 영험 있는 사원에서 기원을 드려보는 것도 나쁘지 않다. 기원을 드리기 전, 사원 사무실에서 향을 구입하고 불을 붙인다. 향은 가늘고 3갈래뿐인 작은 것에서 팔뚝 굵기의 커다란 것도 있으니 원하

는 것을 선택하면 된다. 향에서 연기가 피어오르면 사찰 광장(뜰)의 향로 앞에 가서 기원을 드리며 연기로 몸에 붙은 잡귀를 떨쳐버리고 본전의 신상 앞에서 향을 들고 인사를 3번 한 뒤 기원을 드린다.

기원을 한 뒤에는 기원이 맞을지 안 맞을지 반달 모양의 나무패를 던져 시험을 해본다. 2개의 나무패가 다른 모양이 나와야 기원이 이루어진다고 하는데 다른 모양의 나무패가 나오게 하는 방법은 간단하다. 다른 모양의 나무패가 나올 때까지 던지는 것! 좀 더 자세한 점괘를 원한다면 번호가 적인 대나무 가지를 뽑은 뒤, 운수 서랍장으로 가서 번호에 맞는 서랍장 속 운수 종이를 꺼낸다. 단, 운수는 한자로 적혀 있으니 사무실이나 주위에서 영어를 통하는 사람을 찾아 의미를 물어보자. 끝으로 사업성공이나 재물을 기원한다면 사찰 사무실에서 금색으로 된 금지(가짜 돈)를 구입하여 기원을 드린 후 소각장에서 금지를 태우자. 가짜 돈을 태워 신에게 보내고 진짜 돈이 들어오길 기대하며.

서창가 야시장 西昌街夜市 시창제 예스

룽산스 옆(동쪽), 남북으로 이어진 거리가 시창제(西昌街)다. 이곳에서 밤마다 야시가 열리나 규모는 작다. 야시라고 할 것도 없이 동네 노인들이 모은 헌 옷, 신발, 싸구려 시계, 옥팔찌 등 중고 물품을 판매하는 정도여서 벼룩시장에 가깝다(우천 시 사람 없음). 간혹 쓸 만한 것도 있지만 대부분은 폐기처분 직전의 것들이다. 원하는 물건이 있다면 노인들과 흥정을 해도 좋으나 여간해선 깎아주는 법이 없다. 여행 중 막 신을 중고 운동화나 슬리퍼, 역시 막 입고 버릴 바지나 점퍼를 구입하면 좋다.

시창제는 약초를 판매하는 상점이 많아 약초 거리라고 불러도 좋다. 단, 이름 모를 약초들은 효능을 알아도 현지인이 아니면 구입하여 복용하기 어려운 점이 있다. 다행이 약초 거리에 더위 먹은 것을 회복시켜준다는 칭차오차(靑草茶)

와 원기 회복에 도움을 준다는 쿠차(苦茶)를 파는 음료 노점이 있어 타이완 약초로 만든 차를 맛볼 수 있다. 칭차 오차는 그런대로 마실만하나 고차는 매우 쓰다.

교통 : MRT 반난선 룽산스 역에서 바로

주소 : 台北市 萬華區 西昌街

시간 : 17:00~21:00

보피랴오 역사지구 剝皮寮歷史街區 보피랴오 리스제취

청나라 때 조성된 상업 지역으로 당시는 보피랴오 역사지구 앞을 지나는 광저우제(廣州街), 보피랴오 역사지구의 서쪽과 동쪽을 남북으로 지나는 캉정루(康正路)와 쿤밍제(昆明街) 일대를 말했다. 이곳에는 청나라 말기에 건설된 붉은 벽돌 건물이 늘어서 있었는데 현대에 들어 상권이 죽으면서 쇠락한 것을 2006년과 2009년 복원 공사를 거쳐 일반에 개방했다.

중국풍과 서양풍이 섞인 19세기 말~20세기 초 상가 건물이 인상적이고 몇몇 담벼락에는 중국 고사를 소개는 벽화도 그려져 있다. 타이완판 〈친구〉라 할 수 있는 영화 〈멍가 Monga(艋舺)〉의 촬영지여서 타이완 사람들에겐 친숙한 장소이기도 하다.

교통 : 룽산스에서 시창제 야시 입구 지나 보피랴오 역사지구 방향, 도보 2분

주소 : 台北市 萬華區 廣州街 141號

전화 : 02-2336-2798

시간 : 09:00~18:00(골목 09:00~21:00)

화서가 야시장 華西街夜市 화시제 예스

룽산스 서쪽에 남북으로 가로지르는 화서가 거리에 형성된 타이완 대표 관광 야시장이다. 천정이 있어 아케이드 시장처럼 보인다. 야시장 입구에 들어서면 여느 야시장과 같이 패션소품, 액세서리, 기념품 상점, 식당, 마사지숍 등이 늘어서 있다.

야시장 중간에 다다르면 식당 앞 수족관(?) 같은 생긴 상자에 물고기 대신 똬리를 틀고 있는 뱀이 혀를 날름거린다. 다른 상자에는 자라나 거북이 같은 것도 볼 수 있는데 이는 관상용이 아

닌 식용 재료이다. 그나마 예전에 비해 흉측한(?) 동물의 전시는 많이 줄은 상황. 그냥 생각 없이 지나가면 수족관에 뱀이 있는지, 거북이가 있는지 알지 못하고 지나치게 된다.

또 야시장에는 여느 야시장보다 많은 마사지숍이 있어 종업원들이 지나는 관광객을 부르는데 어느 가게나 마사지 가격이 비슷하니 끌리는 곳에서 마사지를 받아도 좋다.

교통 : MRT 반난선 룽산스 역에서 룽산스로 간 뒤 좌회전, 화시제 예스 방향. 도보 4분

주소 : 台北市 萬華區 華西街

맹갑 야시장 艋舺夜市 멍가 예스

룽산스에서 화시제 야시장 가는 광저우제(廣州街)에 형성된 야시장으로 **광저우가 야시장(廣州街夜市)**이라고도 한다. 길 중간에 먹거리, 기념품을 파는 노점, 길 양쪽에 패션소품, 잡화 등을 파는 상점, 식당이 늘어서 있다. 보통 화시제 야시장 가는 길(멍가 야시장)부터 화시제 야시장으로 아는 사람이 많다.

교통 : 룽산스 앞에서 화시제 야시장 방향, 바로

주소 : 台北市 萬華區 廣州街 172號

임본원 저택 林本源園邸 린번위안 위안디

시먼 남서쪽 푸중(府中)에 위치한 대저택으로 1800년대 거상이었던 린잉인(林應寅)과 그의 아들 링펑하우(林平後)이 살던 집이다. 중국 푸젠성(福建城)에서 건너온 임씨 일가는 쌀장사와 소금장사로 거부가 된 뒤, 여러 채의 건물과 연못, 정자, 용 나무가 있는 아름다운 대저택을 건축했다.

입구 왼쪽에 있는 건물은 손님을 위한 게스트하우스인 딩징탕(定靜堂)으로 전형적인 중국식 저택이다. 딩징탕 앞에는 연못과 정자, 산을 축소한 바위언덕이 있어 잠시 쉬어가기 좋다. 다시 시계 반대 방향으로 돌면 기념품숍과 용 나무가 있는 작은 뜰이 나오고 누각 건물을 지나면 작은 연못가에 서재 겸 유희장으로 쓰이던 팡젠자(方鑑斎)에 도착한다. 아쉽게 정면 3열, 측면 3열

의 전형적인 중국 대저택의 구조를 보이는 본채(三落大厝)는 개방되지 않는다.
교통 : MRT 반난선 푸중(府中)역 3번에서 푸중로(府中路) 직전, 오거리에서 지나 푸중로 직진 후 원창제(文昌街)에서 우회전, 직진. 시창제(西昌街)에서 좌회전. 도보 9분
주소 : 新北市 板橋區 西門街 9號
전화 : 02-2965-3061
시간 : 09:00~17:00/해설탐방_평일(휴일) 10:00, 11:00, 14:00, (14:30), 15:00
휴무 : 매월 첫째 월요일
요금 : 무료
홈페이지 : www.linfamily.ntpc.gov.tw

☆여행 이야기_타이완 한자 표기와 지명의 중국어 발음

타이완은 한자로 돈대 대(臺), 물굽이 만(灣)을 써 타이완(臺灣)이라하는데 간단히 별 태(台), 물굽이 만(灣)을 써 타이완(台灣)이라고도 한다. 대(臺)와 태(台)는 서로 다른 뜻의 한자이나 한자 발음은 타이(Tai)로 같다. 타이완 정부에서는 타이완(臺灣)으로 쓰길 바라고 있으나 타이완 내에서도 타이완(臺灣)과 타이완(台灣) 표기를 혼용하고 있다. 또한 타이베이(台北)는 중국어 발음으로 타이베이이나 간혹 옛날 표기인 타이베이(台北)로도 혼용해 쓴다. 단, 타이베이의 영문 표기는 Taipei로 쓴다. *중국은 1978년 중국어 발음 표기법인 핀인(Pinyin)을 쓰기 시작했으나 타이완은 여전히 독자 중국어 발음 표기법을 썼다. 세월이 흘러 타이완의 중국어 발음이 중국과 달라 불편이 누적되자 타이완도 2009년부터 핀인을 도입해 중국의 중국어 발음과 일치시키고 있다.
타이완 여행 중 간혹 지명의 한자명과 중국어 발음을 헷갈려 하는 사람을 본다. 옛 거리인 라오제(老街)와 석양이 유명한 단수이(淡水)와 예류(野柳)에서 지우펀(九份)갈 때 들리게 되는 지룽(基隆)을 예로 들어본다. 단수이는 한자로 하면 담수(淡水)이고 중국어 발음으로 하면 단수이(淡水)가 된다. 지룽도 한자로 하면 기륭(基隆)이고 중국어 발음으로 하면 지룽(基隆)이 되는 것이다. 그러니 당연하지만 단수이는 담수가 아니고 단수이고 지룽은 기륭이 아니고 지룽이다. 별생각하지 말고 지명은 현지 사람이 부르는 대로 부르면 된다.

아종 국수 阿宗麵線 아중멘셴

시먼(西門) 역 부근 어메이제(峨眉街) 거리에서 사람들로 북적이는 곳이 있다면 그곳이 바로 아종 국수를 판매하는 식당이다. 1975년 사장 린밍중(林明宗)이 걸쭉한 갈색 육수에 잘게 끊어진 소면을 넣어 먹는 아종 국수를 개발했다.

아종 국수집에 도착했다면 일단 줄을 서자. 메뉴는 한가지로 샤오완(小碗)인지, 다완(大碗)인지만 결정하면 된다. '완'자까지 붙이기 귀찮다면 '샤오'아니면 '따'만 외쳐도 알아듣는다.

교통 : MRT 쑹산신뎬선·반난선 시먼 역 6번 출구 나와 한중제((漢中街) 직진, 사거리에서 우회전, 어메이제(峨眉街) 방향. 도보 3분

주소 : 台北市 萬華區 峨眉街 8-1號

전화 : 02-2388-8808

시간 : 월~목 11:00~22:30(금~일 ~23:00)

메뉴 : 샤오완(小碗 소) NT$ 60, 따완(大碗 대) NT$ 75

압육편 鴨肉扁 야러우볜

중화루(中華路) 길가, 시먼딩(西門町) 입구에 있는 오리고기 전문점으로 1950년 개업했다. 메뉴는 오리 다리인 어두이((鵝腿), 오리 1/4, 오리 반 마리 빤즈(半隻)에 쌀국수인 미펀(米粉)이 있을 뿐이다. 오리 고기를 소스에 찍어 생강 채와 함께 먹으면 오리 고기 특유의 약간 질긴 식감이 느껴지고 계속 씹다보면 고소한 맛이 난다.

교통 : MRT 쑹산신뎬선·반난선 시먼(西門) 역 6번 출구 뒤쪽, 중화루(中華路) 이용, 직진. 도보 3분

주소 : 台北市 萬華區 中華路一段98之2號

전화 : 02-2371-3918

시간 : 11:00~22:00

메뉴 : 미펀(米粉, 쌀국수) NT$ 60, 어투이(鵝腿 오리 다리) NT$ 300, 오리 1/4 NT$ 600~700, 빤즈(半隻, 반마리) NT$

1,200~1,400 내외

삼형매 三兄妹 싼슝메이

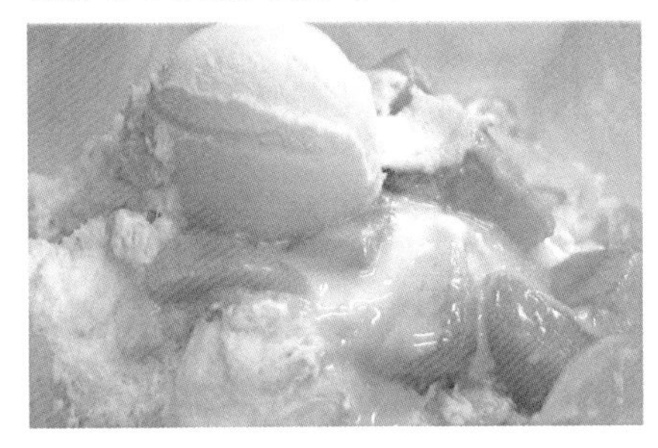

TV 예능 〈꽃보다 할배〉 타이완 편에 나왔던 빙수집이다. 손님이 몰리는 시간에는 우선 줄부터 서고 종업원이 나눠주는 주문서에 원하는 빙수를 표시한 뒤 카운터에 돈을 내고 1층이나 지하층 자리에 앉아있으면 2~3분 내로 빙수를 갖다 준다.

인기 빙수는 역시 망고가 들어간 〈망고(芒果)+망고 빙수(純芒果雪花冰)〉, 빙수에 아이스크림을 토핑한 〈망고우유(芒果牛奶)+아이스크림(氷淇淋)〉이다.

교통 : MRT 쑹산신뎬선·반난선 시먼(西門) 역 6번 출구 나와 뒤쪽, 중화루(中華路) 이용, 직진. 한커우로(漢口街 二段)에서 좌회전 후 첫 번째 골목에서 좌회전, 도보 5분 또는 시먼 역 6번 출구에서 한중제(漢中街)로 간 뒤 사거리에서 유니클로방향, 직진

주소 : 台北市 萬華區 漢中街 23號

전화 : 02-2381-2650

시간 : 11:00~23:00

메뉴 : 망고(芒果)+망고 빙수(純芒果雪花冰), 팥(紅豆)+녹차 빙수(純抹茶雪花冰), 망고우유(芒果牛奶)+아이스크림(氷淇淋) 등 각 NT$ 200 내외

홈페이지 : www.3siblings-snow-ice.tw

왕기부성육종 王記府城肉粽 왕지푸청러우쭝

삼각형 모양의 쭝즈(粽子)는 타이완에서 단오절에 먹는 음식이다. 보통 찰밥 속에 고기나 땅콩, 팥을 넣고 삼각형 모양으로 만든 뒤 대나무 잎으로 싸서 나온다. 이곳의 쭝즈는 고기 속의 러우쭝(肉粽), 땅콩 속의 차이쭝(菜粽), 팥소의 더우샤쭝(豆沙粽)이 있고 어묵탕인 위안탕(魚丸湯)과 함께 먹으면 좋

다.

교통 : MRT 쑹산신뎬선·반난선 시먼(西門) 역 6번 출구 나와 청두루(成都路) 직진, 톈허우궁(天后宮) 지나 좌회전. 도보 4분

주소 : 台北市 萬華區 西寧南路 84號

전화 : 02-2389-3233

시간 : 10:00~03:00

메뉴 : 러우쭝(肉粽 고기) NT$ 60, 차이쭝(菜粽 땅콩) NT$ 45, 더우샤쭝(豆沙粽 팥) NT$ 45, 위안탕(魚丸湯 어묵탕) NT$ 45, 몐셴(麵線, 국수) NT$ 45 내외

천순조전 청초차 天順祖傳 青草茶 톈순주촨 칭차오차

룽산스 옆 시창제(西昌街) 야시 입구에 위치한 칭차오차(青草茶) 노점으로 더위로 인한 화기를 다스리는 칭차오차, 원기회복을 돕는 쿠차(苦茶) 등을 판매한다. 칭차오차와 쿠차 외 해열과 기관지에 좋다는 위싱차오차(魚腥草茶 어성초차), 호박의 일종인 헤이탕둥구아차(黑糖冬瓜茶 흑설탕동과차) 등이 있다.

북항 첨탕 北港甜湯 베이강 톈탕

1954년 개업한 중국식 디저트숍으로 화시제 야시장 중간에 위치한다. 보통 손님들은 웨이까오저우 또는 위안즈저우에 홍더우탕이나 뤼더우탕을 주문한다. 식감이 부드러운 웨이까오저우와 달달한 홍더우탕은 음식궁합이 잘 맞는 편. 팥은 차가운 성질을 가지고 있으므로 갈증이 날 때 먹어도 좋다.

교통 : MRT 반난선 룽산스 역에서 룽산스로 간 뒤 우회전, 화시제(華西街) 방향, 화시제 중간. 도보 5분

주소 : 台北市 萬華區 華西街 41號

전화 : 02-2302-3281

시간 : 11:00~22:00

메뉴 : 홍더우탕/저우(紅豆湯/粥) NT$ 40, 뤼더우탕/저우(綠豆湯) NT$ 35, 웨이까오저우(未糕粥) NT$ 35, 위안즈저우/탕(圓仔粥/湯) NT$ 40 내외

*쇼핑

FE21 원동백화 FE21 遠東百貨 FE21 위안둥바이화

MRT 시먼(西門) 역 옆에 위치한 백화점으로 지하 1층~지상 8층 규모이다. 매장은 1지하 1층 슈퍼마켓&여러 식당이 모여 있는 미식가, 지상 1층 화장품, 2층 명품관, 3층 여성패션, 4층 영레이디 패션, 5층 아동복&장난감, 5층 가구&생활용품, 6층 남성패션, 7층 가전&스포츠웨어 등으로 구성되어 있다.
교통 : MRT 쑹산신뎬선·반난선 시먼(西門) 역 3번 출구에서 바로
주소 : 台北市 寶慶路 32號
전화 : 02-2381-6088(#9)
시간 : 일~목 11:00~21:30(금~토 ~22:00)
홈페이지 : www.feds.com.tw

만년상업빌딩 萬年商業大樓 Wan Nian Building 완녠샹예다러우

1973년 세워진 상업빌딩으로 당시에는 백화점으로 운영되었고 일제강점기에는 영좌(榮座)라는 극장이 있었다. 현재 지하 1층 분식 식당가, 1~2층 화장품과 잡화 상점, 3층 신발 상점, 4층 **프라모델과 피규어, 콘솔** 상점, 5층 톰스 월드(Tom's world 탕무숑 湯姆熊), 6~7층 ECFA호텔 등으로 운영된다.

교통 : MRT 쑹산신뎬선·반난선 시먼(西門) 역 6번 출구에서 청두루(成都路) 직진 후 우회전. 도보 5분
주소 : 台北市 萬華區 西寧南路 70號
전화 : 02-2381-6282
시간 : 11:30~22:00
톰스 월드_www.tomsworld.com.tw

성품서점 誠品書店 西門店 Eslite Bookstore 청핀슈디엔

타이완 대표 서점 겸 문구, 팬시점으로 청핀슈뎬(誠品書店) 또는 청핀(誠品)으로 불린다. 서점에서 타이완 유명 그림

책 작가 지미 리아오(廖福彬)의 책을 살펴보거나 팬시점에서 청명한 소리가 나는 우드 오르골을 골라보아도 좋다.

교통 : MRT 쑹산신뎬선·반난선 시먼(西門) 역 6번 출구에서 청두루(成都路) 직진 후, 쿤밍루(昆明路)에서 우회전. 도보 6분
주소 : 台北市 萬華區 峨眉街 52號
전화 : 02-2388-6588
시간 : 11:30~22:30
홈페이지 : www.eslite.com

봉대가배 蜂大咖啡 펑다카페이

타이베이에서 가장 오래된 커피숍으로 1956년 개업하였다. 커피로 유명한 곳이지만 커피와 함께 먹을 수 있는 쿠키도 인기를 끈다. 원두는 타이완 산, 자메이카 블루마운틴, 에콰도르 갈라파고스 커피, 하와이 코나 커피, 케냐 커피, 네팔 커피 등 세계 각국의 원두가 준비되어 있어 취향에 따라 선택할 수 있다.

교통 : MRT 쑹산신뎬선·반난선 시먼(西門) 역 1번 출구에서 청두루(成都路) 직진, 톈허우궁(天后宮) 건너편. 도보 3분
주소 : 台北市 萬華區 成都路 42號
전화 : 02-2371-9577
시간 : 08:00~22:00
가격 : 커피 NT$ 100~150, 원두_반방(半磅, 1/2 파운드) NT$ 250~450 내외, 이방(一磅, 1파운드) *1파운드는 약 454g.
홈페이지 : www.fongda.com.tw

까르푸 家樂福 桂林店 Carrefour

프랑스계 대형 할인점 까르푸는 24시간 영업하고 1~3층까지 넓은 매장이 있어 쇼핑하기 편리하다. 먼저 1층에 주방용품 판매장과 맥도날드 햄버거, 회전초밥집인 정센(爭鮮), 2층에 가전·의류·생활용품, 3층에 신선식품·잡화·운

동화·의류, 4층에 핀톈무창목(品田牧場)·요시노야(吉野家) 같은 레스토랑이 있는 미식가가 자리한다. 참고로 전체 쇼핑 액이 NT$ 3,000 이상일 때에는 금액의 5%의 세금(VAT)를 환급받을 수 있다.

교통 : MRT 쑹산신뎬선 샤오난먼(小南門) 역에서 시먼딩(西門町) 방향, 도보 8분 /MRT 쑹산신뎬선·반난선 시먼(西門) 역에서 도보 8분/MRT 반난선 룽산스 역에서 까르푸 방향, 도보 12분

주소 : 台北市 萬華區 桂林路 1號

전화 : 02-2388-9887

시간 : 24시간

홈페이지 : www.carrefour.com.tw

룽산스 지하상가 龍山寺 地下街 룽산스 디샤제

MRT 룽산스 역과 연결된 지하상가로 입구에 맹인 안마숍가 보이고 의류, 액세서리, 신발, 잡화, 차, 기념품 등을 판매하는 매장으로 늘어서 있다.

*마사지&나이트라이프

988 홍루양생회관 988 紅樓養生會館 988 훙러우양셩후이관

시먼딩역에서 청두 거리로 나오면 바로 보이는 마사지숍이다. 내부 시설이 깔끔하여 마사지 받기 편하다. 메뉴에 한자와 한글이 병기되어 있으므로 주문하는데 어려움이 없다. 또 시내 마사지숍 메뉴는 거기서 거기이므로 이곳 저곳 돌아다닐 필요없다.

교통 : MRT 쑹산신뎬선·반난선 시먼(西門) 역 1번 출구에서 청두루(成都路) 직진, 바로

주소 : 台北市 萬華區 成都路 34號

전화 : 02-2314-9977

시간 : 09:00~02:00

메뉴 : 전신 마사지(全身按摩) NT$ 1,000, 전신오일 마사지(全身精油按摩) NT$ 1,200, 발 마사지(腳底按摩+足浴5分) NT$ 600

홀리데이 KTV 好樂迪 台北西寧 Holiday KTV

타이완의 노래방을 KTV라고 하는데 이곳에서는 노래는 물론 식사, 주류까지 즐길 수 있다. 홀리데이 KTV는 대표적

인 노래방 체인으로 시닝(西寧) 점을 비롯한 몇몇 곳은 24시간 영업!

교통 : MRT 쑹산신뎬선·반난선 시먼(西門) 역 6번 출구에서 한중제(漢中街) 방향, 사거리에서 어메이제(峨眉街) 이용, 홀리데이 KTV 방향. 도보 5분

주소 : 台北市 萬華區 西寧南路 62號

전화 : 02-2388-0768

시간 : 24시간

요금 : 인원/시간대별로 다름

홈페이지 : www.holiday.com.tw

싱!고 취창KTV Sing!Go 聚唱KTV 西門店 싱!고 취창KTV

주말이면 대단히 붐비는 KTV로 '먼저 식사(先吃)하고 나중에 부르고(後唱), 다시 먹고(吃到飽)'하는 광고문구가 재미있다. 손님이 너무 많아서 현지인이나 중국어에 능통한 사람과 가는 것이 편리할 것은 느낌이 든다.

파티월드 Party world 錢櫃中華新館 파티월드 첸구이중화신관

MRT 시먼(西門) 역 부근에 위치한 대형 KTV로 노래도 부르고 뷔페 식사도 할 수 있는 곳이다. 연말이나 기념일에 대형 홀에서 파티를 즐기기도 좋은 곳!

솔 비스트로 SOL bistro

시먼훙러우((西門紅樓) 옆 주점가 끝에 위치한 비스트로로 야외 좌석에서 시원한 맥주 한 잔 하기 좋은 곳! 주말이면 라이브 밴드의 연주가 열려 음악을 감상하며 시간을 보내기도 괜찮다.

교통 : MRT 쑹산신뎬선·반난선 시먼(西門) 역 6번 출구에서 청두로(成都路) 직진 후 톈허우궁(天后宮) 지나 우회전. 도보 5분/시먼 역 6번 출구 나와 시먼훙러우(西門紅樓) 왼쪽 주점가 방향

주소 : 台北市 萬華區 西寧南路 179號

전화 : 02-2388-8186

시간 : 일~목 17:30~익일 00:30, 금~토 06:00~익일 01:10

메뉴 : 맥주, 샐러드, 단품 요리

02 타이베이 역 台北車站 Taipei Station

타이베이 역 남쪽을 타이베이 역 지역이라고 하면, 이곳은 청나라 말기 세워진 타이베이성이 있어 용산사가 있는 완화구, 디화제가 있는 다다오청(다둥구 일대)과 함께 청나라 말기 타이베이 3대 시가 중 하나였다. 일제강점기 타이베이성은 총독부(현재 총통부) 같은 식민기관 건설로 대부분의 성내 건물과 성벽 등이 사라졌고 현재 북문(승은문), 소남문(중희문), 남문(려정문) 등 일부만 남아있다.

총통부는 일제강점기 위압적인 건축양식을 나타내고 총통부 인근 중산당(타이베이 공회당)은 타이완을 지배하던 일제의 항복을 받았던 곳이기도 하다.

얼얼바 화평 공원은 1947년 초기에 이주해 살던 내성인과 나중에 이주한 본성인 간의 충돌로 내성인이 큰 피해를 당한 사건을 기억하는 장소이다.

중정 기념당은 타이완 국부이자 초대 총독 장제스를 기리는 곳이다.

▲ 교통

① 타이완가오테(台灣高鐵 고속철도), 타이완테루(台灣鐵路 대만 철도) 이용, 타이베이 역(台灣車站) 하차

② MRT 단수이신이선(淡水信義線)·반난선(板南線) MRT 타이베이 역(台灣車站) 하차

▲ 여행 포인트

① 장제스를 기념하는 국립 중정 기념당에서 위병 교대식 관람하기

② 국립 역사 박물관에서 중국의 고대 유물과 타이완 유물 둘러보기

③ 타이완 총통 관저인 총통부를 배경으로 기념촬영하기

④ 국립 타이완 박물관에서 타이완 역사와 자연사 관련 전시 살펴보기

▲ 추천 코스

중정 기념당→역사 박물관→총통부→타이완 박물관→중산당

타이베이 역 台北車站 타이베이처잔

타이완 여행의 중심으로 대만 고속철도인 타이완가오톄(台灣高鐵)와 대만 철도인 타이완톄루(台灣鐵路)가 출발하고 도착하는 곳이다. 타이베이 역 1층 중앙홀에 대만 철도(일반 기차) 매표소가 있고 1층 사이드와 지하 1층에 고속철도 매표소가 있다. 대만 철도와 고속철도 출발은 모두 지하 1층 플랫홈에서 한다. 2층에는 브리즈(Breeze)라는 식당가가 있다.

타이베이 역 남쪽 지하의 MRT 타이베이 역에서는 단수이신이선(淡水信義線)

과 반난선(板南線)을 이용할 수 있다. *서쪽에 **타오위안공항선**을 이용할 수 있는 **MRT 타이베이 역**도 있다. 아울러 타이베이 역 지하에는 지하상가인 타이베이 역 지하가(台北車站地下街)가 MRT 중산 역까지 연결되어 쇼핑하거나 구경하기 좋다.

타이베이 역 동쪽 M2 출구에는 시외버스로 타오위안(桃園) 국제공항, 지룽(基陵), 예류(野柳) 등으로 갈 수 있는 **국광객운 타이베이 역 버스터미널(國光客運 臺北車站) 버스터미널**, 타이베이 역 북쪽에 시외버스로 타이중(臺中), 타이난(臺南), 가오슝(高雄) 등으로 갈 수 있는 **타이베이 버스 스테이션(台北轉運站 타이베이 좐윈잔)**이 있어 시외버스를 이용하고자 할 때에도 타이베이 역을 지나게 된다.

교통의 요지 타이베이 역 지하는 동서남북으로 많은 출구가 있어 자칫하면 방향감각을 잃기 쉬운데 이럴 땐 북쪽의 스민다다오(市民大道), 남쪽의 중샤오시루(忠孝西路) 등으로 방향을 잡으면 쉽다.

교통 : 타이완가오톄(台灣高鐵 고속철도), 타이완톄루(台灣鐵路 일반 기차) 이용, 타이베이 역(台北車站) 하차/MRT 단수이신이선(淡水信義線)·반난선(板南線) 이용, M-RT 타이베이 역 하차

주소 台北市 中正區 北平西路 3號 100

전화 : 일반기차_02-2191-0096, 0800-765-888, 고속철도_02-4066-3000, MRT_02-2181-2345

홈페이지 :

대만 철도_www.railway.gov.tw, 고속철도_www.thsrc.com.tw, MRT_www.metro.taipei

국부 사적 기념관 國父史蹟紀念館 궈푸 스지 지녠관

타이완의 국부 쑨원(孫文)이 1913년과 1914년 타이베이를 방문했을 때 머물던 메이우푸(梅屋敷)라는 일식 여관이다. 1946년 해방 후 쑨원 기념관으로 꾸며졌다. 기념관 안에서 그의 흉상과 사진, 당시 신문기사 등을 둘러볼 수 있다. 궈푸 스지 지녠관 주변은 연못, 정자 등으로 꾸며져 있고 그의 자(字)를 따서 이셴 궁위안(逸仙公園)이라 한다. *국부 사적 기념관(國父史蹟紀念館)과 국부 기념관(國父紀念館)을 혼동하지 말 것!

교통 : MRT 단수이신이선·반난선 타이베이 역 하차, M2 출구 나가 직진, 국

부 사적 기념관 방향. 도보 5분

주소 : 台北市 中正區 中山北路 一段 46號

전화 : 02-2381-3359

시간 : 09:00~17:00, 휴무 : 월요일

요금 : 무료

☆여행 이야기_타이완의 옛 건물들

국부 사적 기념관을 들린 어떤 이는 타이완의 국부 쑨원이 한때 이용했다고 해서 굳이 일식 여관 건물을 쑨원의 기념관으로 이용하는가 할지 모른다. 하지만 타이완에서는 일제강점기에 지어진 일식 건물이라고 해서 크게 개의치 않는 느낌이다. 타이완의 옛 건물은 린번위안 저택(林本源園邸) 같은 중국식 전통 고가, 보피랴오 역사지구(剝皮寮歷史街區)와 디화제(迪化街) 같은 근대 상가, 중퉁푸 같은 18세기 말이나 19세기 초의 서양식 건물, 국부 사적 기념관(國父史蹟紀念館) 같은 일제강점기의 일식 건물로 나눌 수 있다. 일제강점기를 거치며 중국식 전통 고가는 점차 줄어든 반면 주로 관공서로 쓰인 서양식 건물과 일본인이 살던 일식 건물이 많아졌다. 18세기 말~19세기 초의 근대 상가는 일제강점기가 되면서 더 이상 조성되지 않은 것으로 보인다. 따라서 사적 급(?)으로 지정된 건물 중에는 일제의 잔재가 남은 건물이 많을 수밖에 없다. 타이완 사람들은 어느 것이든 역사를 기억하는 것이 중요하지 외양이나 내력은 그리 중요하게 생각하지 않는 듯하다. 타이완 곳곳에서 볼 수 있는 오래된 서양식 건물이나 일식 건물에서 타이완 사람들이 겪었을 고충을 떠올려보는 것도 좋을 것이다.

타이베이 국제 예술촌 台北國際藝術村

타이베이 궈지 이슈춘

타이베이 역 동쪽에 자리한 예술인촌으로 예술가의 작업 공간, 전시장, 카페 등으로 이루어져 있다. 1층 전시장에서 수시로 그림이나 조각, 현대

미술 전시가 열리므로 관심이 있다면 찾아가볼만 하다.

교통 : MRT 반난선 산다오스(善導寺) 역에서 타이베이 국제 예술촌 방향, 도보 4분 /궈푸 스지 지넨관에서 타이베이 국제 예술촌 방향, 도보 2분

주소 : 台北市 中正區 北平東路 7號

전화 : 02-3393-7377

시간 : 11:00~21:00, 휴무 : 월요일

요금 : 무료 *특별기획전 유료

홈페이지 : www.artistvillage.org

북문 北門 베이먼

1884년 청나라 말기 세워진 타이베이 성의 북문으로 청언먼(承恩門)이라고도 한다. 북문은 2층 구조로 1층에 아치형 문, 2층에 사방이 막힌 요새 형태를 보인다. 북문이 청나라 때 원형을 유지하고 있고 시먼 까르푸 건너편의 샤오난문(小南門=중시먼重熙門)은 현대에 1층 성문 위에 누각을 올려, 중국풍으로 다시 지었다. 하나 남은 청나라 성문이지만 북문 뒤로 고가도로가 지나고 주위에 빌딩이 있어 흡사 고가와 빌딩에 포위당한 느낌이 든다.

교통 : MRT 단수이신이선·반난선 타이베이 역 Z4 출구 나와, 중샤오시루(忠孝西路) 이용, 베이먼(北門) 방향. 도보 4분

주소 : 台北市 中正區 忠孝西路一段

☆여행 이야기_타이베이 성 台北城

1882년 착공된 타이베이 성(台北城)은 1884년 높이 5m, 둘레 4.5km 규모로 완공되었다. 성의 위치는 지금의 타이베이 역에서 MRT 샤오난먼(小南門)역 사이였다. 성에는 동문인 징푸먼(景福門), 서문인 바오청먼(寶成門), 남문인 리정먼(麗正門), 소남문인 중시먼(重熙門) 북문인 청언먼(承恩門) 등 5개의 문이 있었다. 1904년 일제 강점기 일본총독부는 도시개발을 빌미로 타이베이 성을 대부분

파괴했고 서문인 바오청먼을 제외한 4개의 성문만 남겨두었다. 당연히 성 안에 있던 궁궐이나 관리들의 집무실, 문무묘 등도 사라지고 그 자리에 총독부, 일본은행, 일본군 건물 등 식민 지배를 위한 건물들이 세워졌다.
타이베이성의 사례를 볼 때 서울에 4대궁이 남아있는 것은 여간 다행한 일이 아니라는 생각이 든다. 물론 창경궁이 동물원이 되고 경복궁 앞에 총독부가 세워지고 경희궁이 허물어지는 등의 수난이 있긴 있었다. 타이베이성에 남아 있는 4개 성문 중 청나라 때의 원형을 유지하고 있는 것은 북문인 베이먼뿐이고 나머지 둥먼인 징푸먼, 난먼인 리정먼, 소남문인 중시먼은 현대에 들어 1층 성문 위에 중국식 누각을 올린 것이다. 이들 성문은 타이베이 푸청(臺北府城)이라 이름으로 타이완 최고급 고적(유적)으로 보전되고 있다.

중산당 中山堂 중산탕

1928년 일제강점기 일왕 히로히토의 등극을 기념하여 세운 기념관으로 당시 타이베이 공회당(台北公會堂)이라 불렀다. 이곳은 1945년 제2차 세계대전 종료 시, 타이완이 일본의 항복을 받아낸 장소였다. 이후 중산당으로 명칭이 변경되었다. 한동안 외국 귀빈을 위한 행사장으로 쓰이다가 최근 전시 및 행사장으로 쓰인다.
현재, 1층 기념품점, 2층 행사장과 전시장, 커피점(11:00~21:30), 3층 강의장과 티하우스(13:00~21:00), 4층 커피숍으로 운영된다. 중산탕 앞, '중일전쟁 승리 및 타이완 광복기념비'가 있는 광장은 쉬어가기 좋다.
교통 : MRT 쑹산신뎬선·반난선 시먼(西門)역 5번 출구에서 파티월드(Partyworld) 빌딩 지나 우회전. 도보 4분/베이먼(北門)에서 중산탕 방향, 도보 6분
주소 : 台北市 中正區 延平南路 98號
전화 : 02-2381-3137
시간 : 09:00~17:00, 요금 : 무료

국립 타이완 박물관 國立臺灣博物館 궈리 타이완 보우관

1915년 완공된 르네상스 양식의 3층 건물로 2·28 화평공원 내에 위치한다. 보우관은 1908년 10월 타이완 남북으로 잇는 종단철도 개통을 기념하여 세

워졌다. 원래 1899년 일제강점기 타이완 총독부의 민정부 산하 전시관이었다가 현재의 건물을 세운 뒤 타이완 총독부 박물관으로 불렸다.

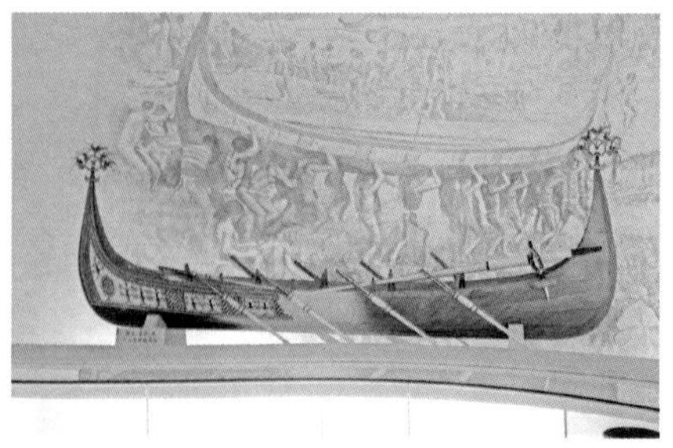

건물 중앙에 그리스 신전을 연상케 하는 삼각형의 박공벽과 6개의 커다란 돌기둥으로 현관을 장식했다. 해방 후 타이완 역사, 문화, 민족, 동식물 등을 전시하는 박물관으로 변모했고 소장품은 약 8천 여 점에 달한다. 박물관 2층에 타이완 원주민, 3층에 타이완의 지질, 지형 등에 대한 전시장이 있어 민속 박물관 겸 자연사 박물관 같은 느낌이 든다.

교통 : MRT 단수이신이선 타이다이위안(台大醫院)역에서 2·28 허핑 공원 지나 보우관(博物館) 방향. 도보 3분/MRT 단수이신이선·반난선 타이베이 역 M8 출구에서 궁위안루(公園路) 이용, 보우관 방향. 도보 6분

주소 : 台北市 中正區 襄陽路 2號

전화 : 02-2382-2566

시간 : 09:30~17:00, 휴무 : 월요일

요금 : 일반 NT$ 30, 학생 NT$ 15

홈페이지 : www.ntm.gov.tw

2·28 화평 공원 二二八和平公園 얼얼바 허핑 궁위안

2·28 사건 당시 항의집회가 열렸던 역사의 현장이다. 2·28 사건은 오래 전부터 타이완에 살던 본성인(本省人) 또는 내성인(內省人)과 해방 전후로 타이완으로 건너온 외성인(外省人)의 갈등에서 유발된 사건이다. 당시 외성인이 정부를 장악하고 있어 차별과 탄압에 항의하는 본성인의 피해가 컸다. 현재 얼얼바 허핑 공원 내에는 중국 정자와 연못, 야자나무, 산책로 등으로 장식되

어 그날의 아픈 기억을 위로하고 있다.
교통 : 타이완 박물관에서 바로
주소 : 台北市 中正區 襄陽路
전화 : 02-2303-2451

☆여행 이야기_얼얼바 사건 二二八 事件

타이완은 1895년~1945년까지 일제의 통치를 받았다. 일본이 제2차 세계대전에 패한 뒤 타이완 정권은 오래 전 중국에서 타이완으로 이주해 타이완 토착민화 된 본성인(本省人) 또는 내성인(內省人)이 아닌 1945년 무렵 중국에서 타이완으로 이주한 국민당 성향의 외성인(外省人)에게 넘어갔다. 정권을 잡은 외성인은 자연스럽게 타이완의 공직을 대부분 차지하였고 타이완에서 일상을 살던 내성인들은 불만을 가질 수밖에 없었다. 1947년 2월 27일 탈세 담배를 팔던 한 노파가 연주공매국(煙酒公賣局) 관리의 단속과정에서 담배를 빼앗기고 심하게 폭행을 당한다. 이를 말리던 시민까지 총상으로 사망하자 시민들의 분노가 극에 달했다.

2월 28일 시민들이 관청으로 몰려가 가해자 처벌을 요구했으나 정부는 오히려 계엄령을 선포하고 전국에서 시위하는 시민들에게 발포, 다수의 사상자가 발생하였다. 시민들과 정부의 충돌이 일어난 날이 2월 28일이어서 얼얼바 스젠(二二八事件)이라 부른다. 당시 시위대는 언론의 자유와 담배의 전매 폐지, 정치제도 개혁, 인권 보장 등 32개 항을 요구하였으나 수용되지 않았고 오히려 중국에서 파견된 국민당 군에 의해 더 많은 피해를 가져왔다. 이때 시위도중 사망한 인원이 약 3만 명에 달한다고 한다. 2월 말에 시작된 사건이 진정된 것은 5월 중순이 되어서였다. 1949년 중국에서 공산당에게 패한 국민당 사람들이 타이완으로 대거 이주하면서 기존에 살던 사람들을 어려움에 시달려야했다. 이때 실시된 계엄령은 38년간 지속된 뒤 1987년 7월 해제되었고 1988년 타이완 정부의 리덩후이(李登輝) 총독은 2·28 사건에 대해 공식적으로 사과했다.

총통부 總統府 중퉁푸

1919년 일제강점기 총독부 건물로 사용하기 위해 세워졌다. 1949년 국민당 정부가 중국에서 타이완으로 넘어온 뒤에는 줄곧 타이완 국가수반인 총통의 관저로 이용되고 있다. 후기 르네상스 양식의 5층 건물로 중앙에 60m 높이의 탑이 있고 붉은 벽돌을 사용해 어디서나 눈에 띈다.

총통부 건물은 일반에 부분 개방 또는 한 달에 한번 전체 개방하니 관심이 있는 사람은 총통부 영문 홈페이지를 참조한다. 부분 관람은 팩스나 홈페이지(영문) 예약이 필요하고 신분증(여권)을 지참해야 한다. 관람 예약을 하지 않는 사람은 총통부 앞에서 기념촬영을 하는 정도로 만족하자.

교통 : MRT 단수이신이선 타이다이위안(台大醫院)역 1번 출구에서 2·28 허핑 공원 지나 중퉁푸 방향, 도보 6분

주소 : 台北市 中正區 重慶南路一段 122號

전화 : 02-2311-3731, 관람 예약_02-2312-0760

시간 : 부분 관람_평일 09:00~12:00, 전체 관람_매달 1회, 토 또는 일 08:00~16:00, 휴무 : 토~일, 공휴일

관람 : 부분 관람_월~금, 팩스 또는 홈페이지(영문) 통해 3일전 예약/전체 관람_1달 1회 토 또는 일요일(날짜 홈페이지 참조), 예약 불필요. *신분증(여권) 지참

홈페이지 : www.president.gov.tw

국립 중정 기념당 國立中正紀念堂 궈리 중정 지녠탕

타이완 초대 총독이자 타이완의 국부 장제스(蔣介石 장개석)를 기리는 곳이다. 장제스는 중국 본토에서 국민당을 이끌고 공산당과 국공내전을 벌어다가

패해 타이완으로 이주했고 1948년 총통에 임명되었다. 총통으로써 오랜 동안 타이완 국정을 운영하다가 1975년 서거했다. 1980년 그를 기리는 중정 기념당(中正紀念堂)이 문을 열었다.
중정 기념당 입구의 5개 아치가 있는 문은 자유 광장(自由廣場)이라는 현판을 달고 있고 문을 지나면 좌우에 국가 희극원(國家戱劇院)과 국가 음악청(國家音樂廳)이 자리한다. 5개의 아치형 문과 중정 기념당 사이의 광장은 자유 광장이고 광장 끝에 세워진 건물이 중정 기념당이다.
중정 기념당은 팔각지붕 아래 정면에 커다란 아치형 문이 있고 광장에서 중정 기념당까지 오르는 89개의 계단이 있다. 89라는 숫자는 장제스가 서거할 당시의 나이를 뜻한다고.
중정 기념당 안에 온화한 미소를 짓고 있는 장제스의 좌상이 자리하고 있다. 좌상 뒤로는 장제스가 주창하던 '학과(學科), 민주(民主), 리륜(理倫)' 단어가 눈에 띈다. 전시실에는 장제스가 생전에 사용하던 유품, 사진, 자료 등을 전시되어 있어 그의 생애를 유추해볼 수도 있다.
교통 : MRT 단수이신이선 중정 지녠탕(中正紀念堂) 역 5번 출구에서 중정 지녠탕(中正紀念堂) 방향, 바로
주소 : 台北市 中正區 中山南路 21號
전화 : 02-2343-1100
시간 : 09:00~18:00, 휴무 : 무휴
요금 : 무료
홈페이지 : www.cksmh.gov.tw

≫중정 기념관 위병 교대식

중정 기념당의 하이라이트는 매시 정각에 진행되는 위병교대식이다. 위병은 장제스 좌상 좌우에 한명씩 서있는데 매시 정각이 되면 오른쪽 입구에서 교대병이 등장해 장제스 좌상 앞에서 교대를 한다. 사람들이 많을 땐 위병교대 15분 전부터 좋은 자리를 차지하고 있어야 사진을 찍기 좋다. 장제스 좌상의 좌우보다는 앞쪽이 사진촬영 명당!
위치 : 중정 지녠탕 내
시간 : 09:00~17:00, 매시 정각

≫국가 음악청 國家音樂廳 궈지아 인웨팅

타이완 국립극장으로 주로 교향악, 오페라, 발레 등 클래식 공연 열림

위치 : 중정 지녠당(中正紀念堂) 앞

≫국가 희극원 國家戲劇院 궈지아 시쥐위안

연극과 뮤지컬, 퍼포먼스 등을 공연하는 국립극장

위치 : 중정 지녠당(中正紀念堂) 앞

소남문 小南門 샤오난먼

소남문(小南門)은 중희문(重熙門)이라고도 하는데 실제 현판에는 소남문이 아닌 중희문이라 적혀 있다. 1879년 청나라 광서 5년 타이베이 성(台北府城)의 남쪽 문으로 건축되었다. 현재의 소남문은 1966년 국민당 정부가 원래 석축과 성문 위에 북방 궁전식의 2층 성루를 올린 것이다. 타이베이성은 완화구 일대에 있던 성으로 성벽의 높이는 5m, 폭은 4m, 성의 둘레는 약 4km에 달했으나 현재 성벽의 대부분은 허물어져 흔적을 찾을 수 없다.

교통 : MRT 쑹산신뎬선 샤오난먼(小南門)역에서 소남문 방향, 도보 4분 또는 MRT 쑹산신뎬선·반난선 시먼(西門)역에서 소남문 방향, 도보 9분

주소 : 台北市 中正區 延平南路 151號

우정 박물관 郵政 博物館 유정 보우관

1965년 개관한 우체국 박물관으로 우정(우체국) 사업의 역사, 옛날 집배원의 복장과 우체통, 세계 각국의 우표 등을 전시한다.

교통 : MRT 단수이신이선 중정 지녠당(中正紀念堂) 역에서 도보 6분

주소 : 台北市 中正區 重慶南路 2號

전화 : 02-2394-5185

시간 : 09:00~17:00, 휴무 : 월요일

요금 : NT$ 30

국립 역사 박물관 國立歷史博物館 궈리 리스 보우관

1955년 명·청대 궁전 양식으로 지은 4층 규모의 박물관이다. 주요 소장품으로는 중국 본토의 갑골문, 청동기, 자기, 옥기, 조각, 서화 등과 함께 타이완에서 출토된 유물이 주를 이룬다. 소장품 수는 5만 6천여 점에 달하고 주요 소장품은 돌아가며 전시된다.

전시실은 1층 특별 전시실, 2층 회화와 타이완 유물 전시실, 3층 중국 본

토의 유물 상설 전시실, 4층 기획 전시실 등으로 구성되어 한 번에 다채로운 전시를 즐기기 좋다. 전시 유물의 수는 고궁 박물관에 비할 바는 아니지만 고궁 박물원에 가지 못한 사람이라면 국립 역사 박물관에서 충분히 아쉬움을 달랠 수 있다.

교통 : MRT 단수이신이선 중정 지녠탕(中正紀念堂) 역 1번 또는 2번 출구 나와, 난하이루(南海路) 직진. 도보 10분/MRT 쑹산신뎬선 샤오난먼(小南門)역에서 보아이루(博愛路) 직진, 식물원 입장 후 왼쪽 길로 가서 식물원 출구 나와, 박물관 방향. 도보 10분

주소 : 台北市 中正區 南海路 49號

전화 : 02-2361-0270

시간 : 10:00~18:00, 휴무 : 월요일

요금 : 일반 NT$ 30, 학생 NT$ 15

홈페이지 : www.nmh.gov.tw

타이베이 식물원 台北植物園 타이베이 즈우위안

국립 역사 박물관 옆에 위치한 타이베이 최대 식물원으로 열대·아열대 식물 약 1,500종이 자라고 있다. 식물원 정문인 허핑시루 쪽 문으로 들어가면 시계방향으로 민족식물구, 수생식물구, 쌍자엽(쌍떡잎)식물구, 온실, 라자엽(겉씨)식물구 등 16개 식물구가 늘어서 있고 식물원 동쪽에 하화지(荷花池) 연못이 자리한다.

교통 : MRT 단수이신이선 중정 지녠탕(中正紀念堂) 역 1번 또는 2번 출구 나와, 난하이루(南海路) 직진. 역사 박물관 전, 우회전 식물원 방향. 도보 10분/MRT 쑹산신뎬선 샤오난먼(小南門)역에서 보아이루(博愛路) 직진, 도보 8분

주소 : 台北市 中正區 南海路 53號

전화 : 02-2303-9978(#1420)

시간 : 05:30~22:00, 휴무 : 무휴
요금 : 무료
홈페이지 : http://tpbg.tfri.gov.tw

≫흠차행태 고가 欽差行台 친차싱타이

1894년 청나라 때 세워진 고가로 정면 3칸, 측면 3열의 전형적인 중국 저택이다. 식물원 내에 있는 이 저택은 주로 중국 본토에서 오는 관리들의 게스트하우스로 이용되었다. 좌우에 행랑이 있는 정문으로 들어가면 뜰인 중정이 있고 중정 뒤에 중앙 행랑, 그 뒤에 두 번째 중정, 중정 뒤에 조상의 신주를 모시던 재단이 있는 본채가 자리한다.
교통 : 타이베이 식물원 정문에서 도보 3분
주소 : 台北市 中正區 南海路 53號
시간 : 09:00~16:30, 가이드 투어_화~금 14:00, 토~일 10:00/14:00
휴무 : 월요일

*레스토랑&카페

브리즈 Breeze 微風

타이베이 역 지하 1층~2층에 위치한 브리즈는 타이완 최고의 미식가라고 할 수 있다. 타이베이 여행 중 한자리에서 중식, 일식, 양식, 타이완분식, 디저트, 음료 등을 맛보려 단연코 브리즈에 방문해야 한다.
지하 1층에 타이완 특산품과 기념품을 파는 상점, 지상 1층에 우동을 맛볼 수 있는 탕부위안(湯布院 本川製麵所), 빵집 브레드 파파스(BEARD PAPA'S), 2층에 페이구(排骨 스테이크), 뉴러우멘(牛肉麵 우육면), 카레, 한식 등을 맛볼 수 있는 메이스궁허궈(美食共和國), 뉴러우멘 징지콴(牛肉麵競技館), 커리황궁(咖哩皇宮), 타이완예스(台灣夜市) 등 4개의 푸드코트, 딤섬 전문점 TJB 딤섬(TJB Dim Sum 茶餐室), 스시 전문점 마루스시(丸壽司)

등 레스토랑이 있다.
철도 도시락인 벤당(便當)을 맛보고 싶다면 지하 1층의 타이톄벤벤푸(臺鐵便當本舖), 간단한 타이완식 주먹밥과 더우장(두유)을 먹고 싶다면 지상 1층(서문)의 타이톄멍공창(臺鐵夢工場)을 찾아도 된다.
교통 : MRT 단수이신이선·반난선 타이베이 역에서 지상의 타이베이 역(기차역) 방향, 바로
주소 : 台北市 中正區 北平西路 3號, 台北車站 , B1,1F,2F
전화 : 02-6632-8999
시간 : 10:00~24:00
메뉴 : 중식, 양식, 디저트, 음료
홈페이지 : www.breezecenter.com

향식천당 饗食天堂 샹스티엔탕

쇼핑센터 스샹광창(時尚廣場 Q Square) 4층에 위치한 뷔페로 다양한 타이완 음식을 먹기에 제격인 곳이다. 북경오리구이, 양고기, 회만 먹어도 본전을 찾을 수 있어 흐뭇하다. 여기에 맥주까지 무료(?). 또 일정 액수를 더하면 랍스터까지 즐길 수 있으니 이보다 좋을 수 없다. 점심/오후/저녁 중 오후가 가장 한산하고 저렴하니 참고!
교통 : MRT 단수이신이선·반난선 타이베이 역에서 지상의 타이베이 역 지나 스샹광창(時尚廣場 Q Square) 방향. 도보 4분
주소 : 台北市 大同區 承德路 一段 1號, 4F
전화 : 02-6617-1168
시간 : 점심 11:30~14:00, 오후 14 : 20~16 : 20, 저녁 17 : 30-21 : 30
메뉴 : 뷔페 *평일_점심/오후/저녁 NT$ 868/698/968
홈페이지 : www.qsquare.com.tw

카페 아메리카 咖啡美利堅 Cafe America

타이베이처잔 앞 신광싼웨(新光三越) 백화점 12층에 위치한 커피숍이다. 여느 커피숍처럼 커피, 차, 케이크 등을 내지만 이곳이 다른 커피숍과 다른 점은 12층 창가에서 타이베이 풍경을 감상할 수 있다는 것이다.

로열 호스트 Royal Host 樂雅樂 家庭餐廳

신광싼웨(新光三越) 백화점 뒷길인 쉬창제(許昌街)에 위치한 (일본계) 패밀리 레스토랑이다. 아침 시간 팬케이크, 쌀죽 같은 조식 세트는 껄껄한 입맛을

돌게 하고 두툼한 스테이크는 배를 든든하게 한다. 패밀리 레스토랑이어서 주문하기 쉽고 내부 분위기가 쾌적해 즐거운 식사를 하기 좋다.

교통 : MRT 단수이신이선·반난선 타이베이 역 Z2출구 나와, 빌딩 뒤로 돌아, 와이-호텔(Y-Hotel, YMCA) 방향. 도보 2분
주소 : 台北市 中正區 許昌街 19號
전화 : 02-2371-3128
시간 : 07:00~23:00
메뉴 :팬케이크, 샐러드, 스테이크, 파스타, 돈가스
홈페이지 : www.royalpark.com.tw

맥식달 麥食達 韓式料理 마이스다

타이완 박물관(台灣 博物館) 옆에 위치한 한국 식당으로 김치볶음밥, 김치찌개, 불고기 등 한식을 맛볼 수 있는 곳이다. 타이완에 비교적 한국 식당이 많아 시내에서 한두 곳은 쉽게 볼 수 있다.
교통 : MRT 단수이신이선 타이다이위안(台大醫院)역에서 얼얼바 평화 공원(二二八和平公園) 지나, 훼이닝제(懷寧街)에서 우회전. 도보 4분/타이완 박물관(台灣博物館)에서 도보 1분
주소 : 台北市 中正區 懷寧街 86號
전화 : 02-2389-9048
시간 : 11:00~21:30
메뉴 : 김치볶음밥, 김치찌개, 해물탕, 불고기 NT$ 150~200 내외

모모 파라다이스 MoMo Paradise

훠궈 체인점으로 주문은 닭 육수, 카레 육수, 간장 육수 중에 한 또는 두 개를 고른 뒤 돼지고기 또는 소고기 중에 하나, 나머지 채소를 선택한다. 육수가 끓으면 고기와 채소를 넣고 살짝 데쳐 소스에 찍어 먹는다. 추가 음식재료는 종업원이 수시로 카트에 싣고 돌아다니

니 카트가 테이블 곁을 지날 때 원하는 음식 재료를 덜면 된다. 훠궈는 90분으로 제한되어 있으나 훠궈를 즐기기에 부족하지 않다. 훠궈 외 간단히 먹을 사람은 요리 1개가 나오는 런치 스페셜을 선택해도 좋다.

교통 : MRT 단수이신이선 타이다이위안(台大醫院)역에서 얼얼바 평화 공원(二二八和平公園) 통과, 충칭난루(重慶南路) 방향. 도보 6분

주소 : 台北市 中正區 衡陽路 20號, 2F

전화 : 02-2361-9288

시간 : 11:30~22:00, 평일(월~금) 런치_11:30~16:00, 런치/디너_각 90분

메뉴 : 런치_A(육수 1)/B(육수 2) NT$ 449/499, 디너_A/B NT$ 599/649, 런치 스페셜_NT$ 280

홈페이지 : www.mo-mo.com.tw

*쇼핑

스샹광창 時尚廣場 Q Square

타이베이 역(기차역) 북쪽에 있는 쇼핑센터로 지하 3층~지상 4층 규모다. 1층 안쪽에 타이베이 시외터미널인 **타이베이 좐윈잔(臺北轉運站 타이베이 버스 스테이션)**이 있어 징잔 스샹광창(京站時尚廣場)라고도 한다. 층별로 지하 3층 식당가와 슈퍼마켓, 지하 2층 캐주얼웨어와 스포츠 웨어, 지하 1층 영캐주얼웨어, 지상 1층 명품과 화장품, 2층 여성 패션과 패션잡화, 3층 남성 패션과 패션잡화, 4층 식당가와 카페 등으로 운영된다.

교통 : MRT 단수이신이선·반난선 타이베이 역에서 지상의 타이베이 역(기차역) 지나 스샹광창(時尚廣場 Q Square) 방향. 도보 4분

주소 : 台北市 大同區 承德路 一段 1號, 4F

전화 : 02-2182-8888

시간 : 월~목·일 11:00~21:30, 금~토 11:00~22:00

홈페이지 : www.qsquare.com.tw

신광삼월 백화점 新光三越 신광싼웨

타이완 전역에 분점을 두고 있는 타이완 대표 백화점 중 하나다. 매장은 지하 2층에서 지상 13층까지 무려 15층을 이용하고 있어 쾌적한 쇼핑을 하기 좋다. 브랜드별로는 명품 브랜드 보다

는 유명 브랜드 위주의 백화점이라고 할 수 있다. 층별로는 지하 1~2층·지상 11~12층 식당가, 1층 화장품, 2~5층 여성패션과 액세서리, 6층 남성 패션, 7~8층 아동복과 장난감, 9~10층 주방 용품과 가전제품 등으로 운영된다.

교통 : MRT 단수이신이선(淡水信義線)·반난선(板南線) 타이베이 역 Z4출구 나와, 바로

주소 : 台北市 中正區 忠孝西路 一段 66號

전화 : 02-2388-5552

시간 : 일~목 11:00~21:30(금~토 ~22:00)

홈페이지 : www.skm.com.tw

북문 카메라 상가 北門 相機街 베이먼 샹지제

베이먼(北門)에서 보아이루(博愛路) 방향으로 캐논, 니콘, 소니, 올림푸스, 펜탁스 등 유수의 카메라 숍이 늘어서 있어 카메라 거리를 이룬다. 카메라에 관심이 있다면 북문 카메라 거리에서 카메라 구경을 해도 좋으리라. 취미로 필름 카메라를 이용하는 사람이라면 이곳에서 필름을 구해도 좋다. 아울러 베이먼에서 중화루(中華路) 따라 시먼(西門)에 이르는 길에는 여러 음향기기점으로 늘어서 있어 뎬치인상제(電器音響街)를 형성하고 있다.

교통 : MRT 단수이신이선·반난선 타이베이 역 Z4출구에서 베이먼(北門) 방향, 베이먼에서 보아이루(博愛路) 방향. 도보 7분/MRT 쑹산신뎬선(松山新店線) 베이먼(北門)역에서 베이먼 지나 보아이루 방향. 도보 6분

주소 : 台北市 中正區 博愛路 5號

시간 : 10:00~19:00

중경남로 서점가 重慶南路 書店街 충칭난루 슈뎬제

신광싼웨(新光三越) 뒤쪽은 입시학원, 외국어 학원들이 모여 있는 곳이다. 이 때문인지 학원가 인근 충칭난루(重慶南路)에는 대형 서점들이 늘어서 서점가를 이룬다. 서점에는 한자로 된 중문서적인 흥미롭고 외국어 서적 코너에서는

영문이나 일문 서적도 찾아볼 수 있다.

봉포차장 峰圃茶莊 펑푸차좡

1883년 개업한 찻집으로 둥팡메이런차(東方美人茶), 원산바오중차(文山包種茶), 톄관인차(鐵觀音茶), 가오산우롱차(高山烏龍茶), 보이차(普洱茶) 등 다양한 차를 판매한다. 차 외 발효차를 우려낼 때 사용하는 찻주전자인 자사호(紫沙壺)와 찻잔 세트인 다구(茶具)도 판매한다. 찻집 한쪽에는 흔한 쩐주나이차(珍珠奶茶)부터 다른 음료점에서 볼 수없는 둥팡메이런차(東方美人茶)까지 여러 차 음료를 판매하고 있다.

교통 : MRT 단수이신이선·반난선 타이베이 역 Z4 출구에서 신광싼웨(新光三越) 백화점 뒤쪽 관치엔루(館前路) 직진. 한커우루(漢口路 一段)에서 우회전 후 직진. 도보 7분

주소 : 台北市 中正區 漢口街 一段 86號

전화 : 02-2311-7217

시간 : 09:00~21:00(토~일 ~19:00)

홈페이지 : www.fongpuu.com.tw

천인명차 天仁茗茶 武昌店 텐런밍차

1961년 창업한 타이완 대표 차 체인점이다. 상점에서 뤼차(綠茶), 발효차인 훙차(紅茶), 반 발효차인 우롱차(烏龍茶), 발효차인 보이차(普洱茶) 등 다양한 차 제품을 볼 수 있고 품질도 믿을 수 있어 구입하기 좋다.

미쓰이 아웃렛 파크 린코 Mitsui Outlet Park 林口 미쓰이 아웃렛 파크 린커우

타이베이 시내 외 타오위안 국제공항 중간에 위치한 아웃렛으로 2층 대형 건물에 200여개의 명품, 유명 브랜드 숍이 입점해 있다. 상점 외 유명 레스토랑, 푸드코트, 영화관이 있어 쇼핑도 하고 맛난 것도 먹으며 하루를 보내기 좋은 곳이다. 면적이 넓으므로 미리 홈페이지에서 세일 폭이나 원하는 상품을 파악하고 가면 쇼핑하는데 도움이 된다. *고속철도 타오위안역 옆 **글로리아 아웃렛(GLORIA OUTLETS, 華泰名品城)**도 있음.

교통 : 타이베이 역에서 1210번 또는 MRT 위안산 역에서 싼중커윈(三重客運) 936번, 다두후이커윈(大都會客運) 937번 버스, 약 30~25분 소요. 미쓰이 린코 아웃렛 파크 하차/MRT 타이베이챠오(台北橋) 역에서 무료셔틀버스(토~일, 10:00 ~19:00, 20~30분 간격) 이용 *고속철도 타오위안 역행 무료 셔틀버스(토~일, 10:00~20:40) 운행

주소 : 新北市 林口區 文化三路 一段 356號

전화 : 02-2606-8666

시간 : 월~목 11:00~21:30, 금 ~22:00, 토~일 10:30~22:00

홈페이지 : www.mop.com.tw

*마사지

타이베이 족리 台北足裏養生館 懷寧店 타이베이 주리 양셩관

신광싼웨(新光三越) 백화점 뒤쪽 화닝제(懷寧街)에 위치한 마사지숍이다. 마사지(按摩)는 부위 별로 발(脚底), 반신(半身), 전신(全身)으로 나뉘고 마사지 기법에 따라 전통 마사지, 오일(精油) 마사지로 나뉜다.

교통 : MRT 단수이신이선·반난선 타이베이 역 Z4 출구에서 신광싼웨(新光三越) 백화점 뒤쪽 카이펑루(開封路)로 간 뒤 좌회전. 도보 4분

주소 : 台北市 懷寧街 18號

전화 : 02-2331-7678

시간 : 08:30~02:00

요금 : 전신 마사지(全身指壓+精油SPA休足) 1시간 NT$ 599, 발 마사지(脚底按摩+精油 SPA休足) 40분 NT$ 350 내외

03 중산&민취안시루 中山&民權西路 Zhongsan&Minquan West Rd.

중산과 민취안시루 지역은 예전 다다오청(다둥구 일대)으로 불렸다.

디화제가 있는 다다오청은 타이베이성이 있던 타이베이처잔 지역과 룽산스가 있는 완화구와 함께 청나라 말기 타이베이 3대 시가 중 하나였다. 오래된 붉은 벽돌 건물에 약재상과 식품상이 밀집한 디화제는 여전히 타이베이의 주요 볼거리 중 하나로 뽑힌다.

디화제 동쪽으로는 닝샤 야시장이 있어 다양한 길거리 먹거리를 맛볼 수 있고 MRT 중산 역 지난 곳에는 일본풍 주점, 식당, 호텔이 모여 있어 리틀 도쿄라 불러도 무방한 린썬베이루가 자리한다.

린썬베이루에서 바삭하게 튀겨진 돈가스를 맛보고 타이완 현대 미술을 감상할 수 있는 타이베이 당대 예술관에 들려도 좋다.

▲ 교통

① **디화제**_MRT 단수이신이선(淡水信義線) 솽롄(雙連) 역 또는 단수이신이선·쑹산신뎬선(松山新店線) 중산(中山) 역 하차, 디화제 방향, 도보 6분
② **중산**_단수이신이선·쑹산신뎬선 중산(中山) 역 하차

▲ 여행 포인트

① 청나라 말기 고풍스러운 상가 거리, 디화제를 걸어본다.
② 닝샤 야시장에서 새우 낚시하고 길거리 먹거리 맛보기
③ 중산 지역의 타이베이 당대 예술관과 영화문화공간 타이베이 필름하우스 둘러보기
④ 중국 대저택을 살펴볼 수 있는 루저우 리자이 고택 산책하기

▲ 추천 코스

루저우 리자이 고택→타이베이 당대 예술관→타이베이 필름하우스→디화제→닝샤 야시장

적화가 迪花街 디화제

MRT 중산(中山) 역 서쪽에 위치한 오래된 상가 거리로 길 양쪽에 19세기 말~20세기 초에 지어진 붉은 벽돌 건물들이 길게 늘어서 있다. 규모가 룽산스(龍山寺) 보피랴오(剝皮寮) 역사지구의 확장판이라고 할 만하다. 보피랴오와 다른 점은 상당수의 상가들이 아직도 영업을 하고 있다는 점.

대부분의 상점에서는 상어 지느러미인 샥스핀, 제비집, 말린 전복, 영지버섯, 말린 과일, 견과류, 차, 약재 등 주로 중국 전통 먹거리와 한약재들을 판매한다. 디화제 위쪽의 일부 상점에서는 기념품이나 커피, 의류 등을 파는 곳도 있다. 디화제의 샤하이청황먀오(霞海城隍廟) 부근이 중심가로 사원에서 기원드리는 사람, 상점에서 물건을 사는 사람 등으로 늘 북적인다. *성황묘 아래 먹거리, 잡화 등 쇼핑할 수 있는 **융러시장(永樂市場)**

교통 : MRT 단수이신이선(淡水信義線) 쌍롄(雙連) 역 2번 출구에서, 민성시루(民生西路) 이용 또는 단수이신이선·쑹산신뎬선(松山新店線) 중산(中山) 역 4번 출구에서

난징시루(南京西路) 이용, 디화제(迪花街) 방향. 도보 14분
주소 : 台北市 大同區 迪化街 一段 59號

하해 성황묘 霞海城隍廟 샤하이청황먀오

1856년 창건한 사원으로 도시의 수호신으로 여겨지는 청황(城隍)을 모신다. 청황 주위로 문판과 무판, 칠부와 팔부, 팔사와 팔장, 오로재신, 문창제군 등 많은 신들이 있다. 그 중 딸랑이 지팡이를 잡은 노인은 중국전설에서 부부의 인연을 맺어준다는 월하노인. 월하노인은 붉은 실로 부부의 인연을 연결하는데 한번 맺은 인연은 죽음으로도 끊을 수 없다고 한다.
교통 : 디화제(迪花街) 입구에서 바로
주소 : 台北市 大同區 迪化街 一段 61號
전화 : 02-2558-0346
시간 : 06:00~20:00
홈페이지 : http://tpecitygod.org

태원 아주 우희 박물관 台原亞洲偶戲博物館 타이위안 야저우 어우시 보우관
2005년 개관한 인형전문 박물관으로

원래 명칭은 박물관 공간을 제공한 린류신(林柳新)의 이름을 따서 린류신 지녠 어우시 보우관(林柳新紀念偶戲博物館)이었다. 박물관은 중국, 베트남, 인도, 아프리카, 남미 등의 인형 5,200여점을 보유하고 있다. ***2023년 폐업함.*** 인형 및 인형극을 볼 사람은 쑹산구 **타이베이우시관(台北偶戲館)**으로 갈 것!

영하 야시장 寧夏夜市 닝샤 예스

디화제(迪花街)에서 MRT 중산(中山)역 사이에 위치한 야시장으로 홈페이지에 '타이베이의 위(台北之胃)'라는 거창한 문구가 보인다. 그만큼 먹거리가 다양하고 풍부하다는 이야기일 것이다. 닝샤 예스 남쪽 입구에는 인형 뽑기 게임장, 링 던지기 같은 놀거리 노점이 있고 위로 올라가면 꼬치, 물만두, 스시, 오징어 튀김, 국수, 취두부, 에그타르트, 음료 같은 먹거리 노점이 끝도 없이 이어진다.

교통 : MRT 단수이신이선·쑹산신뎬선 중산(中山) 역 또는 솽롄(雙連) 역에서 난징시루(南京西路) 이용, 닝샤루(寧夏路) 방향. 도보 8분

주소 : 台北市 大同區 寧夏路 21號

시간 : 17:30~24:00

홈페이지 : www.nx-yes.tw

당대 예술관 當代藝術館 MOCA Taipei 당다이 이슈관

2001년 개관한 현대 미술관으로 1921년 일제강점기 때 초등학교 건물로 세워졌다가 해방 후부터 1994년까지 타이베이 시청으로 이용되었다. 붉은 벽돌로 지은 건물은 우아하고 고풍스런 느낌을 준다. 안으로 들어가면 1층과 2층에 전시장이 있고 회화와 조각 작품은 물론 현대 미술 작품까지 다채로운 전시가 열린다.

교통 : MRT 단수이신이선·쑹산신뎬선 중산(中山) 역 R4 출구에서 바로

주소 : 台北市 大同區 長安西路 39號

전화 : 02-2552-3721

시간 : 10:00~18:00, 휴무 : 월요일

요금 : NT$ 100

홈페이지 : www.mocataipei.org.tw

타이베이 필름하우스 光點 台北 광뎬 타이베이

타이베이 영화문화협회(台北映畫文化協會)에서 운영하는 영화문화 공간으로 예전에는 미국 영사관으로 쓰이기도 했다. 흰색의 고풍스런 외관 때문에 타이베이의 집, 타이베이즈지아(台北之家)라고도 불린다. 1층에 영화관(光點電影院)과 디자인 상품숍(光點生活), 카페 르미에르(光點珈琲時光), 2층에 회의실과 전시장, 카페 르 볼론루즈(光點紅氣球) 등이 운영된다.

영화관은 일반 영화관에서는 볼 수 없는 독립영화 또는 예술영화 위주로 상영되어 영화마니아라면 흥미를 가질만하다. 독립영화나 예술영화라고 해도 유명 배우나 유명 감독의 작품인 경우 조기 매진된다.

교통 : MRT 단수이신이선·쑹산신뎬선 중산(中山) 역 4번 출구에서 도보 4분

주소 : 台北市 中山區 中山北路 二段 18號

전화 : 02-2511-7786

시간 : 화~목·일~월 11:00~24:00, 금~토 ~02:00, 영화_월~목 11:00, 13:10, 15:10, 17:20, 19:20, 21:30(금~일_영화관 시간표 참조)

요금 : NT$ 260 내외
홈페이지 : www.spot.org.tw

임삼북로 林森北路 린썬베이루

MRT 중산(中山) 역 동쪽 지역으로 일제 강점기 일본 사람들의 거주지였다. 현재는 린썬베이루(林森北路)를 따라 크고 작은 호텔이 늘어선 거리로 일본 사람들이 즐겨 찾는다고 알려져 있다.
린썬베이루 북쪽 난징둥루(南京東路)에서 창안둥루(長安東路) 사이에 일본 사람들을 대상으로 한 구락부(Club), 일식 레스토랑, 주점 등이 매우 많다. 린썬베이루와 만나는 창안둥루(長安東路一段)에는 NT$ 100이란 문구를 내세운 주점이나 식당이 늘어서 있다. NT$ 100은 안주가 NT$ 100부터 시작된다는 뜻으로 주로 타이완 샐러리맨들이 애용하는 주점 거리다.
교통 : MRT 단수이신이선·쑹산신뎬선 중산(中山) 역에서 린썬베이루(林森北路) 방향. 도보 8분
주소 : 台北市 中山區 林森北路 140號

리틀 마닐라 Little Manila

더후이제(德惠街) 일대는 리틀 마닐라라고 불린다. 이는 일요일 필리핀 사람들의 노점이 열리고 필리핀 생필품을 취급하는 슈퍼마켓에 필리핀 사람들로 붐비기 때문이다. 타이완으로 일하러 온 필리핀 사람들은 일주일에 하루 쉬는 일요일 이곳에서 쇼핑을 하고 친구를 만나고 인근 천주교 성당(聖多福天主堂)에서 자신들의 언어인 타갈로그어로 미사도 드리며 하루를 보낸다. 타이베이에서 필리핀 분위기를 느끼고 싶다면 이곳에서 필리핀 길거리 음식을 맛보고 필리핀풍 잡화를 구입해보는 것도 좋다.
교통 : MRT 단수이신이선·중화신뤼선(中和新蘆線) 민취안시루(民權西路) 역 9번 출구에서 중산베이루(中山北路 二段) 방향, 중산베이루에서 좌회전 직진, 더후이제(德惠街)에서 우회전. 도보 8분
주소 : 台北市 中山區 德惠街 1號
시간 : 일요일 10:00~17:00

노주 이씨 고택 蘆州李宅古蹟 루저우

리자이 구지

타이베이 시내 북서쪽 루저우(盧州)에 위치한 고택으로 1857년 처음 세워졌고 1903년 현재의 모습으로 증개축이 되었다. 오랜 동안 이씨 가문의 저택으로 이용되다가 2006년 원래 모습을 복원을 거쳐 일반에 개방되었다.

고택의 중앙에 정면 3칸 측면 3열의 전통적인 중국 저택 모습을 보이고 중앙 건물 양쪽으로 변형된 정면 3칸 측면 3열의 사랑채를 붙였다. 보통 중앙 건물이나 중앙 건물 양쪽에 붙은 사랑채처럼 사방이 막힌 'ㅁ'자 건물을 쓰허위안(四合院 사합원)이라 부른다.

이 고택은 쓰허위안을 3개 붙여놓은 구조이다. 고택 앞줄 건물은 정문과 부엌, 행랑, 중앙 건물 옆 사랑채는 행랑과 창고, 중앙 건물 제일 안쪽에는 조상의 신주를 모시는 사당으로 쓰였다. 고택 안으로 들어가면 예전 생활용품이 전시된 부엌, 불전, 창고, 차방, 침실, 거실, 사당 등을 볼 수 있어 당시의 생활상을 짐작케 한다.

교통 : MRT 중화신뤼선 B 싼민가오중(三民高中) 역 1번 출구 또는 MRT 루저우(蘆洲) 역 1번 출구에서 국립방송대학(國立空中大學) 방향, 국립 방송대학 정문에서 루저우 리자이 고택(盧州李宅古蹟) 방향, 도보 10분

주소 : 新北市 蘆洲區 中正路 243巷 19號

전화 : 02-2283-8896

시간 : 09:00~17:00, 휴무 : 월요일

요금 : 일반 NT$ 100, 학생 NT$ 60

홈페이지 : http://luchoulee.org.tw

*레스토랑&카페

안기행인로 颜记杏仁露 얀치싱런뤼

디화제(迪化街)의 융러스창(永樂市場) 부근에 있는 중국식 디저트숍이다. 메뉴는 뜨겁게 먹는 팥탕인 훙더우탕(紅豆湯), 땅콩탕인 화셩탕(花生湯), 팥 새알탕인 훙더우탕위안(紅豆湯圓), 차갑게

먹는 녹두 푸딩(?)인 뤼더우뤼(綠豆露) 등이 있다.

교통 : MRT 단수이신이선(淡水信義線) 상롄(雙連) 역 2번 출구에서 민성시루(民生西路) 방향, 직진. 디화제(迪化街)에서 좌회전. 도보 14분/MRT 쑹산신뎬선(松山新店線) 베이먼(北門)역에서 북쪽 타청제(塔城街) 이용, 직진, 도보 7분

주소 : 台北市 大同區 迪化街 一段 21號

시간 : 08:30~17:30

메뉴 : 훙더우탕(紅豆湯 팥탕) NT$ 45, 화성탕(花生湯 땅콩탕) NT$ 55, 훙더우탕위안(紅豆湯圓 팥새알탕) NT$ 50, 뤼더우뤼(綠豆露 녹두푸딩) NT$ 35 내외

호흘 초양육 好吃炒羊肉 하오츠 차오양러우

닝샤(寧夏) 야시장 초입에 위치한 양갈비 전문점이다. 양고기는 따뜻한 성질을 가지고 있고 〈본초강목〉에서 중풍이나 원기를 회복하는데 도움이 된다고 전하고 있다. 여행 중 몸이 허하다고 느껴질 때 양갈비탕인 야오둔양파이(藥燉羊排), 양갈비볶음인 차오양러우(炒羊肉), 양갈비 국수인 양파이몐셴(羊排麵線) 등을 맛보면 좋다. 양고기를 특유의 향이 있으므로 먹을 때 후추를 뿌려서 먹자.

교통 : MRT 단수이신이선·쑹산신뎬선 중산(中山) 역 또는 샹롄(雙連) 역에서 난징시루(南京西路) 이용, 닝샤루(寧夏路) 방향. 도보 8분

주소 : 台北市 大同區 寧夏路 6號

전화 : 02-2556-2907

시간 : 17:00~22:30

메뉴 : 야오둔양파이(藥燉羊排 양갈비탕) NT$ 110, 차오양러우(炒羊肉 양갈비볶음) NT$ 140, 양파이몐셴(羊排麵線 양갈비국수) NT$ 110 내외

타이베이 밀크킹 台北 牛乳大王 타이베이 뉴뤼다왕

1994년 창업한 디저트와 음료 전문점으로 유제품 음료에서 요구르트 음료, 스무디는 물론 간단한 식사까지 할 수 있는 곳이다. 패스트푸드점 형태의 체인점으로 실내가 넓고 쾌적해 쉬어 가기도 좋다.

교통 : MRT 단수이신이선·쑹산신뎬선 중산(中山) 역 1번 출구에서 바로

주소 : 台北市 大同區 南京西路 20號

전화 : 02-2559-6363

시간 : 07:00~24:00

메뉴 : 무궈뉴뤼(木瓜牛乳 파파야 밀크) NT$ 70, 허타오즈마뉴뤼(核桃芝麻牛乳 참깨 밀크차) NT$ 70, 허펑훠위차오판(和風鮭魚炒飯 연어살 볶음밥) NT$ 120, 싼베이싱푸지(三杯杏福鷄 닭고기 덮밥) NT$

130, 망궈여우라오뤼(芒果優酪乳 망고요구르트) NT$ 70 내외
홈페이지 : www.tmkchain.com.tw

춘수당 春水堂 南西店 춘수이탕

1983년 타이중(台中)에서 창업한 음료 전문점이다. 1987년 쩐주나이차(珍珠奶茶, 버블티)를 처음 개발한 곳으로 알려져 있기도 하다. 쩐주나이차에서 쩐주(珍珠)는 타피오카(Tapioca)로 열대 식물 카사바에서 추출한 전분을 진주 모양으로 동그랗게 만든 것이고 나이(奶)는 젖(우유)라는 뜻. 보통 쩐주나이차는 홍차에 티피오카, 우유, 시럽을 넣어 만드는데 기호에 따라 홍차 대신 우롱차로 만들기도 한다. 음료 외 궁푸멘(功夫麵), 뉴러우멘(御品牛肉麵) 같은 면 요리도 취급하고 있고 간단히 식사를 하기도 괜찮다.

교통 : MRT 단수이신이선·쑹산신뎬선 중산(中山) 역 1번 출구에서 신광싼웨(新光三越) 2관 지나, 바로
주소 : 台北市 中山區 南京西路 12號, 新光三越 南西店 一館 B1
전화 : 02-2100-1848
시간 : 11:00~21:30
메뉴 : 쩐주나이차(珍珠奶茶) 소/대 NT$ 75/140, 러훙차나테(熱紅茶拿鐵 홍차라테), 궁푸멘(功夫麵 비빔) NT$ 70, 뉴러우멘(御品牛肉麵 우육면) NT 170 내외
홈페이지 : http://chunshuitang.com.tw

멜란지 카페 米朗琪咖啡館 Melange Cafe

2007년 경 창업한 카페로 달달한 와플 하나로 유명해진 곳으로 찾는 손님이 많아 멜란지 카페 옆에 분점을 열었다. 주문 시 와플은 하나만 주문해도 되지만 음료는 인원수대로 주문해야 하는 룰이 있으니 참고.

교통 : MRT 단수이신이선·쑹산신뎬선 중산(中山) 역 4번 출구에서 신광싼웨(新光三越) 3관 뒷길 방향, 바로
주소 : 台北市 中山區 中山北路 二段 16巷 23號
전화 : 02-2563-6768
시간 : 일~목 07:30~22:00, 금~토 09:30~23:00
메뉴 : 와플(原味鬆餅 Waffle) NT$ 130, 수이궈와플(季節水果鬆餅 과일) NT$ 170, 샹쟈오훙더우초콜릿와플(香

蕉紅豆巧克力鬆餅 바나나팥초콜릿) NT$ 170 내외
홈페이지 : http://melangecafe.com.tw

천향회미 天香回味 養生鍋 總店 톈샹후이웨이

중국식 훠궈(火鍋) 전문점으로 60여 가지의 천연재료를 넣었다는 탕은 흔히 매운 맛의 홍탕과 순한 맛의 백탕이 함께 나오는 톈샹후이웨이궈디(天香回味鍋底), 매운 맛만 나오는 톈샹과디(天香鍋底), 순한 맛만 나오는 후이웨이궈디(回味鍋底) 등으로 나뉜다. 탕을 선택했으면 고기, 해산물, 버섯, 어묵, 채소 등 85가지 중에 고르면 된다.

교통 : MRT 단수이신이선·쑹산신뎬선 중산(中山) 역 3번 출구에서 린썬베이루(林森北路) 못 미쳐, 도보 5분
주소 : 台北市 中山區 南京東路 一段 16號, 2F
전화 : 02-2511-7275
시간 : 11:30~14:30, 17:00~22:30
메뉴 : 탕_톈샹후이웨이궈디(天香回味鍋底 맵고 순한맛), 톈샹과디(天香鍋底 매운맛), 후이웨이궈디(回味鍋底 순한맛) 대/소 NT$ 380/300, 고기(肉) NT$ 240~600, 해산물 NT$ 200~300, 버섯·채소·어묵 NT$ 100~200 내외
홈페이지 : www.tansian.com.tw

***쇼핑**

소북백화 小北百貨 샤오베이바이화

타이완 대표 생활 잡화 전문점으로 욕실용품, 주방용품, 소형가전, 생활용품, 기초화장품, 음료, 과자, 주류, 의류 등 다양한 상품을 24시간 취급한다. 여행 중 필요한 양말, 속옷, 로션 같은 것을 사야할 때 들리기 적당하다.

교통 : MRT 단수이신이선(淡水信義線)·쑹산신뎬선(松山新店線) 중산(中山) 역에서 난징시루(南京西路) 이용, 닝샤루(寧夏路) 방향. 도보 8분
주소 : 台北市 大同區 寧夏路 11號
전화 : 02-8978-6787
시간 : 24시간
홈페이지 : www.showba.com.tw

중산 지하상가 中山地下街 중산 디샤제

MRT 중산 역(中山站)에서 타이베이 역(台北車站)에 이르는 지하상가로 의류, 액세서리 기념품, 잡화, 화장품 등을 취급하는 상점이 많다. 그중 중산역의 당대 예술관 부근 지하는 서점과 미술관을 연결시킨 문화공간이 있어 들릴만하다.

일본본포 日本本鋪 中山門市 번번푸

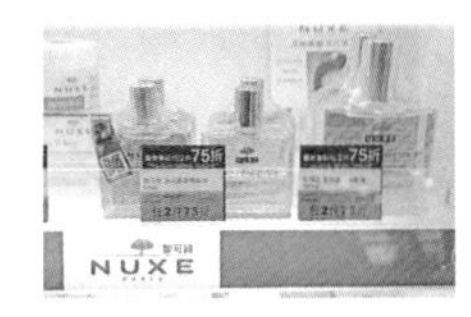

주로 일본산 생활잡화를 취급하는 체인점으로 종합영양제, 비타민C 같은 영양제, 입욕제, 칫솔 같은 욕실용품, 마스크 같은 개인위생용품, 핸드크림과 바디로션, 마스크팩, 샴푸 등 미용용품 등 다양한 상품을 취급한다.

*마사지&나이트라이프

타이베이 아이 台北 戲棚 Taipei EYE

타이베이 아이는 1915년 일제 강점기 때 일본인이 운영하던 극장을 인수해 타이베이 신무대(台灣新舞台)라는 이름으로 개관하였고 곧 타이완 전통무대예술의 중심이 되었다. 극장은 제2차 세계대전 때 미군의 폭격으로 폐허가 되었고 경극을 공연하던 타이베이 새 극단(台北 新劇團)은 여러 곳을 전전해야 했다. 현재의 극장은 2002년 타이완 시멘트 회사가 빌딩을 세우면서 마련되었다.

경극(京劇)은 중국 전통연극으로 서피(西皮)와 이황(二黃) 2가지 곡조를 진행되어 피황희(皮黃戲)라고도 한다. 14세기부터 중국 전통가극 곤곡(崑曲)이 가미되었다. 타이완 경극에서는 잡기(雜技), 곡예, 원주민 음악 등이 추가되어 타이완만의 경극이 완성되었다. 경극 공연은 중국어로 진행되고 영어 자막이 나오는데 몸동작과 음악으로 내용을 짐작할 수 있어 관람하는데 어려움이 없다.

경극의 작품은 여러 가지가 있지만 주로 〈서유기〉, 〈수호전〉, 〈삼국지연의〉 등을 부분 각색한 것 많다. 대표적인 작품은 중국 도교와 전설의 8명의 신

선인 팔선 이야기를 다룬 〈팔선과해(八仙過海)〉, 흰 뱀에 얽힌 전설을 이야기는 〈백사전(白蛇傳)〉, 초나라 패왕 항우와 우미인의 이별을 그린 〈패왕별희(覇王別姬)〉 등. 2016년 3월 현재, 주중에는 〈팔선과해〉, 주말에는 〈백사전〉을 공연하고 있으나 시즌별로 공연작품이 변경되니 홈페이지를 참조하자. 티켓은 주말이나 여행 성수기에 바로 구하기 힘드므로 홈페이지를 통해 예매하는 것이 바람직하다.

교통 : MRT 단수이신이선·중화신뤄선 민취안시루(民權西路) 역 4번 출구에서 정면의 톈샹루 48강(天祥路 48巷) 골목 직진. 중산대로(中山北路 二段) 나오면 길건너 우회전, 도보 7분

주소 : 台北市 中山區 中山北路 二段 113號, 台泥大樓 1F

전화 : 02-2568-2677

시간 : 월·수·금_20:00(공연시간 1시간), 토_20:00(공연시간 1시간 30분)

요금 : 월·수·금_NT$ 550, 토_NT$ 880 내외

홈페이지 : www.taipeieye.com

황가파려 皇家巴黎 健康養生會館 황제바리

MRT 중산(中山) 역에서 린썬베이루(林森北路) 방향에 위치한 마사지숍으로 전체적으로 시설이나 서비스가 깔끔해 이용하는데 불편함이 적다. 입구에 마사지 종류별로 요금을 적어 놓았으므로 원하는 마사지를 청해 받으면 된다.

교통 : MRT 단수이신이선·쑹산신뎬선 중산(中山) 역 1번 출구에서 린썬베이루(林森北路) 방향, 도보 6분

주소 : 台北市 中山區 南京東路 一段 48號

전화 : 02-2581-5770

시간 : 10:00~03:00

요금 : 발 마사지(脚底按摩+小腿放鬆+足浴 5分) 45분 NT$ 900, 전신 마시지(全身舒壓按摩指壓/油壓) 60분 NT$ 1,400 내외

홈페이지 : www.taipei-massage-spa.com

원기 元氣 養生会館 위안치 양셩후이관

오쿠라 프레스티지 호텔(大倉久和大飯店) 뒤, 중산베이루(中山北路 二段)에 몇몇 마사지숍이 있어 찾아갈 만하다. 위안치(元氣)는 해외 가이드북에 소개된 곳으로 10년 이상의 마사지사가 정성을 다한 서비스를 한다.

04 화산&둥취 華山&東區 Huashan&dongqu

화산과 둥취은 MRT 반난선 중샤오신셩역과 중샤오둔화 역 사이 지역을 말한다.

중샤오신셩역 북쪽부터 도교 사원 행천궁에서 액운을 쫓고 미니어처 박물관인 수진 박물관에서 아기자기한 인형의 집을 살펴본다.

광화디지털 신천지에서 IT 상품을 쇼핑하고 화산1914 문창원구에서 전시장과 디자인 상품점, 레스토랑 등을 들려보자.

중샤오푸싱 역과 중샤오둔화 역 사이는 번화가인 둥취샹취안으로 쇼핑센터, 상점, 레스토랑, 카페 등이 밀집되어 쇼핑을 하거나 식사를 하기 좋은 곳이다. 이곳은 시먼딩과 함께 타이베이의 젊은이들이 모여 드는 거리이기도 하다.

▲ 교통

① **싱톈궁**_MRT 중화신뤄선(中和新盧線) 싱톈궁(行天宮) 역, 도보 5분
② **화산1914**_MRT 중화신뤄선(中和新盧線)·반난선(板南線) 중샤오신셩(忠孝新生) 역 1번 출구, 화산1914 방향, 도보 5분

▲ 여행 포인트

① 도교사원 행천궁에서 나쁜 액을 쫓는 의식에 참여해보기
② 미니어처 박물관인 수진 박물관에서 예쁜 인형의 집 구경하기
③ 화산1914 문창원구에서 디자인 상품 구경하고 카페에서 커피 한잔!
④ 광화디지털 신천지에서 다양한 디지털 기기 쇼핑하기
⑤ 번화가 동구 상권의 골목 돌아다니며 쇼핑이나 식사하기

▲ 추천 코스

행천궁→수진 박물관→광화디지털 신천지 →광화 관광 위스→화산1914 문창원구→동구 상권

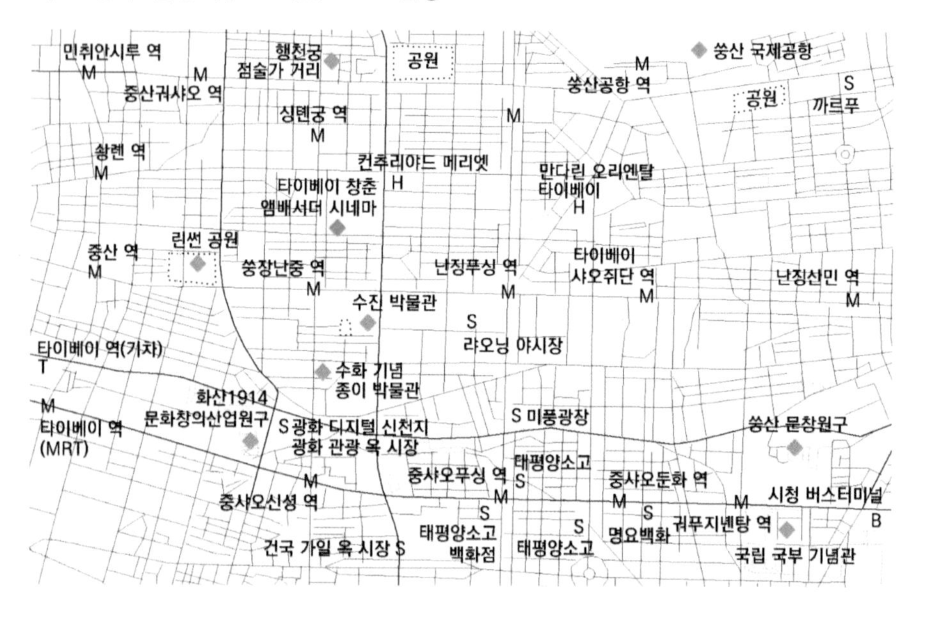

행천궁 行天宮 싱톈궁

1967년 완공된 사원으로 삼국지의 관우를 모시는 곳이다. 훗날 관우는 조조에게 사로잡혔을 때 조조가 하사한 물품을 사용하지 않고 잘 관리했다고 해서 재신(財神), 용맹하게 적과 싸웠다고 해서 군신(軍神)으로 추앙된다. 이 때문에 관우는 황제와 동급인 관셩디쥔(關聖帝君)으로 불리고 당당히 신으로 여겨진다. 보통 관우의 얼굴은 붉은 색으로 표현되고 한손에 든 책은 그가 즐겨 읽었다는 춘추(春秋)이다.
싱톈궁(行天宮) 앞에 서면 돌기둥에 새긴 용이 당장이라도 날아갈 듯하고 지붕에 올려진 용과 불사조 조각도 살아 있는 듯 생생하다. 사원 안에는 향을 들고 관우에게 재물과 행운을 바라는 사람들의 조아림이 분주하다.
싱톈궁에서는 하늘색 옷을 입은 도사들이 참배객들에게 몸 안의 액을 쫓고 마음의 안정을 가져다준다는 셔우징(收驚) 의식을 진행해 준다. 도사들은 주문을 외우며 향으로 몸 전체를 휘휘-휘젓고 사람들이 가져온 물건에서 액을 쫓고 평안을 기원해준다.
교통 : MRT 중화신뤼선(中和新盧線) 싱톈궁(行天宮) 역에서 도보 5분
주소 : 台北市 中山區 民權東路 二段 109號
전화 : 02-2502-7924
시간 : 04:00~22:30, 셔우징(收驚)_평일 11:20~21:00
홈페이지 : www.ht.org.tw

≫점술가 거리 命理大街 밍리다제

싱톈궁 앞 지하도에 몇몇 점집이 있어 밍리다제(命理大街) 또는 쏸밍제(算命街)로 불린다. 팔자론명(八字論命), 자미두수(紫微斗數), 미괘문사(米卦問事), 택일합혼(擇一合婚) 등 다양한 점이 있으니 관심사에 따라 점을 봐도 좋다.
요금 : NT$ 2,000 내외

수진 박물관 袖珍博物館 슈전 보우관

슈전(袖珍) 박물관은 미니어처 박물관으로 슈전은 중국어 사전에 '호주머니에 넣을 수 있는, 포켓의' 같은 뜻. 박물관은 1997년 개관하였고 동서양의 인형의 집(Dolls' House)을 전시한다.

인형의 집은 정밀하게 내외관이 표현되어 있고 실제의 축소판이라 할만하다. 입구를 들어서면 미국 저택과 거리, 각국의 인형, 베니스 풍경, 걸리버 여행기, 유럽의 고성, 미니어처 자동차, 영국의 고성, 워싱턴의 백악관, 일본 거리 풍경 등이 차례로 전시되어 있다.

교통 : MRT 쑹산신뎬선(松山新店線)·중화신뤼선 숭장난징(松江南京) 역 4번 출구 나와 오른쪽, 숭쟝루 85강(松江路 85巷) 방향, 직진. 이통 공원(伊通公園) 통과, 직진. 도보 5분

주소 : 台北市 中山區 建國北路 一段 96號, B1

전화 : 02-2515-0583

시간 : 10:00~18:00(매표 17:00)

휴무 : 월요일

요금 : 성인 NT$ 250, 우대(18세 이하, 65세 이상) NT$ 200, 아동(12세 미만) NT$ 150

홈페이지 : www.mmot.com.tw

수화 기념 종이 박물관 樹火紀念紙博物館 슈훠 지녠 즈 보우관

타이완의 종이 제조 역사와 종이 제품을 살펴보고 종이 만들기 체험을 할 수 있는 종이 전문 박물관이다. 1층은 작가들의 종이 제품을 감상할 수 있는 곳이고 2층은 종이 관련 특별 전시장, 3층은 여러 종류의 종이를 살펴볼 수 있는 상설 전시장, 4층은 종이 만들기 체험을 할 수 있는 곳으로 이용된다.

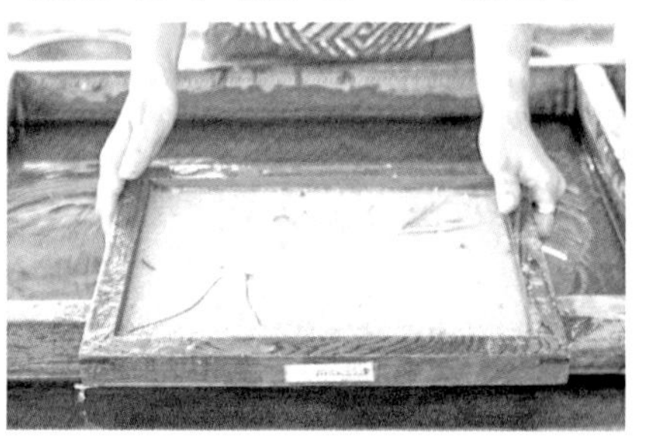

교통 : MRT 쑹산신뎬선·4호선 중화신뤼선 숭장난징(松江南京) 역 4번 출구 나와 오른쪽, 숭쟝루(松江路) 직진, 창안둥루(長安東路 二段)에서 좌회전. 도보 5분

주소 : 台北市 中山區 長安東路 二段 68號

전화 : 02-2507-5535

시간 : 화~금 13:00~16:30, 토 09:30~16:30, 휴무 : 일~월요일

요금 : 일반 NT$ 150, 종이 체험 NT$ 200~

홈페이지 : www.suhopaper.org.tw

화산1914 문화창의산업원구 華山1914 文化創意產業園區 화산1914 원화창이찬예위안취

타이완에서 도심 속 버려진 건물들을

리모델링하여 문화단체나 젊은 예술가들이 이용할 수 있게 한 곳을 창의단지라고 한다. 이곳도 원래 1914년 완공된 타이완 최대 술 공장이 있었는데 1987년 공장이전 후 한동안 방치되다가 1999년 예술특구로 지정되어 문화단체와 젊은 예술가들의 활동무대로 쓰고 있다. 2005년 리모델링을 거쳐 현재의 전시장, 상점, 레스토랑, 공연장이 있는 복합문화공간으로 재탄생했다.

전시장에서는 젊은 층의 트렌드에 맞는 전시가 진행되고 상점에서는 예술가들의 디자인 제품을 만나볼 수 있으며 공연장에서는 신명나는 록 공연이 펼쳐진다. 주말에는 광장에서 저글링, 곡예 같은 거리 공연, 골목에서는 벼룩시장까지 열려 단지 곳곳이 사람들로 북적인다.

교통 : MRT 중화신뤼선·반난선(板南線) 중샤오신셩(忠孝新生) 역 1번 출구에서 중샤오둥루(忠孝東路 一段) 이용, 화산1914 방향, 도보 5분

주소 : 台北市 中正區 八德路 一段 1號

전화 : 02-2358-1914

시간 : 전시_10:00~18:00, 레스토랑_일~목 11:00~24:00(금~토 ~02:00), 상점_일~목 11:00~19:00(금~토 ~21:00)

요금 : 단지 입장_무료, 전시_전시에 따라 다름

홈페이지 : www.huashan1914.com

광화 디지털 신천지 光華數位新天地 광화슈웨이 신톈디

지하 1층~지상 6층의 타이완 최대 전자상가로 2~3층은 광화 상가(光華商場), 4~5층은 시닝 상가(西寧商場)로 불리나 두 상가 간 구분이 있는 것은 아니다. 매장은 1층 식당가와 전시구역, 2~3층 컴퓨터(電腦)·노트북(筆電)·모바일 제품(通訊), 4~5층 컴퓨터(電腦)·게임(電玩)· 음향과 전자 부품, 6층 에이에스(A/S) 센터 등으로 운영된다.

교통 : MRT 중화신뤼선·반난선 중샤오신셩(忠孝新生) 역 1번 출구에서 신셩난루(新生南路 一段) 이용, 광화슈웨이 신톈디 방향. 도보 6분

주소 : 台北市 中正區 市民大道 三段 8號

전화 : 광화샹창_02-2391-7105

시간 : 10:00~21:00

광화샹창_www.gh3c.com.tw

≫광화 관광 옥 시장 光華觀光玉市 광화관광위스

광화 디지털 신천지 건너편에 위치한 옥 시장으로 규모는 크지 않지만 옥 반지, 옥 팔찌, 옥 장신구 등 다양한 옥 제품을 만나볼 수 있다.
위치 : 광화 디지털 신천지 건너편

동구 상권 東區商圈 둥취샹취안

MRT 중샤오푸싱 역에서 중샤오둔화 역 사이 번화가를 말한다. 이곳에는 백화점인 타이핑양소고(太平洋Sogo) 푸싱관(復興館)과 중샤오관(忠孝館), 밍야오바이훠(明曜百貨), 브리즈 중샤오(微風忠孝), 지하상가인 둥취 디샤제(東區地下街), 자라(Zara), 서점인 청핀둔난점(誠品敦南店) 등이 있어 쇼핑가를 이룬다.

***레스토랑&카페**

송강 松江 自助石頭火鍋城 쑹쟝

싱톈궁(行天宮) 가는 길에 위치한 훠궈(火鍋) 식당이다. 간판에 뷔페 또는 자율 식사를 뜻하는 즈주(自助)라는 단어가 있으나 뷔페는 아니고 필요한 훠궈 재료를 그때그때 가져오는 시스템. 식당에 들어서 고기와 채소를 고르면 훠궈 솥에 고기와 채소를 볶아주고 고기와 채소가 익으면 냉장고에서 육수를 가져와 붓고 끓인다. 육수가 팔팔 끓으면 나머지 먹고 싶은 고기나 해산물을 추가로 가져오면 된다.

교통 : MRT 중화신뤄선 싱톈궁(行天宮) 역에서 싱톈궁 방향, 바로
주소 : 台北市 中山區 松江路 315號, 1F
전화 : 02-2501-2064
시간 : 11:00~23:30
메뉴 : 주러우(豬肉 돼지고기)·뉴러우(牛肉)·양러우(羊肉) 등 고기류 각 NT$ 60, 위루안(魚卵)· 게즈(蛤仔 바지락) 등 해산물 NT$ 100, 위미(玉米 옥수수)·채소 NT$ 35~50, 바이판(白飯 쌀밥) NT$ 15 내외

로열 퍼팃 가든 老爺小花園 Royal petite garden

미니어처 인형 박물관인 슈전 박물관(袖珍博物館) 부근에 위치한 카페 겸 이탈리아 레스토랑이다. 모던한 디자인의 내부가 인상적이고 깔끔하게 나오는 브런치나 식사도 맛있다.

교통 : MRT 쑹산신뎬선·중화신뤼선 숭장난징(松江南京) 역 4번 출구 나와 오른쪽, 숭장루 85강(松江路 85巷) 방향, 직진. 이퉁 공원(伊通公園) 통과. 도보 5분

주소 : 台北市 中山區 伊通街 31號

전화 : 02=2518-3381

시간 : 08:00~21:00

메뉴 : 샐러드(沙拉) NT$ 200, 샌드위치(三明治) NT$ 200, 애프터눈 티세트(老爺特製甜點) NT$ 260, 브런치 세트(老爺私房早午餐) NT$ 220, 카레덮밥(老爺咖喱牛) NT$ 350 내외

엘리캐츠 피자 Alleycat's Pizza

화산1914(華山1914) 단지 내에 위치한 레스토랑으로 메뉴는 피자, 스테이크, 파스타, 샐러드 등 메뉴가 매우 많아 선택하기 어려울 정도.

교통 : MRT 중화신뤼선·반난선(板南線) 중샤오신셩(忠孝新生) 역 1번 출구에서 중샤오둥루(忠孝東路一段) 이용, 화산1914 방향, 도보 5분

주소 : 台北市 中正區 八德路 一段 1號

전화 : 02-2395-6006

시간 : 월~목·일 11:00~23:00, 금~토 ~02:00

메뉴 : 피자(披薩) 10" NT$ 300~470, 샐러드(沙拉) NT$ 170~260, 살로인 스테이크(沙朗牛排佐紅酒醬) NT$ 550, 파스타(義大利麵) NT$ 250~360, 브런치(早午餐) NT$ 240~350 내외

홈페이지 : www.alleycatspizza.com

향항다수탄 香港茶水攤 延吉店 샹강차수이탄

여러 식당이 모여 있는 옌지루 137강(延吉街 137巷) 골목에 위치한 홍콩식 레스토랑이다. 메뉴는 덮밥인 판(飯), 국수인 멘(麵), 죽인 저우(粥), 딤섬(點心), 요리, 디저트 등

교통 : MRT 반난선 중샤오둔화(忠孝敦化) 역에서 궈푸 지녠관(國父紀念館) 역 방향, 옌지제(延吉街)에서 좌회전 후 첫 번째 골목에서 우회전. 도보 4분

주소 : 台北市 大安區 延吉街 137巷 6之 2號

전화 : 02-2772-5252
시간 : 11:30~21:30
메뉴 : 지안단뉴러우정판(煎蛋牛肉蒸飯 계란고기덮밥) NT$ 130, 하이셴저우(海鮮粥 해물죽) NT$ 120, 셴정샤자오황(鮮蒸蝦餃皇 새우만두) NT$ 110, 통차이차오뉴러우(通菜炒牛肉 채소소고기볶음) NT$ 220, 스차이지피안판(時菜雞片飯 닭고기 덮밥) NT$ 135, 싱저우차오미펀(星洲炒米粉 볶음국수) NT$ 145 내외

도소월 度小月 擔仔麵 台北忠孝店 두샤오웨

타이난 명물, 단짜이멘(擔仔麵)으로 유명한 곳이다. 단짜이멘은 돼지 뼈, 가츠오부시(가다랑어포), 새우머리를 넣고 끓인 육수에 노란색 중면을 말고 그 위에 새우, 돼지고기와 마늘 다진 것 등을 올린 국수를 말한다.
교통 : MRT 반난선 중샤오둔화(忠孝敦化) 역에서 밍야오바이화(明曜百貨) 백화점 뒤쪽, 도보 1분
주소 : 台北市 大安區 忠孝東路 四段 216巷 8弄 12號
전화 : 02-2773-1244
시간 : 월~토 11:00~22:30, 일 ~21:30
메뉴 : 단짜이멘(擔仔麵) NT$ 50, 단짜이미펀(擔仔米粉) NT$ 50, 황진시안샤쥐안(黃金鮮蝦捲 새우롤) NT$ 200, 바오피지러우쥐안(胞皮雞肉捲 닭껍질롤) NT$ 200, 푸룽더우푸(芙蓉豆腐 두부튀김) NT$ 160 *1인 최소 NT$ 100 이상 주문해야 함.
홈페이지 : http://noodle1895.com

동구 분원 東區粉圓 둥취펀위안

편위안(粉圓) 전문점으로 편위안은 여름에는 차게 먹는 빙수, 겨울에는 따뜻하게 먹는 시럽탕을 말한다. 찬 것(冷的)은 아무거나 4종 선택하거나 펀위안(粉圓 타피오카)/빙더우화(冰豆花 순두부)/중허펀위안빙(綜合粉圓冰) 중 1종을 선택하고 나머지 3종을 추가(토핑)하면 된다.
교통 : MRT 반난선 중샤오둔화(忠孝敦化) 역에서 궈푸 지녠관(國父紀念館) 역 방향, 중샤오둥루 4두안 216강(忠孝東路 四段 216巷)에서 우회전, 직진. 도보 6분
주소 : 台北市 大安區 忠孝東路 四段 216巷 38號
전화 : 02-2777-2057
시간 : 11:00~23:30
메뉴 : 찬 것(冷的)_1~4종 선택, 펀위안

(粉圓 타피오카)/빙더우화(冰豆花 순두부)/중허펀위안빙(綜合粉圓冰)+3종 선택 각 NT$ 60, 따뜻한 것(熱的)_훙더우화(紅豆花 순두부)/샤오시안차오(燒仙草 검정젤리)/러탕수이(熱糖水 시럽)/러더우화(熱豆花)+3종 선택 각 NT$ 60 내외
홈페이지 : www.efy.com.tw

*쇼핑

태평양소고 백화점 太平洋崇光百貨 타이핑양충광바이훠

타이완 대표 백화점 중 하나로 MRT 중샤오푸싱(忠孝復興) 역 남서쪽에 푸싱관(復興館 B3~11F), 북동쪽에 중샤오관(忠孝館 B2~12F), 중샤오둔화(忠孝敦化) 역 남서쪽에 둔화관(敦化館 B2~7F) 등 3개의 백화점이 근거리에 몰려 있다.

교통 : 푸싱관, 중샤오관_MRT 원후선(文湖線)·반난선(板南線) 중샤오푸싱(忠孝復興) 역에서 바로/둔화관_MRT 반난선 중샤오둔화(忠孝敦化) 역에서 중샤오푸싱(忠孝復興) 역 방향, 직진. 둔화난루(敦化南路 一段)에서 좌회전. 도보 6분
주소 : 푸싱관_台北市 大安區 忠孝東路 三段 300號
전화 : 푸싱관_02-2776-5555, 중샤오관_02-2771-3171, 둔화관_02-2777-1371
시간 : 일~목 11:00~21:30, 금~토 11:00~22:00
홈페이지 : www.sogo.com.tw

동구 지하가 東區地下街 둥취 디샤제

MRT 중샤오푸싱(忠孝復興) 역에서 중샤오둔화(忠孝敦化) 역을 연결하는 지하상가로 의류, 액세서리, 구두, 기념품 등을 취급하는 상점이 모여 있다.

미풍 광장 微風廣場 Breeze center 브리즈센터

타이완 백화점 체인 중 하나로 지하 2층~지상 9층 규모다. 매장은 지하 2층의 다양한 식재료를 구입할 수 있는 브리즈 슈퍼, 지하 1층의 미식가, 지상층의 마이클 코어스, DNKY 같은 유명

브랜드, 1층의 프라다, 구찌, 루비비통 같은 명품 브랜드, 3층의 무지(MUJI), 4층의 유니클로, 6층의 헨즈테일링(Hands Tailung) 등으로 운영된다.

교통 : MRT 원후선·반난선 중샤오푸싱(忠孝復興) 역 5번 출구 또는 난징푸싱(南京復興) 역 5번 출구에서 푸싱난루(復興南路 一段) 이용, 웨이펑 광장(微風廣場 브리즈 센터) 방향. 도보 6분

주소 : 台北市 松山區 復興南路 一段 39號

전화 : 809-008-888

시간 : 11:00~22:00

홈페이지 : www.breezecenter.com

명요백화 明曜百貨 밍야오바이화

1987년 창업한 백화점으로 매장은 지하 1층 패스트패션 구 스토어(GU Store), 지상 1~3층 유니클로, 4층 젊은 여성 패션, 5층 도시 여성 패션, 6층 고급 여성 패션, 7층 란제리와 생활용품, 8층 레저와 스포츠 용품, 9층 생활용품, 10층 문화센터, 11층 카페, 12층 뷔페 레스토랑 등으로 운영된다.

건국 가일 옥 시장 建國假日玉市 젠궈자르 위스

고가도로 아래에 위치한 옥 시장이다. 1978년 처음 시장이 열렸고 토요일과 일요일에만 운영한다.

교통 : MRT 중화신뤼선(中和新盧線)·반난선 중샤오신셩(忠孝新生) 역 또는 단수이신이선(淡水信義線) 다안 삼림공원(大安森林公園) 역에서 건국 가일 옥시장(建國假日玉市) 방향. 도보 10분/MRT 역에서 택시 이용, 기본 요금

주소 : 台北市 大安區 建國南路 一段

전화 : 02-2720-8889

시간 : 토~일_09:00~18:00

홈페이지 : www.tckjm.com.tw

05 신이 新義 Xinyi

신이(新義)는 국부 기념관에서 타이베이 101빌딩까지의 지역을 말한다.

먼저 쑹산 문창원구에서 전시장과 디자인 상품점, 레스토랑 등을 둘러보고 국부 기념관에서 타이완의 국부 쑨원을 만나고 늠름한 위병교대식을 관람한다.

발길을 동쪽으로 갔다가 남쪽으로 돌리면 백화점 퉁이스다이를 시작으로 브리즈, 벨라비스타, 청핀서점, 신광싼웨 등이 있는 쇼핑가에서 쇼핑을 즐기기 좋다.

타이베이 101빌딩에서는 89층 전망대에서 전망을 즐기고 쇼핑센터에서 쇼핑을 하거나 지하 식당가에서 식사를 하기 괜찮다.

명품이나 좀 더 다양한 상품을 원한다면 신이 북쪽, 네이후의 아울렛이나 대형할인매장을 찾고 밤 시간이라면 라오허제 야시장을 찾아도 괜찮다. 아울러 타이베이 101빌딩 주변에 여러 소문난 클럽이 많으므로 들려볼 만하다.

▲ 교통

① 궈푸 기념관_MRT 반난선(板南線) 궈푸 지녠관(國父紀念館) 역 4번 출구에서 도보 4분

② 타이베이 101빌딩_MRT 담수이신이선(淡水信義線) 타이베이이링이(台北101/世貿) 역에서 바로

▲ 여행 포인트

① 쑹산 문창원구에서 독특한 전시 관람하고 카페에서 커피 한잔!
② 국부 기념관에서 쑨원의 일생 살펴보고 위병 교대식 구경하기
③ 타이베이101 쇼핑가에서 쇼핑하고 전망대에서 타이베이 시조망하기
④ 라오허제 관광 야시장에서 다양한 길거리 먹거리 맛보기

▲ 추천 코스

쑹산 문창원구→국부 기념관→타이베이 101빌딩→쓰쓰난춘→라오허제 관광 야시장→우펀푸 상권

국립 국부 기념관 國立國父紀念館 궈리 궈푸 지녠관

1972년 중국 궁전식으로 완공한 타이완의 국부 쑨원(孫文) 기념관이다. 쑨원(1866~1925)은 일찍이 민족·민생·민권의 삼민주의를 주창했고 영국, 일본, 미국 등에서 반청운동을 하다가 신해혁명 때 귀국하여 임시 대총통으로 추대되고 중화민국을 수립했다. 이후 국민당을 설립하고 장병을 양성해 군벌이 차지한 북부를 정벌하려 했으나 끝내 이루지 못하고 숨을 거뒀다.

궈푸 지녠관은 전체적으로는 거대한 사각형 건물로 사면에 황금색 처마를 둘렀고 정면에 하늘로 치켜 놀라간 현관을 두었다. 현관으로 들어가면 5.8m 크기의 쑨원 좌상이 놓여 있고 좌상 양쪽으로 쑨원에 대한 박물관인 국부 사적 전시장(國父史蹟展覽)이 보인다.

쑨원 좌상을 보좌하는 위병 교대식은 오전 9시에서 오후 5시까지 매시 정각에는 열린다. 교대 위병은 현관 들어갔을 때 오른쪽(동쪽)에서 등장했다가 교대한 후 오른쪽으로 퇴장하니 참고. 아울러 위병교대 약 15분 전부터 사람들이 모여드니 좋은 위치에서 사진 촬영을 하려는 사람은 미리 움직이자. 국부기념관 앞쪽에는 연못, 분수대가 있는 중산 공원(中山公園)이 있어 잠시 쉬어가기 좋다.

교통 : MRT 반난선(板南線) 궈푸 지녠관(國父紀念館) 역 4번 출구에서 국부 기념관 방향, 도보 5분

주소 : 台北市 信義區 仁愛路 四段 505號

전화 : 02-2758-8008

시간 : 09:00~18:00, 위병교대식_09:00~17:00(매시 정각)

요금 : 무료

홈페이지 : www.yatsen.gov.tw

송산 문창원구 松山文創園區 쑹산 원창위안취

국부 기념관 북쪽에 위치한 문화창의단지다. 이곳은 1937년 세워진 타이완 최초의 담배공장이 있던 곳으로 1998년 담배 생산이 중지되고 한동안 방치되었다. 2001년 문화사적으로 지정되고 대대적인 리모델링을 거쳐 2011년 문화창의단지로 일반에 개방되었다.

입구로 들어가 좌회전하면 왼쪽에 창고 건물을 개조한 전시장이 늘어서 있고 오른쪽에는 'ㅁ'자 모양의 건물에 디자인 박물관, 상점, 바로크 정원 등이 입점해 있다. 조금 더 앞으로 가면 왼쪽에 타이베이 문창빌딩(台北文創大樓) 빌딩이 세워져 있고 오른쪽에는 작은 연못이 있는 정원이 조성되어 있다.

단지에서는 먼저 트렌디한 주제의 전시장과 예술가의 디자인 작품을 만날 수 있는 타이베이 디자인 박물관(台北設計館). 디자인 상품을 구입할 수 있는 쑹양 갤러리(松菸小賣所)을 둘러보고 'ㅁ'자 건물 안쪽의 바로크 정원에서 기념촬영을 하며 시간을 보내보자. *위쪽에 인형 전시·공연장인 **타이베이 우시관(台北偶戲館)**

교통 : MRT 반난선 궈푸 지녠관(國父紀念館) 역 5번 출구에서 광푸난루(光復南路) 이용, 쑹산 문창원구(松山文創園區) 방향, 직진 후 우회전. 도보 9분

주소 : 台北市 信義區 光復南路 133號

전화 : 02-2765-1388

시간 : 실내_쑹양 갤러리 10:00~18:00, 카페 솔레 09:00~18:00, 위에위에 서점 09:00~21:00, 타이완 디자인 뮤지엄 09:30~17:30, 실외_08:00~22:00

요금 : 전시_유료, 전시에 따라 다름

홈페이지 : www.songshanculturalpark.org

타이베이 탐색관 台北探索館 타이베이 탄수오관

타이베이 스정푸(台北市政府)에 위치한 타이베이 시 역사문화 박물관이다. 먼저 1층 타이베이의 풍경을 보여주는 타이베이 인샹팅(臺北印象廳)을 본 뒤, 엘리베이터를 타고 4층 타이베이의 옛날 성, 원주민 생활을 보여주는 스쿵두이화팅(時空對話廳), 3층 도시 발전상을 보여주는 청스탄수워팅(城市探索廳), 2층 테마 전시장인 테잔팅(特展廳) 순으로 돌아보면 된다.

교통 : MRT 반난선 시정푸(市政府) 역에서 청핀슈뎬(誠品書店) 지나 좌회전, 타이베이 스정푸(台北市政府) 방향. 도보 9분

주소 : 台北市 信義區 市府路 1號

전화 : 02-2720-8889(#4588)

시간 : 09:00~17:00, 휴무 : 월요일

요금 : 무료

홈페이지 : http://discovery.gov.taipei

타이베이101 빌딩 台北101 타이베이 이링이

흔히 타이베이 101 빌딩이라 부르지만 원래 명칭은 타이베이 금융빌딩, 타이베이 진룽다루(臺北金融大樓)다. 1999년 공사를 시작해 2003년 지하 5층~지상 101층, 첨탑 포함 508m 높이로 완공하였다. 사각

의 상자를 쌓아 올린 듯한 빌딩 외관은 당나라 불탑 모양을 형상화한 것이라고 한다.
건축 당시 세계 최고층이었던 말레이시아 쿠알라 룸푸르의 페트로나스 트윈빌딩(452m)보다 56m 높았고 현재는 세계 최고층인 두바이의 부르즈 할리파 빌딩(829.84m), 중국의 상하이 타워(632m)에 이어 세계에서 6번째로 높은 빌딩이다. 빌딩은 지하 1층~지상 5층은 쇼핑센터, 9층~84층은 사무실, 85층~87층은 레스토랑, 88층 전시실, 89층과 91층은 전망대, 92층부터는 통신시설로 사용된다.
교통 : MRT 단수이신이선 타이베이이링이(台北101/世貿) 역에서 바로
주소 : 台北市 信義區 信義路 五段 7號
홈페이지 : www.taipei-101.com.tw

≫타이베이101 전망대 台北101 觀景台 타이베이101 관징타이

타이베이101빌딩 전망대는 89층 실내 전망대와 91층 실외 전망대로 나뉜다. 89층 실내 전망대는 높이 383m로 사방의 투명 창을 통해 타이베이 전역을 조망하기 좋다. 전망대에서는 멀리 북쪽의 양밍산(陽明山), 서쪽의 남북으로 흐르는 단수허(淡水河) 강, 남쪽과 동쪽으로는 타이베이를 둘러싼 야산을 볼 수 있다. 가깝게는 타이베이101 빌딩 주변의 고층 빌딩들과 성냥갑처럼 작게 보이는 타이베이의 건물들이 보인다.
같은 층에 있는 댐퍼는 빌딩의 진동을 잡아 주는 대형 원추 추로 그 모양이 공상과학 영화에 나오는 우주선을 연상케 한다. 91층의 실외 전망대는 바람이 작게 불고 날씨가 좋은 날만 개방하는데 초고층에서만 느낄 수 있는 색다른 기분이 든다. 단, 1년 중 실외 전망대에서 전망을 즐길 수 있는 완벽한(?) 날은 그리 많지 않다.
전망대 티켓은 5층 매표소에서 구입할 수 있고 같은 층의 전용 엘리베이터를 이용해 89층까지 약 37초 만에 오른다. 전용 엘리베이터는 기네스북에 등재된 세계에서 가장 빠른 엘리베이터로 최고 속도가 분당 1.01km에 달한다. 전망대 방문 시, 날씨에 따라 전망 정도가 크게 좌우됨으로 날씨가 좋지 않거나 구름이 낀 날에는 이용하지 않는 것이 좋다. *최근 101층 **스카이라인 460**(전망대) 개장
교통 : 타이베이101 빌딩 5층에서 전용 엘리베이터 이용, 89층으로
주소 : 台北市 信義區 信義路 五段 7

號 89樓
전화 : 02-8101-8898
시간 : 11:00~21:00
요금 : 성인 NT$ 600, 학생 NT$ 540 *스카이라인 460 NT$ 3,000
홈페이지 :
www.taipei-101.com.tw/observatory.aspx

≫타이베이 101빌딩 댐퍼

전망을 충분히 즐겼다면 89층 안쪽의 지진과 광풍으로 인한 빌딩의 진동을 잡아주는 댐퍼(Damper)로 가보자. 댐퍼는 일종의 거대한 원형 추로 높이 5.5m, 무게 680톤에 이르고 87층~89층에 걸쳐 매달려 있다. 금색으로 칠해놓은 댐퍼는 흡사 SF영화에 등장하는 외계인의 우주선을 연상케 해 기묘한 셀카를 찍기에 좋은 장소가 된다.
위치 : 타이베이 101빌딩 89층

≫타이베이101 쇼핑센터 臺北101 購物中心 타이베이101 궈우중신

지하 1층~지상 5층 규모의 쇼핑센터로 명품에서 유명 브랜드 상품까지 다양하게 둘러볼 수 있다. 이곳은 매장이 넓어 쇼핑하는데 매우 쾌적하다.

지하 1층에 알도(ALDO), 노티카(NAUTICA), 타미 힐피거(TOMMY HILFIGER), 식당가인 메이스광창(美食廣場), 지상 1층에 마이클 코어스(MICHAEL KORS), 스와보로스키(SWAROVSKI), 자라(ZARA), 2층에 코치(COACH), 파텍 필립스(PATEK PHILIPPE), 투미(TUMI), 3층에 구찌(GUCCI), 토즈(TOD'S), 베르사체(VERSACE), 4층에 버버리(BURBE-RRY), 루이비통(LOUIS VUITTON), 프라다(PRADA), 5층에 디올(Dior), 미우미우(MIUMIU), 다자인 상품을 볼 수 있는 웬창101(文創101) 등이 자리한다.
교통 : MRT 단수이신이선 타이베이이링이(台北101/世貿) 역에서 바로
주소 : 台北市 信義區 信義路 五段 7號, B1~5F
전화 : 02-8101-9001
시간 : 일~목 11:00~21:30, 금~토

11:00~22:00
홈페이지 : www.taipei-101.com.tw

타이베이 세계무역센터 台北世界貿易中心 타이베이 스제마오이중신

타이베이101 빌딩 옆에 위치한 국제 박람회장으로 1~3관에서 매년 전자, 기계, 건축, 관광, 영화, 여행, 애니메이션, 게임 등 다양한 분야의 전시가 열린다. 특히 젊은 층이 좋아하는 애니메이션이나 게임 관련 전시는 사람들이 몰려 인산인해를 이룬다.
교통 : MRT 단수이신이셴 타이베이이링이(台北101/世貿) 역에서 바로
주소 : 台北市 信義區 信義路 五段 5號
전화 : 02-2725-5200
홈페이지 : www.twtc.com.tw

사사남촌 四四南村 쓰쓰난춘

1949년 중국 대륙에 중국 정부가 건국한 이후 중국에서 건너온 군인과 일반인이 정착한 마을로 쥔촌(眷村)이라고도 한다. 이곳은 군납 무기를 제조하던 공장의 직원과 가족이 살았던 곳으로 고향을 떠나 낯선 땅에서 어렵게 살았던 흔적이 남아있다. 2000년 들어 주변이 재개발 되면서 이곳에 살던 대부분의 사람들은 다른 곳으로 이주했고 일부 건물만 남겨 신이 공민회관과 쓰쓰난춘(四四南村)의 역사를 보여주는 전시장, 디자인 상품을 판매하는 원창(文創) 상점 겸 레스토랑 등으로 이용된다. 주말에는 예술 시장이 열려 예술가의 디자인 상품이나 빈티지 상품을 구입할 수도 있다.

교통 : MRT 단수이신이선 타이베이이링이(台北101/世貿) 역에서 쓰쓰난춘(四四南村) 방향, 도보 3분
주소 : 台北市 信義區 松勤街 50號
시간 : 전시장_10:00~18:00, 레스토랑_10:00~20:00(토~일 09:00~18:30)

요하가 관광 야시장 饒河街 觀光夜市 라오허제 관광예스

타이베이 시내 북쪽을 동서로 가로지르는 지룽허(基隆河) 강가에 위치한 야시장이다. 동쪽으로 지룽(基隆) 항구, 서쪽으로 단수허(淡水河) 강과 연결된 지

룽허는 예부터 배를 이용한 교역이 활발했다. 지금은 교역이 쇠퇴하고 강가 야시장만 성황을 이루고 있다.

야시장 입구의 긴 줄은 후추 빵인 후자오빙(胡椒餅)을 판매하는 곳! 후자오빙은 다진 돼지고기, 파, 후추 등을 넣은 빵으로 원통형 화덕 안에 반죽을 붙여 구워낸다. 후자오빙은 다른 야시장에서도 맛볼 수 있으니 줄이 길면 야시장 구경이 치중하자. 야시장 안으로 들어가면 꼬치, 만두, 스시, 국수, 과일주스 등 먹거리 노점 퍼레이드가 펼쳐지고 간간히 기념품, 의류, 신발, 생활용품 노점이 보인다.

교통 : MRT 쑹산신뎬선(松山新店線) 쑹산(松山) 역에서 라오허제(饒河街) 방향, 바로

주소 : 台北市 松山區 饒河街

시간 : 16:00~01:00

휴무 : 월·수요일

≫송산 자우궁 松山慈祐宮 쑹산 츠유궁

1753년 청나라 고종 때 처음 세워졌고 주제신은 톈샹셩무(天上聖母)다. 사원은 5층 규모로 각 층마다 여러 신들이 모셔져 있다. 주요 신으로는 1층 바다의 수호신인 톈샹셩무(天上聖母), 2층 북두칠성과 관련 있는 도교의 여신인 더우라오위안쥔(斗姥元君), 3층 관음보살인 관잉푸주(觀音佛祖), 4층 관우가 신이 된 관셩디준(關聖帝君), 5층 도교의 삼신인 싼칭다오주(三清道祖) 등이 있다. 때때로 검은 도복을 입은 신자들이 기원을 올리는 모습을 볼 수 있다.

교통 : MRT 쑹산신뎬선 쑹산(松山) 역에서 라오허제(饒河街) 방향, 바로

주소 : 台北市 松山區 八德路 四段 765號

전화 : 02-2766-3012

시간 : 05:30~22:30

오분포 상권 五分埔商圈 우펀푸 샹취안

MRT 쑹산(松山) 역 남쪽, 융지루 443강(永吉路 443巷) 골목에 청바지, 스커트, 정장, 신발을 취급하는 상점이 늘어서 의류 시장을 형성한다. 상점마다 의류 아이템 별로 잔뜩 쌓아놓은 비닐봉지는 도매상을 위한 것이다. 매

주 월요일 각지에서 온 도매상들이 분주히 상품을 고르는 모습은 흡사 동대문 시장을 보는 듯하다. 도매 시장이지만 소매도 하고 있으므로 다른 요일에는 쇼핑을 나온 일반인도 꽤 많이 보인다. 특히 밤이 되면 쇼핑백을 든 사람들로 북적이 의류 야시장으로 변신한다. 끝없이 이어진 상점을 돌아다니면 쇼핑을 하는 재미가 쏠쏠하다. 야시장을 둘러보다 허기지면 시장 한편의 먹거리 노점이나 훠궈 식당에서 맛있는 것을 먹으며 쉬어가는 것도 좋다.

교통 : MRT 쑹산신뎬선 쑹산(松山) 역에서 숭산루(松山路) 이용, 쑹산처잔(松山車站) 지나 쑹산로 119강(松山路 119巷)에서 좌회전 후 융지루 443강(永吉路 443巷)에서 우회전. 도보 5분

주소 : 台北市 信義區 松山路 149巷

시간 : 10:00~22:00

***레스토랑&카페**

욱성 旭成 鐵板料理 台北101店 쉬청

타이베이101 빌딩 지하 1층 미식가(푸드코트)에 25개의 레스토랑이 있다. 그 중 쉬청(旭成) 홍콩식 테판타오찬(鐵板套餐), 즉 철판 요리, 국, 밥이 나오는 철판요리세트를 선보인다.

교통 : MRT 단수이신이선(淡水信義線) 타이베이이링이(台北101/世貿) 역에서 바로

주소 : 台北市 信義區 市府路 45號

전화 : 02-8101-8653

시간 : 일~목 11:00~21:30, 금~토 11:00~22:00

메뉴 : 지파이장샤오타오찬(雞排醬燒套餐 닭고기 세트) NT$ 150, 양러우장샤오타오찬(羊肉醬燒套餐 양고기 세트) MT$ 150, 샤랑뉴파이타오찬(沙郎牛排套餐 소고기세트) NT$ 210, 뉴파이샤오준타오찬(牛排小卷套餐 소고기+오징어세트) NT$ 260 내외

홈페이지 : www.taipei-101.com.tw

정태풍 鼎泰豐 101店 딘타이펑

1958년 창업했고 고기만두인 샤오룽바오(小籠包)가 인기를 얻으면서 딤섬 전문점으로 유명세를 탔다 딘타이펑(鼎泰豐)은 '크고 풍요로운 솥'이란 뜻. 주문은 보통 샤오롱바오+왕만두 또는 찐빵+볶음밥 또는 면 정도 하면 좋다.

샤오롱바오 먹는 법은 먼저 간장 1+식초 3의 초간장을 제조한다. 샤오롱바오를 초간장에 찍은 뒤 숟가락에 올리고 육즙이 나오도록 만두를 살짝 찢는다. 여기에 생강채를 올려 샤오롱바오의 식감과 육즙, 향을 느끼며 먹으면 된다.

교통 : MRT 단수이신이선 타이베이이링이(台北101/世貿) 역에서 바로

주소 : 台北市 信義區 市府路 45號 B1

전화 : 02-8101-7799

시간 : 일~목 11:00~21:30, 금~토 11:00~22:00

메뉴 : 샤오롱바오 5개 NT$ 100, 야채 돼지고기 만두 5개 NT$ 90, 돼지고기 왕만두 2개 NT$ 80, 새우 계란 볶음밥 NT$ 210, 우육면 NT$ 230 내외

홈페이지 : www.dintaifung.com.tw

석정공 취취과 石碇公 臭臭鍋 스딩궁 처우처우궁

1989년 창업한 중국식 찌개 전문점으로 중국식 찌개는 육수부터 끓이고 재료를 데쳐 먹는 훠궈(火鍋)와 달리 한 냄비에 고기, 해물, 버섯, 채소, 육수 등을 한 번에 넣고 잘 끓여 먹는다. 넣는 재료에 따라 양고기 찌개인 테즈양러우궈(特製羊肉鍋), 매운 찌개인 마라처우처우궈(麻辣臭臭鍋), 커리를 넣은 찌개인 카리샹샹궈(咖哩香香鍋), 김치찌개인 한스파오차이궈(韓式泡菜鍋) 등이 있다.

교통 : MRT 쑹산신뎬선(松山新店線) 쑹산(松山) 역에서 쑹산루(松山路) 이용, 쑹산처잔(松山車站) 지나 쑹산로(松山路) 직진, 도보 5분

주소 : 台北市 信義區 松山路 156號

전화 : 02-2760-3198

시간 : 11:00~21:30

메뉴 : 테즈양러우궈(特製羊肉鍋 양고기 찌개), 마라처우처우궈(麻辣臭臭鍋 매운 찌개), 카리샹샹궈(咖哩香香鍋 커리 찌개), 한스파오차이궈(韓式泡菜鍋 김치찌개)NT$ 110 내외

통일한큐 백화점 統一阪急 百貨 台北店 통이반지 바이화

MRT 시정푸(市政府) 역에 인접한 백화점으로 지하 2층~지상 7층 규모다. 주요 상점과 식당으로 지하 2층 푸드코트와 식당가, 지하 1층 유니클로·갭·스포츠웨어점, 지상 1층 화장품, 2층 질 스튜어트(Jill Stuart)·키플링(Kipling), 3층 MK·와코르(Wacoal), 4층 데님&서플라이(DENIM&SUPPLY)·슈퍼드라이(Superdry), 5층 랄프로렌(RALPHLAUREN)·피에르 발망(PIERRE BALMAIN), 6층 가구와 생활용품점, 7층 모모 파라다이스(Mo-Mo-Paradise) 등을 들 수 있다.

교통 : MRT 반난선 시정푸(市政府) 역에서 바로

주소 : 台北市 信義區 忠孝東路 五段 8號

전화 : 02-2729-9699

시간 : 일~목 11:00~21:30, 금~토 ~22:00

홈페이지 : www.uni-ustyle.com.tw

브리즈 微風 信義 웨이펑

브리즈(微風) 쇼핑센터 신이점(信義店)으로 47층 빌딩의 지하 1층~지상 4층을 사용한다. 층별로는 지하 1층 ABC 마켓·플라자 도쿄(PLAZA TOKYO), 지상 1층 막스 마라(Max Mara)·발렌티노(VALENTINO), 2층 켄조(KENZO)·지미 추(Jimmy Choo), 3층 테드 베이커(TED BAKER)·샘소나이트(Samsonite), 4층 식당가 등으로 운영된다. 같은 빌딩 45층과 47층에 스카이라운지 톈지후이(天際薈)가 있다.

교통 : 브리즈 신이_MRT 반난선(板南線) 시정푸(市政府) 역에서 바로/브리즈 쑹까오_시정푸(市政府) 역에서 청핀슈뎬(誠品書店)·벨라비타(BELLAVITA) 지나 도보 6분

주소 : 브리즈 신이_台北市 信義區 忠孝東路 五段 68號/브리즈 쑹까오_台北市 信義區 松高路 16號

전화 : 브리즈 신이_02-6636-6699, 브리즈 쑹까오_02-6636-9959

시간 : 일~수 11:00~21:30, 목~토 ~22:00

홈페이지 : www.breezecenter.com

벨라비타 BELLAVITA 寶麗廣場 바오리광창

유럽풍 석조 저택을 연상케 하는 고급 쇼핑센터로 지하 2층~지상 6층 규모다. 1층 에르메스(HERMÈS)·지오르지오 아르마니(GIORGIO ARMANI), 2층 이트로(ETRO) 같은 명품숍이 인상적이고 지하 2층과 4층 식당가, 5층 프렌치 레스토랑, 6층 일식 레스토랑 등 미식에 중점이 둔 것도 독특하다.
교통 : MRT 반난선 시정푸(市政府) 역에서 청핀슈뎬(誠品書店) 지나 도보 6분
주소 : 台北市 信義區 松仁路 28號
전화 : 02-8729-2771
시간 : 10:30~22:00
홈페이지 : www.bellavita.com.tw

신광삼월 백화점 新光三越 신광싼웨

신광싼웨(新光三越) 백화점은 타이완 대표 백화점 중 하나로 한 곳에 여러 관의 백화점이 모여 있는 경우가 많다. 브리즈(微風) 신이점(信義新天地店) 뒤의 신광싼웨 타이베이신이점에는 신톈디(新天地)A4관, 신톈디A8관, 신톈디A9관, 신톈디A11관 등 무려 4개 관이 늘어서 있다.
교통 : MRT 반난선 시정푸(市政府) 역에서 청핀슈뎬(誠品書店) 지나 신천지A11관까지 도보 11분/MRT 2호선 단수이신이선 타이베이이링이(台北101/世貿) 역에서 도보 7분
주소 : 신톈디A4_台北市 信義區 松高路 19號/신톈디A8_台北市 信義區 松高路 12號/신톈디A9_台北市 信義區 松壽路 9號/신톈디A11_台北市 信義區 松壽路 11號
전화 : 신톈디A4_02-8789-5599,신톈디A8_02-8780-9966,신톈디A9_02-272-9388, 신톈디A11_02-8780-1000
시간 : 11:00~21:30
홈페이지 : www.skm.com.tw

앳포펀 ATT 4 FUN 信義店

타이베이101 빌딩 옆에 위치한 젊은층 대상의 쇼핑몰로 지하 1층~지상 6

층 규모다. 주요 매장은 지하 1층 팬시&생활용품점인 핸즈 타이룽(Hands Tailung), 지상 1층 패스트패션 브랜드 버쉬카(Bershka)·포에버21(Forever21)·갭(GAP), 2층 망고(Mango), 3층 ABC 마켓·패스트패션 브랜드인 구(GU), 4층 카페&디저트숍 특화 층 텐미왕궈(甜蜜王國), 5~6층 여러 레스토랑이 모여 있는 미식가로 구성되어 있다. 7~9층은 클럽이 자리해 저녁이면 음악과 춤을 즐기려는 사람들로 북적인다.

교통 : MRT 단수이신이선 타이베이이링이(台北101/世貿) 역에서 쑹즈루(松智路) 이용, 앳포펀(ATT 4 FUN) 방향, 도보 6분

주소 : 台北市 信義區 松壽路 12號

전화 : 02-8780-8111

시간 : 11:00~22:00

홈페이지 : www.att4fun.com.tw

네오 19 빌딩 NEO 19

2001년 개장한 복합상업빌딩으로 음식, 운동, 오락, 휴식, 쇼핑을 테마로 한다. 주요 매장은 클럽 룸18(Room 18)·라바(LAVA), 지상 1층 펍 레스토랑인 라이트하우스 비어 비스트로(Lighthouse Beer Bistro)·홈 호텔(HOME HOTEL), 2층 레스토랑 페이샹타이(非常泰)·모모 파라다이스(Mo-Mo-Paradise), 3층 훠궈 레스토랑 마랄(麻辣), 4층 피트니스 클럽, 5층 바(Bar)인 바코드 등.

교통 : MRT 단수이신이선 타이베이이링이(台北101/世貿) 역에서 쑹즈루(松智路) 이용, 앳포펀(ATT 4 FUN)·웨이시우잉청(威秀影城 영화관) 지나 도보 8분

주소 : 台北市 信義區 松壽路 22號

전화 : 02-2345-8819

리코 아웃렛 LEECO OUTLET 禮客OUTLET 內湖店

2005년 개점한 유명 브랜드 위주의 아웃렛으로 쑹산 공항(松山機場) 동쪽 네이후(內湖) 지역에 위치한다. 리코 아웃렛은 1점(一店)과 이점(二店)으로 나뉘는데 서로 연결되어 있어 이동이 간편하다. 쇼핑할 사람은 1층에서 멤버십 등록을 하고 쇼핑하자.

교통 : MRT 쑹산신뎬선 쑹산(松山) 역 앞 버스정류장에서 63번 시내버스 이용, 싱중루커우(行忠路口) 버스정류장 하차. 22분 소요/쑹산역에서 택시, 8분 소요

주소 : 台北市 內湖區 民善街 205號

전화 : 02-8792-6668
시간 : 월~금 11:00~21:30, 토~일 10:30~22:00
홈페이지 : www.leecooutlet.com.tw

≫코스트코 好市多 內湖店 Costco

창고형 대형 할인점으로 회원제로 운영되며 전자제품, 컴퓨터, 건강식품, 식품, 미용제품, 의류, 가구, 서적 등 엄선된 4천여 점의 상품을 취급한다. 코스트코에서 쇼핑을 원한다면 한국에서 회원증(타이완 통용)부터 발급받자. *결재는 비자카드만 이용가능하니 확인!
교통 : MRT 쑹산신뎬선 쑹산(松山) 역 앞 버스정류장에서 63번 시내버스 이용, 싱중루커우(行忠路口) 버스정류장 하차. 22분 소요/쑹산역에서 택시, 8분 소요
주소 : 台北市 內湖區 舊宗路 一段 268號
전화 : 02-8791-0110
시간 : 10:00~21:30
홈페이지 : www.costco.com.tw

≫대윤발 大潤發 內湖二店 rt-market 다룬파

코스트코 아래에 위치한 타이완 대형 할인매장으로 식품, 의류, 음료, 주류, 미용용품, 욕실용품, 침실용품, 생활 잡화, 가전제품 등 다양한 제품을 취급한다. 제품은 코스트코 같은 창고 형이 아니고 대형 슈퍼마켓 스타일로 전시되어 있다.
교통 : 코스트코에서 바로
주소 : 台北市 內湖區 舊宗路 一段 188號
전화 : 02-2790-5050
시간 : 07:30~23:00
홈페이지 : www.rt-mart.com.tw

≫기타 특화 쇼핑센터
네이후(內湖) 지역에는 코스트코(好市多), 리코(LEECO), 다룬파(大潤發) 외 꽃시장인 **타이베이 화스(台北 花市)**, 식재료 전문매장인 **메이푸스지(美福食集)**, 가구전문점인 **홀라(HOLA 和樂家居館)**, 대형할인매장 **까르푸(家樂福 Carrefour)**, 스포츠용품 전문점인 **데카트론(迪卡儂 DECATHLON)**, **다룬파 네이후 1관** 등이 있다.
교통 : MRT 쑹산신뎬선 쑹산(松山) 역 앞 버스정류장에서 63번 시내버스 이용, 네이후(內湖) 하차. 22분 소요/쑹산역에서 택시, 8분 소요

*나이트라이프

웨이브 클럽 WAVE CLUB Taipei

쇼핑센터 앳포펀(ATT 4 FUN) 7층에 위치한 클럽이다. 입구에서 입장료를 내면 음료 2잔을 마실 수 있는 쿠폰을 준다. *외국인은 신분증을 확인하니 여권 준비(모든 클럽 동일)!

교통 : MRT 단수이신이선 타이베이이링이(台北101/世貿) 역에서 쑹즈루(松智路) 이용, 앳포펀 방향, 도보 6분

주소 : 台北市 信義區 松壽路 12號, 7F

전화 : 02-7737-9887

시간 : 수~토 22:00~04:00

요금 : 수_남/여 NT$ 800(음료 2잔)/무료, 목_남/여 NT$ 700/200, 금~토_남/여 NT$ 1,000/700(남녀 각 음료 2잔) 내외

프랭크 FRANK Taipei

앳포펀(ATT 4 FUN) 빌딩 10층에 있는 루프탑 바이다. 101빌딩을 바라보며 럭셔리한 분위기에서 술 한 잔을

하기 괜찮은 곳!

교통 : MRT 단수이신이선 타이베이이링이(台北101/世貿) 역에서 쑹즈루(松智路) 이용, 앳포펀(ATT 4 FUN) 방향, 도보 6분

주소 : 台北市 信義區 松壽路 12號, 10F

전화 : 0909-332-333

시간 : 21:00~익일 02:30

바코드 BARCODE

네오 19빌딩 5층에 있는 프리미어 라운지로 당구대, 편한 소파 등 럭셔리한 인테리어가 눈에 띈다.

교통 : MRT 단수이신이선 타이베이이링이(台北101/世貿) 역에서 쑹즈루(松智路) 이용, 앳포펀(ATT 4 FUN)·웨이시우잉청(威秀影城 영화관) 지나 네오 19 방향. 도보 8분

주소 : 台北市 信義區 松壽路 22號, 5F

전화 : 0920-168-269

시간 : 일~목 21:00~02:30, 금~토 21:00~03:00

홈페이지 : www.room18.com.tw

06 융캉제&궁관 永康街&公館 Yongkang St.&Gongguan

융캉제와 궁관은 타이베이 시내 남쪽으로 사범대인 타이완 사대, 타이완 최고 명문 타이완 대학이 있어 대학가로 불린다.

융캉제와 궁관을 모두 보려면 궁관부터 들리는 것이 좋다. 궁관의 타이완 대학에 들려 타이완 대학생들의 모습을 엿보고 수도 박물관에서 옛날 수도 시설을 배경을 기념촬영을 해도 즐겁다.

발길을 융캉제로 돌리면 골목에 자리한 독특한 상점과 분위기 좋은 카페가 여행객을 맞이한다. 딤섬이나 뉴러우몐으로 식사를 하고 융캉제의 명물 망고 빙수도 맛을 보자.

이제 소화도 시킬 겸 타이완 사대까지 걸어 스다 야시장을 둘러보자. 스다 야시장까지 오느랴 꺼진 배는 스다 야시장의 명물 루웨이를 맛보면 다시 불러진다. 스다 야시장은 대학가이기도해 먹거리나 기념품 가격이 싼 편이다.

▲ 교통

① **융캉제**_MRT 단수이신이선(淡水信義線)·중화신뤼선(中和新盧線) 둥먼(東門) 역 5번 출구에서 바로

② **궁관**_MRT 쑹산신뎬선(松山新店線) 궁관(公館) 역 하차

▲ 여행 포인트

① 융캉제 골목 안 예쁜 상점, 카페 둘러보고 달달한 망고 빙수 맛보기

② 대학가 스다 야시장에서 디자인 상품 구경하고 길거리 먹거리 맛보기

③ 수도 박물관에서 옛 수돗물 생산시설을 배경으로 화보촬영하기

④ 타이완 대학을 둘러보고 학생식당에서 식사하기

▲ 추천 코스

융캉제→다안 썬린 공원→스다 야시장→수도 박물관→타이완 대학

영강가 永康街 융캉제

융캉제(永康街)는 MRT 둥먼(東門) 역에서 진화제(金華街)에 이르는 길이고 융캉제 지역은 융캉제 좌우의 리수이제(麗水街)와 신이루(信義路) 사이를 말한다. 겉에서 보기에는 높은 빌딩 없는 평범한 주택가이지만 융캉제 거리를 따라 안으로 들어가면 아기자기한 상점, 음식점, 카페들이 곳곳에 자리 잡고 있다. 복잡하지 않고 한가롭게 거닐며 상점에서 팬시 용품을 고르고 카페에서 커피 한 잔하기 좋아 한번쯤 가보고 싶은 지역으로 알려졌다. 이 때문인지 융캉제에 단체 관광객도 나타나기 시작!

교통 : MRT 단수이신이선(淡水信義線)·중화신뤼선(中和新盧線) 둥먼(東門) 역 5번 출구에서 바로

주소 : 台北市 大安區 永康街 2號

대안 삼림 공원 大安森林公園 다안 썬린 궁위안

1983년 개장된 공원으로 면적이 259,293㎡에 달한다. 공원에는 물새가 노니는 호수, 야외 음악당, 산책로 등이 잘 조성되어 있어 공원을 걷거나 잠시 쉬어 가기 좋다. 화단의 흰색 꽃잎이 예쁜 예장화(野薑花), 붉은 꽃잎이 고혹적인 주진(朱槿), 흰색의 털북숭이 꽃잎을 가진 류수(流蘇) 같은 꽃을 배경으로 사진을 찍어도 괜찮다. 융캉제에서 멀지 않아 융캉제 가기 전에 공원에 들려 공원을 보고 융캉제로 걸어가도 나쁘지 않다.

교통 : MRT 단수이신이선 다안 삼림 공원(大安森林公園) 역에서 바로/둥먼(東門) 역 5번 출구에서 궁위안(公園) 방향, 도보 7분

주소 : 台北市 大安區 新生南路 二段 1號

전화 : 02-2700-3830

시간 : 24시간

홈페이지 : http://parks.taipei

사대 야시장 師大夜市 스다 예스

타이완 사범대학(臺灣師範大學) 뒤쪽 거리로 야시장이라기보다는 상점과 음식점이 있는 대학가라고 해야 할 수 있다. 관광객으로 넘치는 여느 야시장

과 달리 타이완 젊은이들의 풋풋한 모습을 볼 수 있어 좋은 곳. 거리에서 어묵과 채소, 소시지 등을 육수에 데쳐 먹는 루웨이(滷味), 달달함이 가득한 크레페, 홍콩식 소보르 빵인 하오하오웨이(好好味) 등을 맛볼 수 있고 대학가라 가격도 저렴한 편이다.

교통 : MRT 쑹산신뎬선(松山新店線) 타이뎬다러우(台電大樓) 역 3번 출구에서 스다루(師大路) 이용, 스다(師大) 야시장 방향, 직진. 도보 7분/융캉제에서 타이완 사범대학(臺灣師範大學) 방향. 도보 14분
주소 : 台北市 大安區 師大路 39巷
시간 : 10:00~23:00

국립 타이완 대학 國立臺灣大學 궈리 타이완 다쉐

1928년 일제 강점기 다이호쿠(帝國) 대학이란 이름으로 설립되었고 1945년 중화민국이 대학을 인수하며 국립 타이완 대학(國立臺灣大學)이 되었다. 문학원, 이학원, 의학원, 공학원 등 10여개의 원을 두고 있고 대학과 대학원에서 3만 여명의 학생들이 학업을 하고 있다.

이 학교 출신으로 도올 선생 김용옥, 총통을 역임한 마잉주(馬英九)와 천수이볜(陳水扁), 리덩후이(李登輝), 2016년 총통에 당선된 차이잉원(蔡英文) 등이 유명하다. 대학(大學) 정문에서 총 도서관(總圖書館) 가는 길 왼쪽에 문학원(文學院)과 화공계관(化工系館), 오른쪽에 행정빌딩(行政大樓) 등이 있고 총 도서관 옆에는 제일학생활동센터(第一學生活動中心)이 자리한다. 보통 정문에서 총 도서관, 제일 학생활동센터 순으로 둘러보면 좋다.

교통 : MRT 쑹산신뎬선(松山新店線) 궁관(公館) 역에서 3번 출구에서 타이뎬다러우(台電大樓) 역 방향으로 가다가 우회전, 대학(大學) 정문 방향. 도보 3분
주소 : 台北市 大安區 羅斯福路 四段 1號
전화 : 02-3366-3366
홈페이지 : www.ntu.edu.tw

궁관 야시장 公館夜市 궁관 예스

타이완 대학(臺灣大學) 길 건너에 위치하고 야시장이라기 보단 상점과 식당이

모여 있는 대학가다. MRT 궁관(公館) 역 4번 출구 부근의 뤄스푸루 3두안 316강(羅斯福路 三段 316巷)과 뤄스푸루 4두안 24강(羅斯福路 四段 24巷)이 야시장의 중심이다. 거리에는 어묵과 채소, 소시지 등을 육수에 데쳐 먹는 루웨이(滷味), 노릇하게 구워낸 수이지안바오(水煎包 군만두), 다진 돼지고기와 채소 들어있는 고기만두 후쟈오빙(胡椒餅)집 등이 있다.

교통 : MRT 쑹산신뎬선 궁관(公館) 역 4번 출구에서 타이뎬다러우(台電大樓) 역 방향으로 가다가 뤄스푸루 4두안 24강(羅斯福路 四段 24巷) 골목에서 좌회전, 도보 3분

주소 : 台北市 大安區 羅斯福路 四段 90巷

수도 박물관 自來水 博物館 즈라이수이 보우관

2000년에 개관한 수도 박물관으로 즈라이수이(自來水)는 '상수도, 수돗물'을 뜻한다. 이곳은 1908년 타이베이 최초의 수도시설, 즉 정수장이 있던 곳으로 근년에 들어 폐쇄된 것을 리모델링하여 환경교육장, 수도 박물관, 산책로, 수영장, 분수대 등이 있는 환경교육장 겸 휴식시설로 만들었다.

옛 시설 중에는 유럽풍으로 1908년 완공된 즈라이수이 보우관, 붉은 색 칠이 되어 있고 물을 저장하던 관인산 추수이츠(觀音山畜水池), 타원형 창이 멋진 량수이스(量水室) 등이 남아 있어 운치를 더한다. *수도 박물관 뒤쪽은 예술가를 위한 갤러리가 있는 **바오장옌 예술촌(寶藏巖台北國際藝術村)**

교통 : MRT 쑹산신뎬선 궁관(公館) 역에서 4번 출구에서 타이뎬다러우(台電大樓) 역 방향으로 가다가 뤄스푸루 4두안 24강(羅斯福路 四段 24巷) 골목에서 좌회전, 쓰위안제(思源街) 직진. 도보 5분

주소 : 台北市 中正區 思源街 1號

전화 : 02-8369-5104

시간 : 09:00~18:00, 휴무 : 월요일

요금 : 일반 NT$ 120, 어린이 NT$ 60

홈페이지 : www.twd.gov.tw

영강 우육면 永康牛肉麵 융캉 뉴러우멘

1963년 창업한 뉴러우멘(牛肉麵) 전문 식당으로 50여년의 전통을 자랑한다. 오전 문을 열기도 전에 식당 앞에 길게 줄이 늘어서 뉴러우멘의 인기를 실감하게 한다. 뉴러우멘는 육수에 따라 붉고 매운 홍샤오(紅燒) 뉴러우멘과 맑고 담백한 칭둔(淸燉), 국수 위의 토핑에 따라 소고기를 올린 뉴러우멘, 소힘줄을 올린 뉴진멘(牛筋麵), 소고기와 소 힘줄을 반반 올린 뉴진반러우멘(半筋半肉麵) 등으로 나뉘니 입맛에 따라 메뉴를 선택해보자.

교통 : MRT 단수이신이선·중화신뤼선 둥먼(東門) 역 4번 출구에서 신이루 2두안 148강信義路 二段 148巷) 이용, 두 블록 간 뒤, 진산난루(金山南路 二段 31巷)에서 우회전. 도보 2분

주소 : 台北市 大安區 金山南路 二段 31巷 17號

전화 : 02-2351-1051

시간 : 11:00~15:30, 16:30~21:00

메뉴 : 홍샤오(紅燒 붉은 육수)/칭둔(淸燉 맑은 육수)_대/소 뉴러우멘(牛肉麵) NT$ 230/200, 홍샤오(紅燒)_뉴진멘(牛筋麵 소 힘줄면) 대/소 NT$ 270/240, 뉴진반러우멘(半筋半肉麵) 대/소 NT$ 250/220, 펀정파이구(粉蒸排骨 살코기) NT$ 110, 홍여우차오서우(紅油抄手 물만두) NT$ 110 내외

홈페이지 :

http://beefnoodle-master.com

고기 高記 新生店 가오지

1949년 창업해 60여년 3대를 이어온 전통의 중식 식당이다. 항주(杭州)와 샤오싱(绍兴) 등이 포함된 저장성(浙江省) 지역의 쟝저 요리(江浙料理)와 상하이 딤섬(上海 點心)을 전문으로 한다. 상하이는 저장성 바로 위에 있다. 주요 메뉴는 상하이 딤섬인 샤오룽바오((小龍包), 군만두인 지안바오(煎包), 홍콩 딤섬인 넓적 만두 창펀(腸粉) 외 좁쌀 술 샤오싱주에 삶은 닭요리인 샤오

싱주이지(紹興醉雞), 소동파가 개발했다는 둥포러우(東坡肉) 등.
교통 : MRT 단수이신이선·중화신뤼선 둥먼(東門) 역 6번 출구에서 도보 5분/다안파크(大安森林公園)역에서 도보 2분
주소 : 台北市 大安區 新生南路 一段167號
전화 : 02-2325-7839
시간 : 08:30~21:30
메뉴 : 상하이 딤섬(上海 點心)_샤오룽바오(小龍包) · 지안바오(煎包 군만두) · 홍콩 딤섬(港式 點心)_창펀(腸紛 넓적만두), 샤오바오(燒包 찐방), 샤오싱주이지(紹興醉雞 샤오싱주에 삶은 닭요리), 둥포러우(東坡肉)
홈페이지 : www.kao-chi.com

사모석 思慕昔 本館 스무시

망고 빙수로 유명한 빙수 전문점으로 타이완 제철 과일을 이용해 빙수를 만든다. 타로 땅콩 빙수, 베리 요거트 빙수, 망고 빙수 중 인기 메뉴는 망고가 듬뿍 토핑된 망고 빙수! 1층 카운터에 여러 빙수 사진과 함께 한국어 표시도 되어 있으니 주문하는 것은 어렵지 않다. 메뉴에 적인 번호만 말하면 된다.
교통 : MRT 2호선 단수이신이선·4호선 중화신뤼선 둥먼(東門) 역 5번 출구에서 융캉제(永康街) 방향, 직진. 도보 2분
주소 : 台北市 大安區 永康街 15號
전화 : 02-2341-8555
시간 : 10:00~23:00
메뉴 : 망궈쉐화빙(芒果雪花冰) NT$ 190~200, 카페이쉐화빙(咖啡雪花冰) NT$ 190, 샹쟈오쉐화빙(香蕉雪花冰) NT$ 190 내외
홈페이지 : www.smoothiehouse.com

호공도 금계원 好公道金雞園 하오궁다오 진지위안

40여년 전통의 중식 식당으로 식당 앞에 만두를 찔 때 쓰는 대나무 찜기가 수북이 쌓여 있고 안쪽에는 종업원들이 부지런히 샤오룽바오, 만두 등을 만들고 있다. 2층으로 올라가면 테이블이 놓인 홀이 나오고 종업원이 건네주는 주문표에 표시하는 것으로 주문이 완료된다.
중국어 메뉴는 보통 '조리법+재료+종

류' 순으로 이름 붙여지므로 메뉴 명 중간에 뉴(牛)가 있으면 소고기, 주(猪)가 있으면 돼지고기, 지(雞)가 있으면 닭고기, 위(魚)가 있으면 물고기 재료이고 메뉴 명 끝에 멘(麵)이나 (粉)이면 국수, 판(飯)이면 덮밥이나 반찬+밥, 저우(粥)이면 죽, 탕(湯)이면 탕, 빙(餅)이면 과자나 빵인 것 정도 알아두면 한결 주문하기 편리하다.

교통 : MRT 단수이신이선·중화신뤄선 둥먼(東門) 역 5번 출구에서 융캉제(永康街) 방향, 직진. 도보 5분

주소 : 台北市 大安區 永康街 28-1號

전화 : 02-2341-6980

시간 : 09:00~21:00, 휴무 : 수요일

메뉴 : 샤오룽바오(小籠包) NT$ 90, 더우샤수자오(豆沙酥餃 만두) NT$ 40, 치러우저우(赤肉粥 고기 죽) NT$ 80, 뉴러우판(牛肉飯 소고기덮밥) NT$ 100, 단화탕(蛋花湯 어묵탕) NT$ 50 내외

아낙가려병 阿諾可麗餅 아눠커리빙

예술 시장인 스다39 창의시장(師大39創意市集) 내에 위치한 크레페(可麗餅) 매장으로 제철 과일, 아이스크림을 올린 먹음직스런 크레페를 선보인다.

교통 : MRT 쑹산신뎬선 타이뎬다러우(台電大樓) 역 3번 출구에서 스다루(師大路) 이용, 스다(師大) 야시장 방향, 직진. 도보 7분/융캉제에서 타이완 사범대학(臺灣師範大學) 방향. 도보 14분

주소 : 台北市 中正區 師大路 39巷 1號

전화 : 02-2369-5151

시간 : 12:00~22:00

메뉴 : 크레페(可麗餅) NT$ 80~140, 레스토랑_세트메뉴 NT$ 88/198, 샐러드 NT$ 138, 파스타 NT$ 108~148, 리조토 NT$ 198~288, 피자 NT$ 168~238 내외

사원 염소계 師園鹽酥雞 스위안 옌수지

길가 작은 분식점이지만 앞에 붙은 타이틀이 많다. 30여년 된 오래된 가게(老鋪)이고 야시 10대 샤오츠(小吃 분식점)이며 MRT 다즈(大直) 역의 타이완 디이제(台灣第一家), 시먼(西門) 역의 지광샹샹지(繼光香香雞)와 함께 타이베이 3대 타이완식 후라이드 치킨인

옌수지(鹽酥雞)점이라는 것이 그것이다. 바삭하게 튀긴 옌수지 맛이 일품이고 어묵, 채소 등을 데쳐 먹는 루웨이도 먹을 만하다.

교통 : MRT 쑹산신뎬선 타이뎬다러우(台電大樓) 역 3번 출구에서 스다루(師大路) 이용, 스다(師大) 야시장 방향, 직진. 스다루 39강(師大路 39巷)에서 우회전, 도보 7분

주소 : 台北市 大安區 師大路 39巷 14號

전화 : 02-2363-3999

시간 : 12:00~01:00

메뉴 : 옌수지(鹽酥雞 닭튀김) NT$ 50, 샹지파이(香雞排 뼈 없는 닭튀김) NT$ 60, 여우위(魷魚) NT$ 50, 바이예더우푸(百頁豆腐) NT$ 20 내외

호호미 好好味 港式 菠蘿包 하오하오웨이

홍콩에서 시작되었다는 보뤄바오(菠蘿包) 전문점으로 따뜻한 소보로 빵에 찬 버터나 치즈를 넣어 먹는 빙훠 보뤄여우(冰化菠蘿油), 치스 보뤄여우(起司菠蘿油)가 유명하다. 보뤄바오(菠蘿包)는 파인애플 빵이란 뜻인데 소보로 빵 생김새가 오톨도톨해서 붙여진 이름이다. 빵과 음료 세트로 주문하는 것이 조금 저렴하고 먹기도 편하다.

교통 : MRT 쑹산신뎬선 타이뎬다러우(台電大樓) 역 3번 출구에서 스다루(師大路) 이용, 스다(師大) 야시장, 직진. 스다루 39강(師大路 39巷)에서 우회전 후, 룽취제(龍泉街)에서 좌회전, 도보 8분

주소 : 台北市 大安區 龍泉街 19-1號

전화 : 02-2368-8898

시간 : 12:00~21:30(금~토 ~22:00)

메뉴 : 위안웨이 보뤄바오(原味菠蘿包 소보로빵) NT$ 30, 빙훠 보뤄여우(冰化菠蘿油 차가운 버터) NT$ 35, 치스 보뤄여우(起司菠蘿油 치즈) NT$ 40, 강스 둥닝차(港式凍檸茶) NT$ 40, 스와나이차(絲襪奶茶) NT$ 40, 위안양나이차(鴛鴦奶茶) NT$ 40 내외

홈페이지 : http://hohomei.com.tw

제일학생활동센터 第一學生活動中心 디이쉐셩훠둥중신

타이완 대학(台灣大學) 총 도서관(總圖書館) 옆, 제일학생활동센터(第一學生活動中心) 안에는 면 요리를 내는 리마

마멘뎬(李媽媽麵店), 채식 식사를 할 수 있는 스샹위안수스관(食香園素食館 1인 NT$ 50), 원하는 반찬을 덜어 먹을 수 있는 허웨이즈주찬(合味自助餐 100g NT$ 15·밥 NT$ 5), 샌드위치를 맛볼 수 있는 진베이메이얼메이(金盃美而美), 케이크와 빵을 구입할 수 있는 베이커리, 음료판매점인 티 다이아몬드(Tea Diamond) 등이 식당가를 이룬다.

교통 : MRT 쑹산신뎬선 궁관(公館) 역에서 3번 출구에서 타이뎬다러우(台電大樓) 역 방향으로 가다가 우회전, 다쉐(大學) 정문 방향. 정문에서 총 도서관(總圖書館) 방향, 도보 5분
주소 : 台北市 大安區 羅斯福路 四段 1號
전화 : 02-3366-3247(#50)
시간 : 학기 중_08:00~20:00, 방학 중_08:00~17:00(토~일 휴관)

*마사지

서정 瑞庭足體養生館 루이팅 주티양셩관

융캉제(永康街) 입구 빌딩 2층에 자리한 마사지숍으로 숙련된 마사지사의 편안한 서비스를 받을 수 있는 곳이다. 발 마사지, 전신 마사지 외 네일 케어 같은 뷰티 서비스도 받을 수 있어 여성 고객에게 인기가 높다.

교통 : MRT 단수이신이선·중화신뤼선 둥먼(東門) 역 5번 출구에서 바로
주소 : 台北市 大安區 信義路 二段 184號 2樓
전화 : 02-2391-9788
시간 : 11:00~21:00
요금 : 주디 안모(足底按摩 발 마사지) 40분 NT$ 600, 촨션 안모(全身按摩+足底 전신 안마) 100분 NT$1,599, 베이부 안모(背部按摩+足底 등 안마) 70분 NT$ 999, 네일 케어 1회 NT$ 600, 네일 케어+각질 케어 1회 NT$ 1,500, 미백훼이셜케어 60분 NT$ 1,200 내외

07 위안산 圓山 Yuanshan

타이베이 시내 북쪽으로 타이완의 현충사 격인 충렬사 외 유명 관광지가 없어 보통 타이베이 사람들의 모습을 볼 수 있는 곳이다.

먼저 연일 관광객으로 붐비는 충렬사에서 늠름한 위병 교대식을 보고 타이완을 위해 목숨을 바친 영령들에게도 묵념을 해본다.

다음으로 MRT 위안산 역 서쪽의 공자를 기리는 타이베이 공묘, 도교 사원인 보안궁을 살펴보고 위안산 역 동쪽의 타이베이 시립 미술관에서 타이완 예술가들의 작품을 감상한다. 미술관에서 조금 더 동쪽으로 가면 청나라 때 세워진 린안타이 가문의 고택도 둘러볼 수도 있다.

위안산의 볼거리는 서쪽과 동쪽으로 떨어져 있지만 MRT 위안산 역 인근의 공용 자전거를 이용하면 편리하게 둘러볼 수 있다.

▲ 교통

① **위안산**_MRT 단수이신이선(淡水信義線) 위안산(圓山) 역 하차
② **충렬사**_MRT 단수이신이선 위안산 역에서 208·247·267·287번 시내버스 또는 MRT 젠탄(劍潭) 역에서 267·646번 시내버스, 충렬사 하차

▲ 여행 포인트

① 순국선열을 위한 충렬사에서 위병 교대식 구경하기
② 타이베이 공묘에서 공자의 일생과 학문에 대해 알아보기
③ 보안궁에서 용마루, 조각상이 있는 사원 내부 살펴보기
④ 타이베이 시립 미술관에서 다양한 타이완 미술작품 감상하기
⑤ 청나라 때 중국에서 이주한 린안타이 고택 둘러보기

▲ 추천 코스

충렬사→타이베이 공묘→보안궁→타이베이 시립 미술관→타이베이 고사관→린안타이 고택

타이베이 공묘 台北 孔廟 타이베이쿵먀오

1879년 청나라 광서 5년 타이베이 부(台北府)의 성을 건설하며 남문(지금의 총독부 아래 쪽) 내에 문묘와 무묘가 세워졌다. 이중 문묘가 공자를 위한 것이다. 1894년 중일전쟁 이후 일제가 타이완을 차지하면서 일본군이 공묘에 주둔했고 이때 다수의 위패와 의구, 악기 등이 유실되고 건물도 황폐화되었다. 1907년에는 공묘 자리에 제일고등여학교가 세워지며 완전히 파괴되었다가 1925년 타이베이 지역유지들의 모금으로 지금의 다룽퉁(大龍峒) 지역에 부지를 마련하고 1927년 중국 취엔저우(泉州) 유명 건축가 왕이슌(王益順)의 지휘로 건축이 시작되었다. 1928년 다청뎬(大成殿), 1930년 충셩츠(崇聖祠), 이먼(儀門), 둥우(東廡), 시우(西廡) 등이 차례로 완공되었다. 전체적으로 많은 중국 남방 건축의 정수가 공묘에 적용되어 전형적인 중국 민난(閔南)식 건축을 보여준다. 1930년 9월 27일 공자 탄강일에 30년 동안 중단되었던 석전제가 봉행됐다.

공묘는 제일 앞쪽부터 상상속의 기린이 그려진 완런궁치앙(萬仞宮牆)과 반원 모양의 연못인 반츠(泮池), 링싱먼(櫺星門), 이먼(儀門), 공자와 안자, 증자, 자사, 맹자 등 4명의 성인, 공자의 계승자 12명의 위패가 모셔진 다청뎬(大成殿), 다청뎬 좌우의 공자의 제자와 중국 옛 현인 154명의 위패를 모신 둥우(東廡)와 시우(西廡), 서무 옆의 유학교육 기관인 밍룬탕(明倫堂), 대성전 뒤의 충셩츠(崇聖祠) 순으로 배치되어 있다.

공묘의 주요 볼거리는 용이 휘감아 올라가는 모습을 조각한 링싱먼 석주(櫺星門石雕型龍柱), 고대 문짝 기법을 볼 수 있는 링싱먼 못 장식(櫺星門的門釘), 의문의 8마리의 이룡이 쌍을 이룬 모습을 표현한 목조 창(螭龍圍爐窗), 한손에 깃발, 한손에 공을 들고('소원 빌다.' 라는 발음과 같은) 있는 장수의 소원 부조(祈求), 다청뎬 앞 계단 가운데의 생생한 용 장식(御路), 지붕의 7층 탑인 7층 보탑(七級寶塔)과 원통형 석주인 퉁톈퉁(通天筒/通天柱), 다청뎬

안 세밀한 방사형 장식을 자랑하는 팔각 천정(藻井) 등이 있다.
교통 : MRT 단수이신이선(淡水信義線) 위안산(圓山) 역 2번 출구 나와, 쿠룬제(庫倫街) 이용, 쿵먀오(孔廟) 방향, 직진. 도보 8분
주소 : 台北市 大同區 大龍街 275號
전화 : 02-2592-3934
시간 : 08:30~21:00, 휴무 : 월요일
요금 : 무료
홈페이지 : www.ct.taipei.gov.tw

보안궁 保安宮 바오안궁

1742년 창건된 사원으로 의술의 신 바오셩다디(保生大帝)를 모신다. 바오셩다디는 979년 북송 시대 때 푸젠성(福建省)에서 태어난 명의 우번(吳夲)으로 민난(閔南) 지역에서 뛰어난 의술을 펼쳤고 환자를 대함에 있어 빈부귀천을 두지 않았기에 서민들로부터 인기가 높았다. 1036년 그가 사망한 뒤 의술의 신으로 받들어졌다. 이 때문에 바오안궁에는 병을 앓는 환자나 건강을 기원하려는 사람들의 방문이 잦다.
보안궁의 구조는 꿈틀거리는 용이 조각된 석주가 있는 싼촨뎬(三川殿), 바오셩다디가 모셔진 정뎬(正殿), 정전 좌우의 둥시후스(東西護室), 허우뎬(後殿) 등으로 되어 있다. 각 건물의 용마루마다 금방이라도 살아 움직일 듯한 용 조각, 처마 밑에는 세세하게 조각된 조각상, 이국적인 문양이 있는 목조 창, 중국 고사를 표현한 벽화 등이 있어 눈길을 끈다. 바오안궁 앞에는 중국 정원, 연못이 있는 린셩위안(鄰聖苑) 공원이 있어 잠시 쉬어가기 좋다.
교통 : MRT 단수이신이선 위안산(圓山) 역 2번 출구 나와, 쿠룬제(庫倫街) 이용, 쿵먀오(孔廟) 방향, 직진. 쿵먀오에서 바오안궁(保安宮) 방향, 도보 9분
주소 : 台北市 大同區 哈密街 61號
전화 : 02-2595-1676
시간 : 06:30~22:00
홈페이지 : www.baoan.org.tw

≫문창사 文昌祠 원창츠

1928년에 세워진 도교 사원으로 슈런슈위안 원창츠(樹人書院文昌祠)라고도

한다. 주신으로 학문의 신 원창디쥔(文昌帝君)을 모신다. 건물 전면 돌기둥에 공자묘에서 볼 듯한 화려한 용 조각이 되어 있고 안으로 들어가면 중앙에 긴 수염을 늘어뜨린 원창디쥔이 자리한다. 때때로 시험합격을 기원하는 학생들의 모습을 볼 수 있다.

교통 : 바오안궁 앞에서 우회전, 충칭베이루(重慶北路 三段) 건너 직진 후 우회전 뒤 좌회전, 원창츠 방향. 도보 5분
주소 : 台北市 大同區 迪化街 2段 364巷 14號
전화 : 02-2599-2878
시간 : 07:00~19:00

대룡 야시장 大龍夜市 다룽 예스

쿵먀오(孔廟) 앞 다룽제(大龍街)에 위치한 야시장으로 루웨이(黜味), 꼬치, 채식 식당인 수스(素食)점, 군만두인 수이지안바오(水煎包)점, 뉴러우멘(牛肉麵) 같은 먹거리 위주의 노점이나 식당이 많다. 낮 시간에는 한가해, 야시장 같이 보이지 않고 밤이 되어야 조금 야시장 분위기가 난다. 쿵먀오나 바오안궁(保安宮)에 왔을 때 잠시 들려 식사나 간식을 맛보면 좋은 곳!

교통 : MRT 단수이신이선 위안산(圓山)역 2번 출구 나와, 쿠룬제(庫倫街) 이용, 쿵먀오(孔廟) 방향, 직진. 쿵먀오 건너편 다룽제(大龍街) 방향, 도보 8분
주소 : 台北市 大同區 大龍街

타이베이 시립 미술관 台北市立美術館 타이베이 스리 메이슈관

타이완 대표 현대미술관으로 지하 1층~지상 3층 규모다. 겉모양은 상자갑 같은 모듈을 이리저리 쌓은 모습이나 하늘에서 본 모습은 중정이 있는 '우물 정(井)' 자 구조를 나타낸다. 지하 1층에 레스토랑과 북스토어, 지상 1층에 매표소와 전시장, 2~3층에 전시

장이 배치되어 있어 전시를 관람하거나 레스토랑에서 간단한 식사를 하기 좋다.
전시는 현대미술 작품 위주로 진행되고 때때로 관람객들이 체험할 수 있는 전위적인 작품도 전시된다. 1층에서는 통로를 따라 타이완에서 생산된 세계적인 상품을 전시하는 타이완 징핀관(台灣精品館)도 관람할 수 있다.
교통 : MRT 단수이신이선 위안산(圓山) 역 2번 출구에서 화보 공원(花博公園) 지나 타이베이 시립 미술관(台灣市立美術館) 방향. 도보 7분
주소 : 台北市 中山區 中山北路 三段 181號
전화 : 02-2595-7656
시간 : 09:30~17:30, 휴무 : 월요일
요금 : 일반 NT$ 30, 학생 NT$ 15
홈페이지 : www.tfam.museum

타이베이 고사관 臺北故事館 타이베이 구스관

1913년 차 무역상 첸차오준(陳朝駿)이 영국에서 자재를 공수해 세운 서양식 2층 건물이다. 현관에는 4개의 원형 돌기둥이 세워져 있고 벽체에는 뼈대가 들어나 영국 전통 저택 느낌이 난다. 건축 당시 지도층이 모이는 사교장소로 쓰였고 제2차 세계대전 후에는 타이완 입법원장 관저로 쓰이기도 했다. 1979년 이후 타이베이 시에 인수되었고 2003년 차 문화를 소개하는 타이베이 구스관(臺北故事館)으로 개관했다.
구스관에서 다양한 형태의 중국 찻주전자인 자사호와 찻잔을 볼 수 있고 구스다팡(故事茶坊)에서 간단한 식사하거나 차를 마실 수 있다.

교통 : MRT 단수이신이선 위안산(圓山) 역 2번 출구에서 화보 공원(花博公園) 지나 타이베이 시립 미술관(台灣市立美術館) 방향. 스리메이슈관 지나. 도보 7분
주소 : 台北市 中山區 中山北路 三段 181-1號
전화 : 02-2586-3677
시간 : 10:00~17:30, 휴무 : 월요일
요금 : 일반 NT$ 50, 학생 NT$ 40
홈페이지 :
www.taipeistoryhouse.org.tw

임안태 고택 林安泰 古厝 린안타이 구춰

1754년 청나라 건륭 19년 푸젠성(福建省) 안시(安溪)에서 타이완으로 이주한 린친밍(林欽明) 일가가 살던 저택이다. 1783~1785년 무렵 쓰웨이루(四維路141號) 지역에 처음 세워졌고 본 건물의 좌우 부속건물은 1822~1823년

무렵 추가되었다. 1978년 쓰웨이루 지역에 도로가 개설되면서 현재의 위치로 이전하기 시작해 1987년 완료되었다.

안타이(安泰)는 저택 이름인데 린가의 고향인 안시에서 '안(安)', 린가의 회사 이름인 룽타이(榮泰)에서 '타이(泰)'를 딴 것이다. 저택은 반원 모양의 연못인 웨메이치(月眉池), 앞마당, 'ㅁ'자 중정이 있는 본 건물인 정팅(正廳), 정팅 좌우의 사랑채 순으로 배치했고 저택 남동쪽에는 원형 연못인 잉웨다치(映月大池) 주변으로 크고 작은 정자와 누각이 세웠다.

저택 내부는 린씨 일가의 초상화, 생활용품 등이 그대로 남아 있어 생생한 생활 박물관 역할을 하고 있다. 잉웨다치 연못 주변은 뛰어난 풍광을 자랑해 이곳을 배경을 사진을 찍는 사람도 많다.

교통 : MRT 단수이신이선 위안산(圓山)역 2번 출구에서 화보 공원(花博公園)·중산 미술공원(中山美術公園) 지나 신셩 공원(新生公園)·린안타이고택(林安泰古厝) 방향. 도보 16분/위안산 역 B 버스정류장에서 홍34(紅34)번 시내버스 또는 택시 이용, 린안타이 고택 하차

주소 : 台北市 中山區 濱江街 5號

전화 : 02-2599-6026

시간 : 09:00~17:00, 휴무 : 월요일

요금 : 무료

홈페이지 : http://linantai.taipei

충렬사 忠烈祠 중례츠

1969년 국공내전과 항일운동 중 순국한 33만 장병의 혼을 위로하기 위해

세워졌다. 입구의 삼문 중 가운데 문에 중례츠(忠烈祠)라 적혀있고 그 안으로 족히 100m는 됨직한 십자가형 광장이 나온다. 광장 끝에는 커다란 삼문 건물이 있고 그 안에 중국 궁전식의 웅장한 중례츠 본 건물이 자리한다.

본 건물 안에는 '국민혁명열사지영위(國民革命烈士之靈位)'라는 신주가 모셔져 있고 본 건물 좌우의 리에스츠(烈士祠) 안에 많은 위패들이 모셔져 있다.

교통 : MRT 단수이신이선 위안산(圓山) 역에서 208·247·267·287번 시내버스, 중례츠 하차/MRT 젠탄(劍潭) 역에서 267·646번 시내버스, 중례츠 하차 *돌아가는 버스정류장은 입구 나가 왼쪽, 중양뎬타이(中央電台) 앞/MRT 위안산 역행은 21·208·훙(紅) 2번 버스, MRT 젠탄 역행은 556·紅3區 시내버스, 쿵먀오행은 287區·紅2번 시내버스 이용

주소 : 台北市 中山區 北安路 139號

전화 : 02-2885-4162

시간 : 09:00~17:00, 위병 교대식_매시 정각, 마지막 교대 16:40

요금 : 무료

홈페이지 : www.taiwan.net.tw

≫위병 교대식

위병은 입구의 삼문과 본 건물 앞 등 2곳에서 경계를 선다. 위병 교대는 매시 정각, 입구에 있는 삼문의 위병부터 위병 교대를 하고 광장을 행진해 본 건물의 위병과 교대한 뒤 다시 광장을 행진해 입구로 돌아온다.

중례츠의 위병 교대는 입구에서 한번 본 건물에서 또 한 번 열리고 입구에서 광장을 지나 본 건물까지 오가므로 실내에서만 위병 교대가 이루어지는 중정 지녠탕(中正紀念堂)이나 궈푸 지녠관(國父紀念館)보다 오래 걸리고 더 볼거리가 있다. 위병들이 광장을 행진할 때는 관광 온 사람들도 함께 걸으며 사진을 찍으며 이들의 늠름함에 감탄한다.

위치 : 중례츠 정문, 본관

순서 : 중례츠 정문(위병 교대)→광장(행진)→본관(위병 교대)→광장(행진)→정문

*레스토랑

제일토아 第一土鵝 디이투에

공묘(孔廟) 앞에 위치한 거위 전문점으로 투에(土鵝)는 '흙거위'라는 뜻이다. 거위하니 오리가 생각나는데 거위나 오리나 모두 기러기목 오리과 조류로 거의 같은 종류라고 볼 수 있다. 어쨌든 거위고기인 에러우((鵝肉), 거위 곱창인 에창(鵝腸), 거위선지 경단인 쉐궈(血粿)를 저렴한 가격에 맛볼 수 있어 찾는 사람이 끊이지 않는다. 보통 에러우나 에창에 거위 육수 국수인 지에즈멘(切仔麵)이나 치에즈미펀(切仔米粉) 하나씩 주문하면 적당하다.

교통 : MRT 단수이신이선(淡水信義線) 위안산(圓山) 역 2번 출구 나와 쿠룬제(庫倫街) 이용, 쿵먀오(孔廟) 방향, 직진. 도보 8분

주소 : 台北市 大同區 酒泉街 54-1號

전화 : 02-2593-2844

시간 : 15:00~21:00

메뉴 : 에러우(鵝肉 거위고기) NT$ 30, 에창(鵝腸 거위곱창)·쉐궈(血粿 선지 경단) 각 NT$ 40, 여우위(尤魚 오징어) NT$ 100, 치에즈멘(切仔麵)·치에즈미펀(切仔米粉 쌀국수)·치에즈둥펀(切仔冬粉 당면)_건(乾)/탕(湯) 각 NT 30 내외

마지[2] 식당가 MAJI[2] 集食行樂

엔터테인먼트와 맛집 단지인 마지(MAJI MAJI 集食行樂)에서 식사를 하기 좋다. 분식을 내는 푸드코트 환즈샤오츠탄(寰字小吃攤), 양식, 일식 등 외국 음식을 내는 식당가인 이궈메이스찬팅(異國美食餐廳)이 있어 메뉴 선택의 폭도 넓다. 이궈메이스찬팅의 주요 레스토랑은 스테이크 전문점인 부처스 키친(Butcher's Kitchen), 펍인 쓰리 라이온스(The Three Lions Inn), 인디안 레스토랑인 마살라 아트(Masala Art) 등이 있다.

교통 : MRT 단수이신이선 위안산(圓山) 역 1번 출구에서 화보공원(花博公園) 남쪽, 마지2(MAJI2 集食行樂) 방향, 마지2(MAJI2) 안쪽 끝. 도보 4분

주소 : 台北市 中山區 玉門街 1號, MAJI2(集食行樂) 內
전화 : 02-2585-1550
시간 : 12:00~21:30
메뉴 : 중식, 피자, 파스타, 샐러드, 스테이크 등

*쇼핑

마지^{2} MAJI^{2} 集食行樂

화보 공원(花博公園) 남쪽에 위치한 복합 상점가로 화보궁위안 쪽 입구부터 식재료와 소스 같은 상품을 취급하는 특색상점가(特色商店街), 푸드코트 환즈샤오츠탄(寰宇小吃攤), 의류와 액세서리 등을 판매하는 소상점이 모인 창의 시장(創意市集), 세계 각국의 요리를 맛볼 수 있는 식당가인 이궈메이스찬팅(異國美食餐廳) 등이 이어진다.
창의 시장(創意市集)에서 디자인이 독특한 의류나 신발, 액세서리, 기념품을 구입하기 좋고 특색상점가(特色商店街)에서 한국에서는 보기 힘든 식재료나 소스를 구입해도 괜찮다. 주말에는 마지2 앞 광장에서 저글링 같은 거리 공연, 주말 농산물 시장이 열려 사람들로 북적인다.
교통 : MRT 단수이신이선 위안산(圓山) 역 1번 출구에서 화보 공원(花博公園) 남쪽, 마지2(MAJI2 集食行樂) 방향, 도보 2분
주소 : 台北市 中山區 玉門街 1號, MAJI2(集食行樂)
전화 : 02-2597-7112(#108)
시간 : 12:00~22:00
홈페이지 : www.majisquare.com

08 스린 士林 Shilin

위안산에서 북쪽으로 지룽허 강을 건너면 스린 지역이다.

스린에서 가장 유명한 관광지는 중국과 타이완의 최고 문화재를 전시하는 고궁 박물원과 타이베이에서 가장 북적이는 스린 야시장이다.

스린 여행의 시작은 관광객들이 붐비는 고궁 박물원부터이다. 박물원에서 중국과 타이완의 최고 문화재를 둘러보고 박물원 앞 타이완 원주민들의 역사와 문화를 엿볼 수 있는 수이 타이완 원주민 박물관에도 들려보자.

박물원에서 버스를 타고 서쪽으로 이동하면 어린이 여행객이 좋아하는 놀이동산 타이베이 아동신락원에서 롤러코스터 같은 어트랙션을 이용해보고 과학 박물관인 국립 타이완 과학교육관과 타이베이 시립 천문과학교육관에서 체험을 통한 과학 원리를 익혀본다.

밤 시간이 되면 스린 야시장을 둘러보고 명물 닭튀김 지파이를 맛보아도 좋다.

▲ 교통

① **고궁 박물원**_MRT 단수이신이선(淡水信義線) 스린(士林) 역 또는 젠탄(劍潭) 역에서 홍(紅) 30번 또는 스린 역에서 255·304·815·18·19번 버스, 고궁 박물원 하차

② **스린 야시장**_MRT 단수이신이셴 젠탄 역 하차 ***스린 역 아님**

▲ 여행 포인트

① 고궁 박물원에서 중국 역사문화의 진수를 보여주는 문화재 감상하기
② 수이 타이완 위안주민 보우위관에서 다양한 타이완 원주민 문화 탐방해보기
③ 국립 타이완 과학교육관과 타이베이 시립 천분과학교육관에서 재미있는 과학 체험하기
④ 스린 야시장에서 기념품도 사고 길거리 먹거리도 맛보기

▲ 추천 코스

고궁 박물원→수이 타이완 위안주민 보우관→타이베이 아동신락원→국립 타이완 과학교육관→타이베이 시립 천문과학교육관→스린 야시장

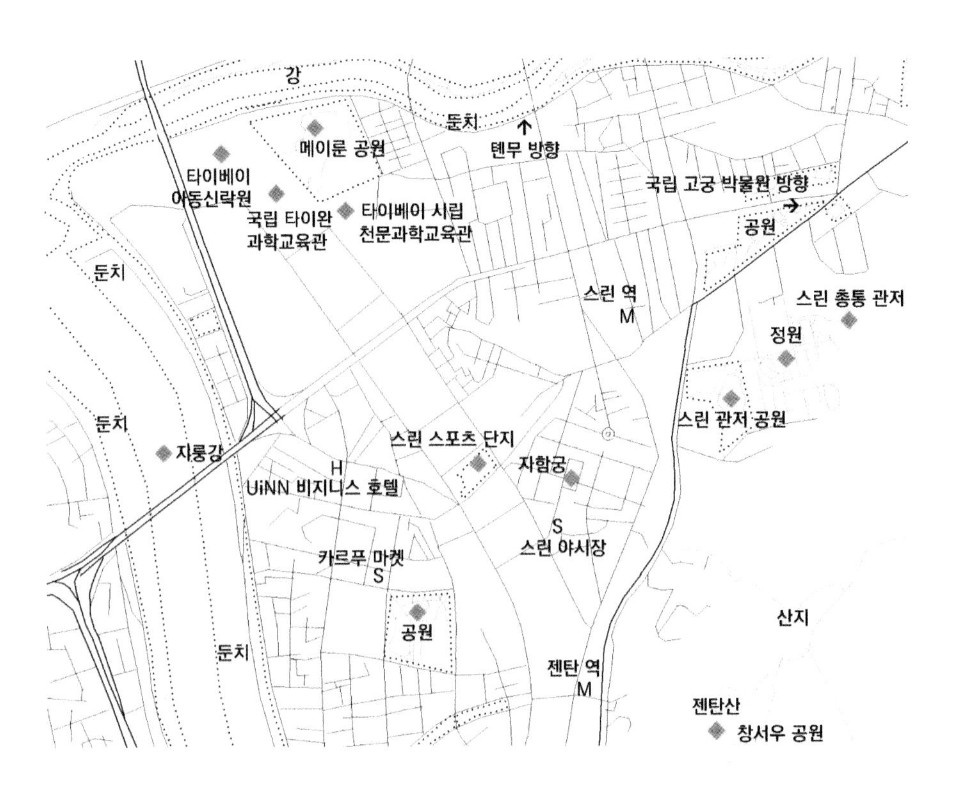

국립 고궁 박물원 國立故宮博物院 궈리 구궁 보우위안

타이베이 시내 북쪽에 위치한 구궁 박물원 본관은 중국 궁전식으로 지하 1층~지상 3층 규모다. 전시실은 1층 서쪽 전시실에 도서문헌 특별전·황실 소장품·가구, 동쪽 전시실에 불교조각·도서문헌 특별전, 2층 서쪽에 회화·서예, 동쪽에 도자기상설전, 기물특별전, 3층 서쪽에 기물상설전·조각상설전·비취옥배추, 동쪽에 기물특별전시실·청동기상설전·모공정 등으로 운영된다. 전시는 일정 기간마다 회화, 청동, 도자기, 옥 등 테마를 바꿔가며 전시하므로 나중에 다시 방문해도 새로운 유물을 감상할 수 있다.

보통 유물 전시장이 있는 정관(제1전시구역)만 둘러보는데 도서문헌에 관심이 있다면 박물관 광장 옆 제2전시구역으로 가보아도 좋다. 박물관에 단체 방문객이 많으므로 가급적 개장 시간에 맞춰 방문하면 조금 한가하다. 자세한 해설을 원한다면 한국어 음성안내기기를 대여해 사용하자. 휴대한 짐은 매표소 부근 보관소(NT$ 100 동전 필요)에 맡기고 들어가야 하며 사진 촬영이 엄격히 금지되어 있다.

교통 : MRT 단수이신이선(淡水信義線) 스린(士林) 역, 젠탄(劍潭) 역에서 홍(紅)30번 버스, 구궁 박물원 정관(전시실) 앞 하차 또는 스린 역에서 255, 304번, 815번(三重-故宮 博物院행) 버스, 18번·19번 소형버스 구궁 박물원 정문 광장 앞 하차

주소 : 台北市 士林區 至善路 二段 221號

전화 : 02-2881-2021

시간 : 08:30~18:30, 금~토 08:30~21:00/가이드투어(무료)_09:30(중국어), 10:00(중/영어), 14:30(중), 14:00(중), 15:00(영어)

요금 : 일반 NT$ 350, 학생(할인) NT$ 150

홈페이지 : www.npm.gov.tw

≫지선원 至善園 즈산위안

구궁 박물원(故宮博物院) 광장 옆에 조성된 송나라와 명나라 양식을 반영한 정원이다. 연못(龍池, 洗筆池)과 돌다리, 정자(蘭亭), 누각(松風閣, 碧橋溪水榭) 등이 자연과 어우러져 뛰어난 아름다움을 자랑한다. 사람들로 북적이던 박물관을 나와 즈산위안(至善園)에서 잠시 황제가 된 듯 산책을 해보아도 좋다.

교통 : 구궁 박물원(故宮博物院) 정문 광장 옆에서 바로

주소 : 台北市 士林區 至善路 二段 221號

전화 : 02-2881-2021

시간 : 화~일 07:00~19:00

휴무 : 월요일

요금 : NT$ 20(동전) *구궁 박물원(故宮博物院) 티켓 소지 시 무료

홈페이지 : www.npm.gov.tw/exh96/chih-shan

☆여행 이야기_파란만장한 구궁 박물원 역사

1965년 문을 연 타이완 최대의 박물관으로 베이징(北京)의 자금성, 러허(熱河)과 션양(瀋陽)의 행궁에 있던 송(宋), 원(元), 명(明), 청(淸) 왕조의 중요 궁중 유물을

전시한다. 박물관의 시작은 1924년 군벌이 일으킨 베이징 정변으로 마지막 황제 푸이(溥儀)가 자금성(고궁)을 떠나고 국무원이 청 궁정 물품을 조사하면서부터이다. 1925년 4월 사회각계의 요청으로 자금성 일부가 일반에 개방되었고 10월 정식으로 구궁 보우위안(故宮博物院)이 개장하였다. 1931년 일본 관동군이 동북지역을 공격하자 박물관 유물을 상하이로 옮겼고 1937년 77노구교 사변으로 다시 중국 서쪽 지역으로 다시 옮겼다가 1945년 일본이 패망하고 정세가 안정되자 베이징으로 돌아왔다. 일본과의 전쟁은 끝났지만 1948년 국공내전의 악화로 고궁과 중앙 박물원 중요 유물과 중앙 도서관의 고서적, 고고학 유물 등을 타이완으로 이동시키기로 한다.

타이완으로 보내진 유물은 한동안 타이중 설탕공장 창고에 보관되다가 1950년 완공된 타이중 베이거우(北溝)의 유물 수장고에 보관됐고 1956년 전시실을 완공하여 1957년부터 전시를 시작하였다. 베이거우 전시장이 외진 곳에 위치해 관람하기 어려운 관계로 타이베이 인근 와이솽시(外雙溪)에 새 박물관을 세운 것이 오늘날의 구궁 보우위안이다. 박물관의 소장품은 고궁박물원 소장품인 기물 46,100점, 서화 5,526점, 도서문헌 545,797점, 중앙 박물원 소장품인 기물 11,047점, 서화 477점, 도서문헌 38점 등 총 608,985점에 달하고 일반 기증품을 포함하면 69만점이 이른다. 2015년 12월에는 타이완 중부 자이(嘉義)의 타이바오(太保)시에 남관을 개관하였다.

순익 타이완 원주민 박물관 順益 台灣原住民 博物館 수이 타이완 위안주민 보우관

타이완 내 여러 원주민의 역사와 생활상을 보여주는 박물관으로 1994년 지하 1층~지상 3층 규모로 개관했다. 층별로 지하 1층은 원주민의 신앙과 제의(제사), 지상 1층은 타이완 원주민 소개, 2층은 원주민 모형 주택과 도기, 악기, 3층은 베틀과 전통복장, 문신 문화 등등으로 운영된다.

타이완의 원주민은 타이베이 지역의 바

세이(巴賽)족, 타이둥(台東)의 아메이(阿美) 족 등 25개 원주민이 있다. 원주민은 북쪽의 중국 본토 성향의 원주민부터 타이완 고산의 고산족, 타이완 남쪽의 동남아 성향의 원주민까지 다양한 모습을 보인다. 특히 원주민의 머리 사냥과 병을 치료하는 무당의 모습은 현재의 타이완 사람과 연관 지어 말하기 어려울 정도로 동떨어진 느낌이다.

교통 : 구궁 박물원(故宮博物院) 정문 광장 옆에서 보우관 방향, 도보 4분
주소 : 台北市 士林區 至善路 二段 282號
전화 : 02-2841-2611
시간 : 09:00~17:00/가이드투어(중국어)_토~일 14:00, 휴무 : 월요일
요금 : 성인 NT$ 150, 학생 NT$ 100
홈페이지 : www.museum.org.tw

타이베이 아동신락원 臺北 兒童新樂園 타이베이 얼퉁신러위안

위안산(圓山)에 있던 타이베이 시립 아동교락센터(台北市立兒童育樂中心)을 계승한 어린이 공원이다. 공원 내에 롤러코스터(魔法星際飛車), 페리휠(水果摩天輪 대관람차), 범퍼카(幸福碰碰車), 드롭타워(叢林吼吼樹屋), 스윙십(尋寶船 바이킹) 등 13개의 어트랙션이 자리하고 있어 골라 타는 재미가 있다. 평일에는 한가한 편이어서 기다리지 않고 어트랙션을 이용할 수 있다.

교통 : MRT 단수이신이선 스린(士林) 역 1번 출구에서 255취(區), 홍(紅)30, 620번 버스 또는 젠탄(劍潭) 역 1번 출구에서 41번 버스 얼퉁신러위안(兒童新樂園) 하차/구궁 박물원(故宮博物院)에서 255번 버스 이용
주소 : 台北市 士林區 承德路 五段 55號
전화 : 02-2181-2345
시간 : 화~일 09:00~20:00(겨울 ~17:00, 휴무 : 월요일
요금 : 입장료(門票)_일반 NT$ 30, 학생·어린이 NT$ 15, 어트랙션_롤러코스터, 페리 휠, 범퍼카, 도롭 타워, 스윙십 각 NT$ 30, 그 외 8개 어트랙션

각 NT$ 20

홈페이지 : www.tcap.taipei

국립 타이완 과학교육관 國立臺灣科學教育館 궈리 타이완 커쉐쟈오위관

1956년 설립된 국립타이완 과학교육센터(NTSEC)에서 운영하는 타이완 유일의 국립과학교육관이다. 원래 난하이(南海) 지역에서 있던 것을 2003년 이곳으로 이전했다. 층별로 지하 1층에 3D극장(動感3D劇院)·아동탐색관(兒童益智探索館)·입체극장(立體虛擬實境劇場)·지진극장(地震劇場), 지상 1층에 매표소와 기념품점, 2층에 레스토랑, 3~4층에 생명과학 전시, 5층에 물질과학 전시, 6층에 지구과학 전시, 7~8층에 특별전시 등으로 운영된다.

상설전 티켓을 구입하면 3~6층을 돌아볼 수 있는데 각 층은 테마에 따라 체험 위주의 시설이 되어 있어 재미있게 체험해보며 둘러보기 좋다. 상설관 외 지하층의 3D극장, 입체극장 등은 상영시간을 확인하고 이용하면 되고 3층에 공중으로 걸쳐진 쇠줄을 자전거로 타고 지나가는 공중 자전거는 키 127cm 이상, 몸무게 113kg 이하면 누구나 이용해볼 수 있다.

교통 : MRT 단수이신이선 스린(士林) 역 1번 출구에서 훙(紅)30, 훙(紅)12, 557, 620번 버스 또는 젠탄(劍潭) 역 1번 출구에서 훙(紅)30, 41, 9006번 버스, 8번 소형버스, 과학교육관(科學教育館) 하차/타이베이 아동신락원(臺北兒童新樂園)에서 바로

주소 : 台北市 士林區 士商路 189號

전화 : 02-6610-1234

시간 : 화~금 09:00~17:00, 토~일 09:00~18:00, 휴무 : 월요일

요금 : 상설전(3~6층)/3D극장/입체극장 각 일반 NT$ 100, 학생 NT$ 70, 지진극장 NT$ 20, 아동탐색관 일반 NT$ 60, 학생 NT$ 40, 공중자전거 일반 NT$ 80, 학생 NT$ 50

홈페이지 : www.ntsec.gov.tw

타이베이 시립 천문과학교육관 台北市立天文科學教育館 타이베이 스리 톈원 커쉐쟈오위관

천문과 관련된 과학 지식을 전시를 통해 쉽게 배울 수 있는 천문과학교육관으로 1996년 개장했다. 층별로 지하 1층에 입체극장, 지상 1층에 고대천문·

지구·태양 관련 전시, 2층에 태양계·망원경과 천문대 관련 전시, 1~2층에 IMAX 영화관, 3층에 항성·성계·우주 관련 전시, 4층에 일종의 어트랙션인 우주탐험(宇宙探險) 등으로 운영된다.

티켓을 끊으면 1~3층의 전시장을 돌아볼 수 있고 지하 1층의 입체극장이나 1~2층의 IMAX 극장을 이용하려면 상영시간을 참고하여 극장 티켓을 따로 구입한다. *관람을 마치고 돌아갈 때에는 과학교육관(科學教育館) 옆 버스정류장에서 보통 아무 시내버스나 타면 MRT 스린 역이나 젠탄 역으로 가므로 일단 오는 대로 타고 나가자.

교통 : MRT 단수이신이선 스린(士林) 역 1번 출구에서 홍(紅)30, 620번 버스 또는 젠탄(劍潭) 역 1번 출구에서 홍(紅)30 버스, 과학교육관(科學教育館) 하차/과학교육관(科學教育館)에서 도보 1분

주소 : 台北市 士林區 基河路 363號

전화 : 02-2831-4551

시간 : 화~금·일 09:00~17:00, 토 ~20:00, 휴무 : 월요일

요금 : 전시장_일반 NT$ 40, 학생 NT$ 20, 우주(IMAX)·입체극장_일반 NT$ 100, 학생 NT$ 50, 우주탐험_일반 NT$ 70, 학생 NT$ 35

홈페이지 : www.tam.gov.taipei

사림 야시장 士林夜市 스린 예스

스린(士林) 야시장으로 가려면 MRT 스린(士林) 역이 아닌 **젠탄(劍潭) 역**에 내려야 한다. 저녁 시간 젠탄 역 1번 출구로 나가는 사람들은 대부분 스린 야시장으로 간다고 해도 무방하다. 횡단보도를 건너 왼쪽(基河路)으로 돌면 스린 시장(士林市場)과 스린 야시장, 오른쪽(文林路)으로 돈 뒤, 왼쪽(大東路)으로 돌면 스린 야시장이 펼쳐진다. 젠탄 역에서 횡단보도 건너자마자 먹거리 노점이 줄지어 서 있어 입에 침이 고이게 하고 간간히 보이는 기념품 노점도 지갑을 열고 싶게 한다.

스린 야시장의 명물인 닭튀김 지파이(雞排)는 횡단보도 왼쪽에 한 집, 좀 더 내려가 스린 시장 부근에 또 한집에서 맛볼 수 있다. 지파이 외 시원한 맥주와 함께 먹기 좋은 굴을 넣은 부

침개인 커짜이젠(蚵仔煎)도 빼놓을 수 없는 스린 야시장의 먹거리이다.

교통 : MRT 단수이신이셴 젠탄(劍潭) 역 1번 출구에서 횡단보도 건너, 바로

주소 : 台北市 士林區 文林路 101巷

시간 : 야시장_16:30~02:00, 스린 시장_1층 화~일 06:00~14:00, 지하층_월~목 15:00~02:00

휴무 : 야시장_무휴 *스린 시장_월요일

≫자함궁 慈諴宮 츠시안궁

1796년 창건한 사원으로 바다의 수호신 천후성모(天后聖母), 즉 마주(媽祖)를 주신으로 모신다. 천후성모는 전하는 이야기에 따르면 송나라 때 푸젠성(福建省)의 린모냥(林默娘)이란 여인으로 바다에 빠진 오빠들을 구해 영험하다고 소문이 났다. 그녀는 영험한 것이 비해 명이 길지 못해 스물여덟 살에 죽음을 맞이했는데 이를 두고 사람들은 물에 빠져 죽은 아버지의 시신을 찾다가 죽은 것이라고 믿었다. 이후 바다에 나가는 사람이 위험에 빠지면 너나없이 마조를 찾았고 종국엔 바다의 수호신으로 받들어졌다. 주로 바다에 나갈 일이 많은 중국 남해안, 동남아 바닷가 지역에서 천후성모 사원이 많다.

위치 : 스린 야시장 내

시간 : 05:00~22:00

홈페이지 : www.cixian.org.tw

천무 天母 톈무

톈무(天母)는 양밍산(陽明山) 남쪽에 위치한 고급 주택가로 미국, 일본 등 몇몇 국제학교가 있어 외국인 거주 비율이 높은 곳이다. 톈무의 중심 격인 톈무 광장 주변에 예술·디자인 상품을 판매하는 톈무 창의시장(天母創意市集 14:00~22:00), 톈무 광장 동쪽의 신광싼웨 백화점(新光三越百貨), 화웨이 영화관(華威天母影城) 등에서 쇼핑을 하거나 식사를 하기 좋다. 매주 금~일요일에는 톈무 광장에서 벼룩시장도 열리니 놓치지 말자.

교통 : MRT 단수이신이선 스파이(石牌) 역에서 홍(紅)19번 버스 톈무 광장(天母廣場) 하차

주소 : 台北市 士林區 中山北路 七段

*레스토랑

호대 대계배 豪大大雞排 基河店 하오다 다지파이

1992년 타이중(台中)에서 30cm 크기의 닭튀김인 다지파이(大雞排)를 처음 판매하기 시작했다. 1999년 타이베이 스린(士林) 야시장에 2호점이 개설되자 다지파이는 곧 스린 야시장의 명물이 되었다. 다지파이는 닭 가슴살을 넓게 저민 뒤 튀김옷을 입혀 튀긴 것으로 맵지 않은 오리지널 맛과 매운 맛 두 가지가 있다.

교통 : MRT 단수이신이선 젠탄(劍潭)역 1번 출구에서 횡단보도 건너 왼쪽 지허루(基河路) 직진. 도보 6분

주소 : 台北市 士林區 基河路 115號

전화 : 02-2995-7978

시간 : 10:30~21:30

메뉴 : 다지파이(大雞排) NT$ 85

홈페이지 : www.hotstar.com.tw

해우십전배골 海友十全排骨 하이여우스촨파이구

스린 야시장(士林 夜市) 안쪽 다둥루(大東路)에 위치한 식당으로 여러 한약을 넣어 만든 돼지 등뼈 찜인 스촨야오둔파이구(十全藥燉排骨)을 창시한 곳이다. 실제 한약 십전대보탕(十全大補湯)처럼 육수가 검은 색을 띄고 맛도 한약 맛이 나는 듯하고 돼지등뼈 살에도 한약 성분이 배어 있는 느낌이다.

교통 : MRT 단수이신이선 젠탄(劍潭)역 1번 출구에서 횡단보도 건너 오른쪽 원린루(文林路)로 간 뒤, 왼쪽 다둥루(大東路) 직진. 도보 6분

주소 : 台北市 士林區 大東路 49號

전화 : 02-2888-1959

시간 : 14:30~01:00

메뉴 : 스촨야오둔파이구/레이파이/양파이/지투이(十全藥燉排骨/肋排/羊排/雞腿 돼지등뼈/돼지갈비/양고기/닭다리) NT$ 90/

95/130/100, 스찬양러우멘센(十全羊肉麵線 양국수) NT$ 140, 루러우판(魯肉飯 고기볶음덮밥) NT$ 30, 간멘센(乾麵線 비빔면) NT$ 30 내외

***쇼핑**

왓슨스 屈臣氏 Watsons

타이완에서 쉽게 볼 수 있는 홍콩 계 드러그스토어이다. 주요 상품은 색조 화장품, 스킨, 로션, 영양크림, 샴푸, 린스, 치약 등으로 다양하고 품질에 비해 가격도 비싸지 않다. 할인가 표시는 '저(折)'로 표시하는데 '5저(折)'이면 50% 할인 '8저(折)'이면 20% 할인을 뜻한다.

교통 : MRT 단수이신이선(淡水信義線) 젠탄(劍潭) 역 1번 출구에서 횡단보도 건너 오른쪽 원린루(文林路)로 간 뒤, 왼쪽 다둥루(大東路) 직진. 도보 3분

주소 : 台北市 士林區 大東路 11之7號 1樓-4樓

전화 : 02-2882-7326

시간 : 02:00~23:00

홈페이지 : www.watsons.com.tw

현고단고 源味本鋪 古早味 現烤蛋糕 위안웨이번푸 구자오웨이 시안카오단가오

스린(士林) 야시장 내에 위치한 빅 사이즈 카스테라 전문점으로 커다란 두부판 크기의 카스테라를 구워낸다.

교통 : MRT 단수이신이선 젠탄(劍潭) 역 1번 출구에서 횡단보도 건너 오른쪽 원린루(文林路)로 간 뒤, 왼쪽 다둥루(大東路) 직진 후 우회전. 도보 7분

주소 : 台北市 士林區 文林路 101巷14號

전화 : 02-2881-8985

시간 : 08:00~20:00, 휴무 : 월요일

요금 : 위안웨이(原味 원미) NT$ 90, 밍파이황진치스(名牌黃金起司·치즈) NT$ 130 내외

홈페이지 : www.originalcake.com.tw

미려화 백악원 美麗華 百樂園 메이리화 바이러위안

쑹산 공항(松山機場) 북쪽에 위치한 복합쇼핑센터로 쇼핑센터와 대관람차(摩天輪), 복합영화관(美麗華影城)이 한곳에 모여 있다. 쇼핑센터는 본관(지하 1

층~지상 5층)과 양관(지하 1층~지상 5층)으로 나눠져 있고 대관람차는 직경 70m, 고도 100m에 달하며 복합영화관은 일반관 9관, IMAX 2D&3D 2관 등 총 11개 영화관을 갖추고 있다.

교통 : MRT 원후선(文湖線) 지안난루(劍南路) 역 3번 출구에서 도보 4분 /MRT 단수이신이센 젠탄(劍潭) 역 1번 출구에서 무료셔틀버스 이용(10:50~22:30, 15~20분 간격)
주소 : 台北市 中山區 敬業三路 20號
전화 : 02-2175-3456
시간 : 쇼핑몰_11:00~22:00, 대관람차_일~목 11:00~23:00, 금~토 ~24:00
요금 : 대관람차_월~금 NT$ 150, 토~일 NT$ 200
홈페이지 : www.miramar.com.tw

***마사지**

비래발안마 飛來發按摩 休閒會館 페이라이파안모 시우젠후이관

원린루(文林路)에 위치한 마사지숍으로 깔끔한 인테리어에 경험 많은 마사지사의 수준 높은 마사지를 받기 좋은 곳. 시간이 없는 사람은 스린 예스 내의 봉 마사지를 해주는 **노천 마사지숍**을 이용해보는 것도 흥미롭다. 봉 마사지는 국수 다발 모양의 봉으로 몸을 두드리거나(養生棒) 봉으로 몸을 눌러(舒壓棒) 마사지한다.

교통 : MRT 단수이신이선 젠탄(劍潭) 역 1번 출구에서 원린루(文林路) 직진, 스린(士林) 역 방향, 도보 2분
주소 : 台北市 士林區 文林路 82號
전화 : 02-2888-1516
시간 : 24시간
메뉴 : 발 마사지(脚底按摩) 30분 NT$ 500, 전신 지압(全身指壓) 60분 NT$ 1,000, 반신 지압(半身指壓) 30분 NT$ 500 내외

09 마오쿵 猫空 Maokong

타이베이 시내 남쪽, 원산구 일대의 산지로 타이베이 최대 차산지 중 하나이기도 하다. 이곳에서 생산되는 차는 우롱차의 일종으로 원산바오중차와 톄관인이 유명하다.

먀오쿵 곤돌라를 타고 지남궁역에 내려 도교 사원인 지남궁(즈난궁)을 구경하고 다시 먀오쿵 곤돌라를 타고 정상인 먀오쿵역에 도착한다.

차밭이 있는 산지를 걸어 타이베이 철관음포종차센터에서 바오중차와 톄관인 제조 과정을 살펴보고 차 시음도 해본다. 날이 좋은 날에는 산정에서 멀리 타이베이 시내를 조망할 수도 있고 시간이 된다면 야경을 즐겨도 괜찮다.

하산 길에 타이베이 시립 동물원에 들려 판다, 사자, 기린 등을 살펴보자.

▲ 교통

① **타이베이 시립 동물원**_MRT 원후선(文湖線) 둥우위안(動物園) 역 바로
② **마오쿵**_마오쿵 곤돌라(貓空纜車) 둥우위안(動物園) 역에서 마오쿵 곤돌라 이용, 즈난궁(指南宮) 역 또는 마오쿵 역 하차

▲ 여행 포인트

① 타이베이 시립 동물원에서 귀여운 판다 관람하기
② 지남궁에서 먀오쿵 일대 조망하고 사원 구경하기
③ 마오쿵 역 주변의 차밭, 상가 둘러보며 산책하기
④ 타이베이시 철관음포종차센터에서 차 제조과정 살펴보고 차 시음하기

▲ 추천 코스

타이베이 시립 동물원→지남궁→마오쿵 역 주변→타이베이시 철관음포종차센터

타이베이 시립 동물원 臺北市立動物園
타이베이 스리 둥우위안

1914년 일제강점기 위안산(圓山) 지역의 사설 동물원으로 출발했다. 세월이 지남에 따라 동물원 공간이 부족해지자 1973년 타이베이 남쪽 무자(木柵) 지역에 동물원 부지를 마련하고 공사에 들어가 10여년의 공사 끝에 1986년 완공하고 1987년 재개장하였다. 동물원은 세계 10대 도시형 동물원 중 하나이고 동물원 면적은 165헥타르(ha)로 동남아시아에서 가장 큰 규모를 자랑한다.

보유 동물은 판다, 사자, 호랑이 기린, 펭귄 등 400종. 동물원 입구로 들어가면 오른쪽에 타이완에서 주로 볼 수 있는 동물을 모아놓은 타이완둥우취(臺灣動物區), 앞쪽으로 가면 판다를 볼 수 있는 다마오슝관(大猫熊館), 열대우림의 호랑이와 원숭이 같은 동물들이 있는 아저우레다이위린취(亞洲熱帶雨林區), 낙타 같은 사막 동물이 있는 샤모둥우취(沙漠動物區), 호주에 사는 캥거루 같은 동물을 볼 수 있는 아오저우둥우취(澳洲動物區), 코끼리와 기린 같은 아프리카 동물이 있는 페이저우둥우취(非洲動物區), 새를 볼 수 있는 냐오위안(鳥園), 곰과 수달 같은 온대 동물이 있는 원다이둥우취(溫帶動物區) 등이 있다.

입구에서 산기슭으로 올라가는 지형이므로 동물원 입구에서 셔틀기차나 버스를 타고 안쪽의 새를 볼 수 있는 냐오위안까지 간 뒤, 입구 방향으로 내려가며 관람 추천!

교통 : MRT 원후선(文湖線) 둥우위안(動物園) 역 1번 출구에서 둥우위안 방향, 도보 2분

주소 : 台北市 文山區 新光路 二段 30號

전화 : 02-2938-2300(#630)

시간 : 동물원_09:00~17:00, 셔틀기차/버스(셔틀 정류장-새공원)_09:00~17:00, 마오쿵 곤돌라 셔틀버스(새 공원-마오쿵 곤돌라 타이베이 동물원 남 역)_화~일09:00~16:00

요금 : 동물원_일반 NT$ 60, 학생 NT$ 30, 교육센터_일반 NT$ 20, 학생 NT$ 10, 셔틀 기차/버스(園區專車)_NT$ 5, 마오쿵 곤돌라 셔틀버스 NT$ 5

홈페이지 : www.zoo.gov.taipei

마오쿵 곤돌라 貓空纜車 마오쿵 란처

2005년에 건설을 시작해 2007년 완공, 개통된 타이베이 최초의 곤돌라(케이블카)다. 총 길이는 4.03km이고 해발 24.1m의 둥우위안(動物園) 역, 해발 95.5m의 둥우위안난(動物園南)역, 해발 264.3m의 즈난궁(指南宮) 역, 해발 299.3m의 먀오쿵(貓空)역 등 4개의 역을 지나며 소요 시간은 약 20분이다.

곤돌라를 타고 오르며 무자 지역의 산세를 감상할 수 있고 중간에 위치한 동우위안(動物園)이나 즈난궁(指南宮)에 들려도 좋다. 정상인 마오쿵(貓空) 역 주변에는 차 밭이 형성되어 있는데 안개 먹음은 차 밭 풍경을 배경을 기념 촬영을 해도 멋지다.

동물원, 즈난궁 보고 마오쿵도 둘러보는 추천 코스는 둥우위안→(셔틀버스)→마오쿵 곤돌라 둥우위안난역→즈난궁역→즈난궁→즈난궁 역→마오쿵→차밭 산책→(시내버스)→마오쿵 곤돌라 둥우위안 역이다. 둥우위안을 들리지 않는다면 바로 즈난궁을 구경한 다음 마오쿵으로 가도 된다.

교통 : 마오쿵 곤돌라(貓空纜車) 둥우위안(動物園) 역, 둥우위안난(動物園南) 역, 즈난궁(指南宮) 역, 마오쿵(貓空) 역에서 마오쿵 곤돌라 이용/마오쿵 역→MRT 둥우위안 역/완팡셰취(萬芳社區) 역/_중(棕) 15번/샤오(小) 10번 시내버스 이용

주소 : 台北市 文山區 萬興里 新光路 2段 8號

전화 : 02-2181-2345

시간 : 화~목 09:00~21:00, 금 ~22:00, 토 08:30~22:00, 일 08:30~21:00

요금 : 1구간 NT$ 70, 2구간 NT$ 100, 3구간 NT$ 120, 왕복표(來回超值票) NT$ 260 *이지카드 탑승 가능

홈페이지 : www.gondola.taipei

지남궁 指南宮 즈난궁

1890년 청나라 광서 16년 세워진 도교 사찰로 도교 8선 중 하나인 뤼주(呂祖)를 모신다. 뤼주는 유교에서 다섯 분의 문창대군 중 하나로 여기고 있고 불교에서 보살 중의 하나인 문니진불로 칭하고 있으며 도교 순양파의 선조여서 순양대군으로 불리기도 한다. 뤼주는 이발업의 수호신이자 가난을 벗어나게 해주는 신이고 뤼주의 수양아

들·딸이 되면 건강이 좋아진다는 이야기가 전해져 요즘도 자신 또는 자녀를 뤼주의 수양자식 삼아 평안과 건강을 빌고 있다.

사찰이 세워지게 된 연유는 1882년 청나라 광서 8년 단수이 현령 왕빈림(王彬林)이 타이완으로 부임할 때 뤼주를 모시고와 멍지아(오늘날의 완화)의 옥청재에 모셨는데 훗날 징메이 지역에 전염병이 돌아 사람들이 죽자 뤼주를 모시고 가니 전염병이 사그라졌다. 이에 뤼즈의 은덕을 갚고자 즈난궁을 세웠다. 즈난궁이란 명칭은 뤼엔주(呂恩主 루주) 하늘의 남쪽에 계시며 세인을 구제하는 나침반 역할을 한다고 하여 붙여진 것이다.

현재 즈난궁은 즈난궁 역 북서쪽의 산자락에 있어 뛰어난 풍광을 자랑하고 건평 2,360평에 달하는 링시아오바오뎬(凌霄寶殿), 즈난궁 역 서쪽의 흔히 즈난궁 본전 역할을 하는 춘양바오뎬(純陽寶殿), 즈난궁 역 서남쪽의 7층짜리 다시옹바오뎬(大雄寶殿) 등 크고 작은 9개의 건물 군으로 이루어져 있다.

교통 : 마오쿵 곤돌라(貓空纜車) 둥우위안(動物園) 역, 둥우위안난(動物園南) 역, 마오쿵(貓空) 역에서 먀오쿵 곤돌라 이용, 즈난궁(指南宮) 역 하차. 즈난궁 역에서 즈난궁 방향, 도보 3분
주소 : 台北市 文山區 萬壽路 115號
전화 : 02-2939-9922
시간 : 04:00~20:00. 요금 : 무료
홈페이지 : www.chih-nan-temple.org
*즈난궁 추천 코스_먀오쿵 곤돌라 즈난궁 역→링시아오바오뎬→춘양바오뎬→다시옹바오뎬→즈난궁 역 순.

묘공 관광다원 貓空觀光茶園 마오쿵관광차위안

타이베이시 철관음포종다 연구센터 동쪽에 위치한 관광 차밭이다. 이곳은 온화하고 습한 기후 덕분에 질 좋은 찻잎을 생산해 낸다. 차의 수종은 쓰지춘(四季春), 우이(武夷), 메이잔(梅占), 수

이시안(水仙) 등이 있다. 이들을 가지고 톄관인(鐵觀音)이나 원산바오중차(文山包種茶)을 만든다. 이들 차는 19세기 후반 원산지인 중국 푸젠성(福建省) 우이(武夷)와 안시(安溪)에서 타이완으로 전해졌다.

타이완의 여러 지역 중 무자 지역이 차 재배에 적당한 기후를 가지고 있어 널리 재배하게 되었고 이 때문에 마오쿵이 차의 고장으로 알려졌다. 차의 시음과 구입은 마오쿵 역에서 톈엔궁(天恩宮) 방향에 있는 여러 찻집이나 상점에서 하면 된다. *마오쿵 역 인근 무자 관광다원은 폐업!

교통 : 타이베이시 철관음포종다 연구센터에서 도보 17분

주소 : 台北市 文山區

☆여행 팁_마오쿵 트레킹 코스

마오쿵(貓空)에는 즈난차루 친산보도(指南茶路親山步道)와 즈난궁마오쿵 친산보도(指南宮貓空親山步道) 등 2개의 트레킹 코스가 있다. 두 코스 모두 차밭을 지나고 고즈넉한 산길을 걸을 수 있어 누구라도 즐거운 시간을 가질 수 있다. 즈난차루 친산보도는 말발굽 모양이 코스로 길이는 9.7km, 소요시간은 약 4시간이다. 출발점인 환산얼루 덩샨커우(環山二路登山口)에서 산정인 싼수안궁(三玄宮)으로 올라가기 힘드므로 싼수안궁에서 환산얼루 덩샨커우나 즈난궈샤오(指南國小) 내려가는 것이 편하다.

즈난궁마오쿵 친산보도는 '일(一)'자형 코스로 길이는 6.4km, 소요 시간은 약 3시간 30분이다. 출발점인 즈난루 덩샨커우(指南路 三段 33巷 登山口)에서 즈난궁(指南宮), 마오쿵 곤돌라 즈난궁 역을 거쳐 종착점인 다예옌파투이광중신(茶葉研發推廣中心)까지 계속 오르막길임으로 종착점에서 출발점으로 내려가는 것이 편하다. 끝으로 마오쿵 일대는 비가 많이 오고 안개 끼는 날도 있으므로 이런 날에는 트레킹을 삼가는 것이 좋다.

· **즈난차루 친산보도 指南茶路 親山步道**

코스 : 9.7km, 약 4시간 소요

환산얼루 덩샨커우(環山二路 登山口=비룡보도 등산구)→장산스(樟山寺)→장후 보도 덩샨커우(樟湖步道 登山口)→싼수안궁(三玄宮, 마오쿵 곤돌라 마오쿵 역 부근)→즈난궈샤오(指南國小)

*추천_싼수안궁→장후 보도 덩샨커우→장사스→환산얼루 덩샨커우

싼수안궁→즈난궈샤오

교통 : 환산얼루 덩샨커우_MRT 1호선 원후선(文湖線) 둥우위안(動物園) 역에서 236, 237, 282,611, 중(棕) 3·6·11·15, 뤼(綠) 1, 샤오(小) 10번 시내버스 정즈다쉐(政治大學) 하차. 즈난루 방향 , 즈난궈샤오_샤오(小) 10, 중(棕) 15번 시내버스 이용

· **즈난궁마오쿵 친산보도 指南宮貓空 親山步道**

코스 : 6.4km, 약 3시간 30분 소요

즈난루 덩샨커우(指南路 三段 33巷 登山口)→즈난궁(指南宮)→마오쿵 곤돌라 즈난궁 역(纜車站)→다청뎬 보도(大成殿步道)→차잔중신 보도(茶展中心步道)→다인팅(打印亭)→다예옌파투이광중신(茶葉研發推廣中心)

*추천_다예옌파투이광중신(茶葉研發推廣中心)→다인팅(打印亭)→차잔중신보도(茶展中心步道)→다청뎬 보도(大成殿步道)→마오쿵 곤돌라 즈난궁 역(纜車站)

교통 : 즈난루 덩샨커우_MRT 1호선 원후선(文湖線) 둥우위안(動物園) 역에서 236, 237, 282, 611, 중(棕) 3·6·11·15, 뤼(綠) 1, 샤오(小) 10번 시내버스 정즈다쉐(政治大學) 하차. 즈난루 방향

타이베이시 철관음포종다 연구센터 台北市 鐵觀音包種茶 研發推廣中心 타이베이스 톄관인바오중차 옌파투이광중신

마오쿵 곤돌라 마오쿵(貓空) 역 동쪽에 위치한 톄관인(鐵觀音)와 바오중차(包種茶) 연구센터이다. 연구센터에서는 차나무의 재배와 차의 제조, 차 문화 등에 대해 알아볼 수 있고 무자(木柵) 지역에서 생산된 명차들도 볼 수 있다. 무료 시음대에서 무자의 명물 톄관인(鐵觀音)을 맛볼 수 있다. 연구센터 뒤쪽으로는 작은 차 밭이 조성되어 있어 차나무의 생육을 관찰할 수 있고 차로 쓰이는 찻잎도 만져볼 수 있다.

톄관인(철관음)은 반 발효차인 우롱차(烏龍茶)의 하나로 백차(白茶)인 백호은침(白毫銀針 약 발효)과 청차(靑茶)인 안시(安溪) 톄관인으로 나뉜다. 향이 좋고 맛이 달며 마신 후 입안에서 과일 향이 나는 것이 특징.

바오중차(包種茶)는 1850년 경 푸젠성(福建省) 안시(安溪)의 차 농민이 반 발효차인 청차를 사각의 종이에 4량(150g) 단위로 포장하고 판매하기 시작해 바오중(包種) 또는 바오중차라고 한다. 타이완에서는 원산(文山) 지역의 바오중차가 유명해 원산 바오중차로 불린다. 톄관인과 원산 바오중차는 차 제조법이 비슷하여 거의 같은 차라고해도 무방하다. 여기서는 톄관인을 포종으로 포장한 바오중차라는 의미의 톄관잉바오중차.

교통 : 마오쿵 곤돌라 마오쿵(貓空) 역에서 톈엔궁(天恩宮) 지나 도보 20분/마오쿵역에서 중(棕)15, 샤오(小)10번 버스 톄관인바오중차(鐵觀音包種茶) 하차 *귀가 시, 중(棕) 15번 버스 MRT 둥우위안(動物園) 역 하차

주소 : 台北市 文山區 指南路 三段 40巷 8之 2號

전화 : 02-2234-0568

시간 : 09:00~17:00, 휴무 : 월요일

요금 : 무료

☆여행 이야기_중국 차 이야기

중국의 차는 색과 발효 정도에 따라 백차(白茶), 녹차(綠茶), 청차(靑茶), 황차(黃

茶), 홍차(紅茶), 흑차(黑茶)로 나뉜다. 백차는 약 발효이고 채엽(찻잎을 따는) 시기에 따라 백아차, 백엽차가 있고 대표적인 차는 백호은침이다. 녹차는 불(약) 발효이고 살청(덖음)과 건조 방법에 따라 초청/홍청/쇄청/증청 녹차가 있고 대표적인 차는 서호용정, 황산모차다. 청차는 반 발효차이고 지역에 따라 민북/민남/광동/타이완 오룡(우롱)차가 있고 대표적인 차는 철관음(톈관인), 문산포종(원산바오중)이다. 황차는 후(약)발효이고 채엽 시기에 따라 황아차, 황소차, 황대차가 있고 대표적인 차는 군산은침이다. 홍차는 완전발효이고 가공방법에 따라 공부/소홍 홍차, 홍쇄차가 있고 대표적인 차는 기홍, 운남홍쇄차이다. 흑차는 후(완전)발효이고 긴압 유무에 따라 산차, 긴압차가 있고 대표적인 차는 보이차다.

타이완에서 쉽게 만날 수 있는 차는 녹차, 철관음, 문산포종차, 홍차, 고산차(높은 산에 기른 차로 가공에 따라 녹차나 우롱차, 홍차로 나뉨) 정도인데 각 차별로 품질과 가격이 천차만별임으로 톈린밍차(天仁茗茶) 같이 유명 차 전문점이나 쇼핑센터에서 시음을 하고 구입하는 것이 좋다.

*레스토랑&쇼핑

동물원 레스토랑

타이베이 시립 동물원(臺北市立動物園)은 매우 넓어 배고픈 상태에서 둘러보기 어렵다. 동물원과 마오쿵을 연결해 여행할 사람이라면 더욱 동물원에서 간단하게라도 에너지를 보충하는 것이 낫다. 입구에 있는 맥도날드 햄버거나 판다를 볼 수 있는 다마오슝관(大貓熊館) 2층 식당, 아프리카 동물을 볼 수 있는 페이저우둥우취(非洲動物區) 앞의 식당 등에서 간식이나 식사를 하고 느긋하게 동물원을 산책해보자.

교통 : MRT 원후선(文湖線) 둥우위안

(動物園) 역 1번 출구에서 동우위안 방향, 도보 2분
주소 : 台北市 文山區 新光路 二段 30號
전화 : 02-2938-2300(#630)
시간 : 09:00~17:00
메뉴 : 햄버거, 덮밥, 샐러드, 디저트
홈페이지 : www.zoo.gov.taipei

정대 휴간 다원 正大休閒茶園 징다 시우지안다위안

마오쿵 곤돌라 마오쿵(貓空) 역에서 톈엔궁(天恩宮) 가는 길에 길거리 음식을 파는 상점이 늘어서 있고 상점을 지나면 차를 맛볼 수 있는 찻집이 나온다. 마오쿵이 유명한 톄관인 산지이니 톄관인바오중차(鐵觀音包種茶)를 마시며 향과 맛을 음미해도 좋다.

교통 : 마오쿵 곤돌라 마오쿵(貓空) 역에서 톈엔궁(天恩宮) 방향, 도보 7분
주소 : 台北市 文山區 指南路 三段 38巷 33-5號
전화 : 02-2938-4060
시간 : 화~목·일 10:00~21:00, 금~토 10:00~22:00, 휴무 : 월요일
메뉴 : 애프터눈 티(下午茶) NT$ 220, 디저트(甜點) NT$ 60~120, 와플(鬆餅) NT$ 140~180, 빙수(冰沙) NT$ 160, 커피(咖啡) NT$ 100~150, 톄관인바오중차(鐵觀音包種茶) NT$ 150 내외

칭천다원 清泉茶園 칭촨차위안

마오쿵 지역에서 생산되는 톄관인(鐵觀音), 원산바오중차(文山包種茶) 등을 판매하는 차 전문점이다. 차를 구입하고 싶다면 시음을 부탁해 몇 가지 차를 맛볼 수 있는데 찻물을 끓이고 다구를 준비하는 수고를 생각하면 적어도 한 봉지 정도는 구입해야 한다.

교통 : 마오쿵 곤돌라 마오쿵(貓空) 역에서 톈엔궁(天恩宮) 방향, 도보 7분
주소 : 台北市 文山區 指南路 三段 38巷 33之1
전화 : 02-2936-2517
시간 : 10:00~22:00, 휴무 : 월요일

10 양밍산&베이터우 陽明山&北投 Yangmingshan&Beitou

타이베이 북쪽 1,000m 이상의 치싱산, 다툰산 같은 연봉을 통칭하여 양밍산(양명산)이라 한다. 보통 양밍산이라 부르는 시내버스 종점 일대와 양밍산 서쪽 산기슭의 베이터우는 온천 여행지로 인기가 높다.

양밍산 쳰산 공원에는 동네 사람들이 찾는 무료 대중온천이 있어 보통 타이베이 사람들과 유황온천을 즐기기 좋고 인근 양밍 공원까지 트래킹을 해도 괜찮다.

베이터우에는 케타가란 문화관이 있어 타이완 원주민의 역사와 문화를 엿볼 수 있고 계곡을 따라 올라가면 옛 온천장 유적과 노천탕, 온천 원수가 분출되는 지열곡이 있어 온천을 즐기거나 온천 유적을 둘러보기 좋다.

양밍산의 자연을 즐기려면 양밍산 시내버스 종점, 온천을 즐기고 원주민 풍속을 보려면 베이터우로!

▲ 교통

① **양밍산**_타이베이 역(台北車站) 북2문(北二門) 버스정류장에서 260번/MRT 단수이신이선(淡水信義線) 젠탄(劍潭) 역에서 127, 1717, 홍(紅)5번/민찬다쉐(銘傳大學, 젠탄 역에서 도보 2분) 앞 260취(區)번 버스, 양밍산(陽明山) 하차. 1시간 20분 소요

② **베이터우**_MRT 단수이신이선(淡水信義線) 베이터우(北投) 역에서 신베이터우선(新北投線) 이용, 신베이터우(新北投) 역 하차

▲ 여행 포인트

① 양밍산 쳰산 공원 내 무료 대중온천에서 온천욕 즐기기

② 케타가란 문화관에서 여러 타이완 원주민 역사와 문화 알아보기

③ 베이터우 온천 박물관에서 예전 온천장 모습 살펴보기

④ 노천탕인 천희탕에서 자연을 벗 삼아 온천 즐기기

⑤ 디러구의 끓어오르는 연기를 배경으로 기념촬영하기

▲ 추천 코스

양밍산 쳰산 공원→케타가란 문화관→타이베이 시립 도서관 베이터우 분관→베이터우 온천 박물관→천희탕→디러구

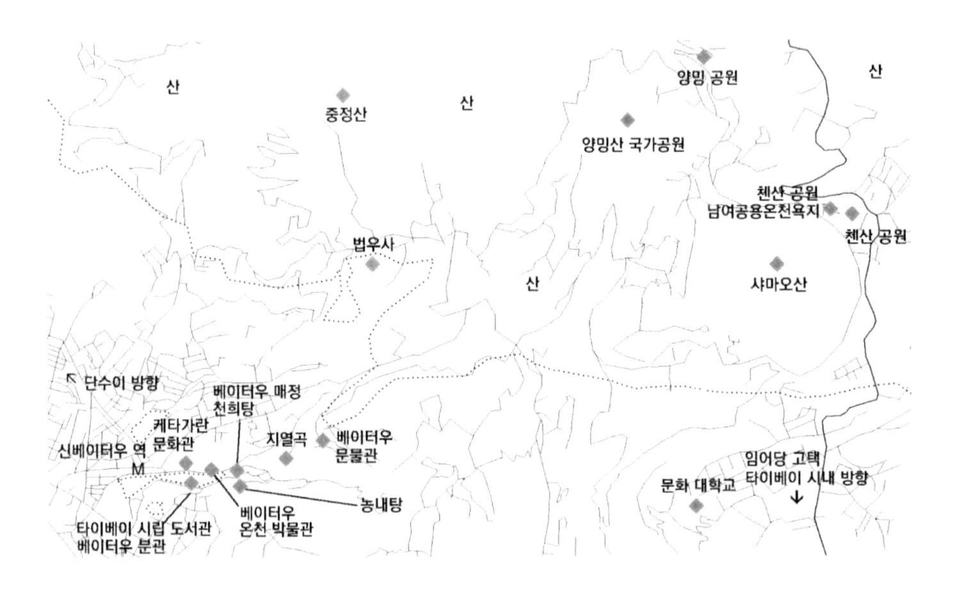

〈양명산〉

전산 공원 前山公園 첸산 궁위안

양밍산(陽明山)이 휴화산이란 건 양밍산 버스정류장에 내리자마자 느껴지는 유황 냄새 때문이다. 버스정류장 길 건너 유황 냄새를 따라가다 보면 수영장, 작은 연못이 있는 첸산 공원이 나온다. 작은 연못 아래에는 족욕장이 있어 간단히 족욕을 즐기기 좋고 족욕장 아래에는 무료 온천 남탕, 연못 아래쪽에 여탕이 자리하고 있어 유황 온천도 즐길 수 있다.

온천욕에 관심이 없다면 온천 옆 등산로를 통해 샤마오산(紗帽山)을 오르거나 버스 종점을 지나 양밍 공원(陽明公園) 또는 양밍산 국가공원 여행자센터(陽明山國家公園遊客中心)까지 트레킹을 해도 괜찮다.

교통 : 타이베이 역(台北車站) 북2문(北二門) 버스정류장에서 260번 또는 MRT 단수이신이선(淡水信義線) 젠탄(劍潭) 역에서 127번, 1717, 홍(紅) 5 또는 민촨다쉐(銘傳大學, 젠탄 역에서 도보 2분) 앞 260취(區)번 시내버스 양밍산(陽明山) 버스정류장 하차. 1시간 20분 소요. 버스정류장에서

쳰산 공원(前山公園) 방향, 도보 1분
주소 : 台北市 北投區 建國街 4號
전화 : 02-2861-3388
시간 : 24시간

≫전산 공원 남여공용온천욕지 前山公園 男女公共溫泉浴池 쳰산 궁위안 난뉘궁궁웬촨위치

쳰산 공원(前山公園) 아래쪽에 동네 온천이 자리한다. 온천은 정해진 개장 시간에 맞춰 입장하는데 동네 노인들이 줄서 있으면 아직 입장 시간이 안 된 것이다. 개장 시간에 탕으로 입장하면 원형 탕(여탕은 탕이 3개)이 있고 탕 주위로 물품 보관함이 있는데 잠금 장치가 없으므로 귀중금은 알아서 잘 보관한다. 탈의실도 따로 없이 원형 탕 주위에서 벗고 입는다. 탕 입구에 탈의실 공간이 있으나 그곳에서 탈의하면 빈 물품 보관함을 찾지 못할 수 있다. 이럴 땐 옷가지를 물품 보관함 위쪽에 올려놓으면 된다.
온천수는 분출온도가 70℃ 이상이고 유백색이며 약산성을 띄는 유황 온천이다. 뜨거운 온천수는 파이프를 통해 탕에 도달하는 순간, 48℃로 낮아지지만 여전히 고온임으로 주의가 필요하다.
심장 먼 곳부터 온천수를 적힌 뒤 입수하고 체력에 따라 5~10분 정도 탕에 있다가 나온다. 온천욕을 마친 뒤에는 따로 샤워 실이 없으므로 그대로 몸을 닦고 옷을 입은 뒤 나오면 된다.
교통 : 양밍산(陽明山) 버스정류장에서 쳰산 공원(前山公園) 방향, 도보 3분
주소 : 남탕_台北市 北投區 建國街 7-1號, 여탕_紗帽路108-1號, 前山公園 內
전화 : 02-286-1338
시간 : 남/여탕_04:30/05:00~7:30, 9:00~11:00, 13:00~15:00, 16:30~19:00, 휴무 : 월요일 12:00 이후
요금 : 무료

양명산 국가공원 陽明山國家公園 양밍산 궈지아궁위안

타이베이 시내 북쪽에 위치한 산을 양밍산(陽明山)이라 한다. 실제는 해발 1,120m의 치싱산(七星山)과 해발 1,093m의 다툰산(大屯山)을 중심으로 한 연봉들을 뜻한다. 이들 지역은 양밍산 국가공원으로 지정되어 있다. 주요

관광지로는 비교적 낮은 온도인 40℃의 약산성탄산염온천수가 솟는 렁수이컹[冷水坑_샤오(小)15&108번 여우위안(遊園)버스], 산속 대초원인 칭톈강(擎天崗), 수증기가 솟는 풍경을 볼 수 있는 샤오여우강(小油坑_260번 버스 종점), 옛 화산 호수가 있었고 지금은 고랭지 채소와 화훼가 재배되는 주즈후[竹子湖_108번 여우위안(遊園) 버스] 등이 있다.

양밍산 여행은 여행자센터(遊客中心) 또는 양밍산 버스정류장에서 시작하는데 여행자센터에서 치싱 공원(七星公園)과 주즈후까지는 트레킹을 해도 좋다. 양밍산이 험하지 않으나 날씨가 좋지 날에는 트레킹을 삼가고 한산한 평일보다는 사람들이 다니는 주말에 하는 것을 권한다.

교통 : 타이베이 역(台北車站) 북2문(北二門) 버스정류장에서 260번 또는 MRT 단수이신이선 젠탄 역에서 127, 1717, 훙(紅)5번 또는 민찬다쉐(銘傳大學, 젠탄 역에서 도보 2분) 앞 260취(區)번 버스 양밍산(陽明山) 종점 하차. 양밍산 버스정류장에 108번 여우위안(遊園) 버스, 여행자센터(遊客中心) 하차

주소 : 台北市 北投區 竹子湖路 1-20號

전화 : 02-2861-3601

시간 : 09:00~18:00

도보코스 : 양밍산 버스정류장→양밍산 국가공원 여행자센터_0.7km 20분 소요/양밍산 여행자센터→치싱궁위안/주즈후_1.65km,1시간/1.7km, 1시간 소요

홈페이지 : www.ymsnp.gov.tw

사모산 紗帽山 샤마오산

양밍산 국가공원(陽明山國家公園) 최고봉인 치싱산(七星山 1120m)의 기생화산이다. 원추형 모양을 하고 있고 높이는 해발 643m. 쳰산 공원(前山公園)의 난뉘궁궁웬촨위치(男女公共溫泉浴池) 옆 등산로 입구에서 정상으로 향해 오를 수 있고 반대편으로 내려간 뒤

길을 따라 첸산 공원(前山 公園)으로 돌아올 수 있다. 산이 높지 않으므로 가벼운 산행을 하기 좋고 정상에서 북쪽으로 양밍산 국가공원의 연봉, 남쪽으로 멀리 타이베이 시내를 조망하기도 괜찮다.

교통 : 첸산 공원(前山公園)의 난뉘궁궁웬촨위치(男女公共溫泉浴池) 옆 등산로 입구에서 정상까지 1.2km, 도보 약 30분

주소 : 台北市 北投區 紗帽山

시간 : 09:00~16:00

양명 공원 陽明公園 양밍 궁위안

양밍산(陽明) 자락에 위치한 공원으로 양밍산 시내버스 종점에서 후산루(湖山路 一段)를 따라 가면 된다. 공원은 여느 공원처럼 꽃밭, 잔디밭, 벤치 등으로 꾸며져 있어 특별한 것은 없지만 시내버스 종점에서 공원 가는 산책로가 호젓하여 한가롭게 걸을 만하다. 좀 더 걸을 사람은 양밍 공원에서 양밍산 국가공원 여행자센터(陽明山國家公園遊客中心)를 거쳐 다시 양밍산 버스정류장으로 돌아와도 좋다(한 바퀴 돌면 약 1시간 소요).

교통 : 양밍산 버스정류장에서 버스종점 지나 후산루(湖山路一段) 직진, 양밍 공원(陽明公園) 방향, 1.2km. 도보 약 16분

주소 : 台北市 北投區 陽明(山)公園

임어당 고택 林語堂 故居 린유탕 구주

중국의 소설가이자 문화비평가 임어당, 린유탕(林語堂 1895~1976)의 고택으로 정확한 명칭은 린위탕 선생 기념도서관(林語堂先生紀念圖書館)이다.

이 저택은 1966년 미국에서 활동하던 린유탕이 타이완으로 귀국할 때 타이완 정부가 그에게 선물한 것이다. 린유탕

은 저택 발코니에서 차 한 잔을 하며 석양 보는 것을 좋아했다고 한다. 1976년 홍콩에서 린유탕이 사망하자 그의 유해가 타이완으로 보내졌고 저택 정원에 매장되었다.

현재, 저택은 전시장과 레스토랑으로 운영되고 있다. 린유탕은 〈나의 국토 나의 국민〉, 〈생활의 발견〉, 〈폭풍 속의 나뭇잎〉 같은 저서에서 특유의 박식함과 유쾌함으로 중국과 중국 문화를 재치 있게 소개하여 세계적인 문필가로 이름을 높였고 한국에서도 인기가 많았다.

교통 : 타이베이 역(台北車站) 북2문(北二門) 버스정류장에서 260번 또는 MRT 2호선 단수이신이선 젠탄 역에서 훙(紅)5, 민촨다쉐(銘傳大學, 젠탄 역에서 도보 2분) 앞에서 260취(區)번 버스, 융링(永嶺)-린유탕 구주(林語堂 故居) 하차. 45분 소요. 융링에서 린유탕 구주까지 도보 3분

주소 : 台北市 士林區 仰德大道 二段 141號

전화 : 02-2861-3003

시간 : 09:00~17:00, 휴무 : 월요일

요금 : NT$ 50

홈페이지 : http://linyutang.org.tw

☆여행 이야기_영원한 자유주의자 임어당

임어당, 린유탕은 1895년 청나라 시절 푸젠성(福建省) 룽시(龍溪)에서 태어났다. 고향을 떠나 당시 외국의 조계가 있어 최신 문물이 들어오던 상하이 성요한 대학을 졸업하고 미국 하버드 대학, 독일 예나, 라이프치히 대학에서 유학했다. 라이프치히 대학에서 언어학 박사 학위를 받고 귀국해 베이징(北京) 대학, 칭화(清華) 대학, 베이징 여자사범대학 등에서 강의했다. 당시는 1912년 청나라가 막을 내리고 1925년 광둥(廣東)에서 중화민국이 개국되었지만 여전히 중국 각지에서 군벌이 할거하여 혼란스럽던 시기였다. 1927년 그는 군벌의 탄압을 피해 우한(武漢) 국민정부에 가담하여 외교부장 천유런(陳友仁)의 비서를 했다.

우한 국민정부 붕괴 후에는 문필가로 활동하다가 1936년 미국으로 건너가 〈뉴욕

타임스〉 특별기고가로 일했다. 1954년 싱가포르 난양(南洋) 대학에서 대학 총장을 역임했고 1966년 미국에서 타이완으로 귀국했다. 타이온으로 귀국해 살던 집이 바로 양밍산(陽明山) 자락의 린유탕 고택(林語堂 故居)으로 타이완 정부가 그에게 선물한 것이다. 한국에서 〈생활의 발견〉 같은 그의 저서가 인기를 얻었고 1970년 한국에서 제37차 국제 펜클럽 대회가 열렸을 때 한국을 방문하기도 했다. 1976년 홍콩에서 사망하자 그이 유해는 타이완으로 보내졌고 저택의 정원에 안장되었다. 린유탕은 봉건주의와 자본주의를 경험한 영원한 자유주의자였고 특유의 박식함과 유쾌함으로 〈나의 국토 나의 국민〉, 〈생활의 발견〉, 〈폭풍 속의 나뭇잎〉 같은 서서를 남겼나.

〈베이터우〉

개달격란 문화관 凱達格蘭文化館 케타가란 원화관

타이완 원주민의 문화와 예술을 전시하는 박물관으로 케타가란(凱達格蘭)이란 명칭은 400년 전 베이터우에 살았던 케타가란 족의 이름을 딴 것이다. 문화관은 지하 2층~지상 10층 규모로 이 중 전시장은 지하 1층~지상 4층이다. 전시관에서는 사이시얏 족(賽夏族), 아메이 족(阿美族) 등 16개 원주민의 역사와 문화에 대해 알 수 있고 원주민 의복, 도기, 수공예품, 장신구 등도 볼 수 있다.

교통 : MRT 단수이신이선(淡水信義線) 베이터우(北投) 역에서 신베이터우선(新北投線) 이용, 신베이터우((新北投)역 하차. 역에서 원화관(文化館) 방향, 도보 3분

주소 : 台北市 北投區 中山路 3-1號

전화 : 02-2898-6500

시간 : 09:00~17:00, 휴무 : 월요일

요금 : 무료

홈페이지 : www.ketagalan.gov.taipei

베이터우 온천 박물관 北投溫泉博物館 베이터우 원취안 보우관

1913년 일제강점기에 세워진 온천장으로 명칭은 베이터우 온천 공공욕장(北投溫泉公共浴場)이었다. 온천으로 유명한 일본 이즈반도의 온천장으로 참고해

만든 2층 건물은 당시 동아시아에서 가장 큰 규모의 온천장이었다고. 해방 후 오랜 동안 방치되다가 1988년 베이터우 온천 박물관(北投溫泉博物館)으로 개관하며 베이터우의 온천 역사, 문화를 알리는 장소가 되었다. 1층에 남탕인 대욕장과 여탕인 소욕장, 2층에 공연을 즐길 수 있는 넓은 다다미 강당과 영화관, 휴게실 등 당시의 모습이 잘 보존되어 있다.

교통 : MRT 신베이터우(新北投) 역에서 케타가란 원화관(凱達格蘭文化館) 지나 보우관 방향. 도보 5분

주소 : 台北市 北投區 中山路 2號

전화 : 02-2893-9981

시간 : 09:00~17:00, 휴무 : 월요일

요금 : 무료

홈페이지 :

http://hotspringmuseum.taipei

천희탕 千禧湯 치안시탕

1999년 문을 연 노천 대중 온천으로 투박하게 만든 6개의 노천탕이 있는데 4개는 열탕과 온탕, 2개는 냉수탕이다. 온천수는 룽나이탕과 같은 칭황(青磺)으로 유황 냄새가 나며 푸른빛을 띠고 온천구의 온도는 38~42℃이다.

온천탕에 들어가기에 앞서, 샤워를 하고 온탕, 열탕 순으로 입수하고 혈압이 높은 사람은 냉탕과 온탕을 들락거리지 않도록 한다. 양밍산(陽明山) 자락의 신선한 공기를 마시며 노천 온천에 몸을 담그는 기분이 상쾌하고 유황 성분에 저절로 여행의 피로가 풀리는 듯하다. 단, 노천 온천임으로 수영복과 수건, 세면도구 등을 미리 준비해야 한다.

교통 : MRT 신베이터우(新北投) 역에서 베이터우 온천 박물관(北投溫泉博物館) 지나 치안시탕(千禧湯) 방향. 도보 8분

주소 : 台北市 北投區 中山路 6號

전화 : 02-2897-2260

시간 : 05:30-07:30, 08:00-10:00, 10:30-13:00, 13:30-16:00, 16:30-

19:00, 19:30-22:00
요금 : 입장료 NT$ 40, 로커 NT$ 20

베이터우 매정 北投梅庭 베이터우 메이팅

1930년대 말에 세워진 일본식과 서양식이 절충된 저택으로 국민당 원로이자 초서체 대가 이다이차오셩(一代草聖) 위유런(于右任)의 피서 별장이었다. 1층은 콘크리트 건물로 방공호, 2층은 일식 목조 건물로 생활공간으로 쓰였다. 건물 내에는 위유런 선생의 사진, 서예작품 등이 전시되어 있고 발코니에서 계곡을 바라보기도 좋다.

교통 : MRT 신베이터우(新北投) 역에서 베이터우 온천 박물관(北投溫泉博物館) 지나 치안시탕(千禧湯) 옆. 도보 8분
주소 : 台北市 北投區 中山路 6號
전화 : 02-2897-2647
시간 : 09:00~17:00. 휴무 : 월요일
요금 : 무료

타이베이 시립 도서관 베이터우 분관 臺北市立圖書館北投分館 타이베이 스리 투슈관 베이터우펀관

베이터우 공원(北投公園) 안에 위치한 도서관으로 지하 1층~지상 2층 규모의 목조 건물이다. 하늘에서 보면 삼각형 모양이고 층별로 테라스가 있어 수변 숲을 감상하기 좋다. 지붕에 태양열 집열판이 있어 16,000와트(W)의 전기를 자체 생산하고 있기도 하다. 지하1층은 아동열람실과 강당, 지상 1층은 안내와 참고자료실, 2층은 중문도서와 외국 도서가 있는 도서실로 이용된다. 도서관은 책을 보는 곳이지만 울창한 숲과 어울리는 친환경적인 디자인의 건물로 이름이 높다.

교통 : MRT 신베이터우(新北投) 역 나와, 오른쪽 광밍루(光明路) 이용, 투슈관(圖書館) 방향, 도보 5분 또는 역에서 케타가란 원화관(凱達格蘭文化館) 지나 베이터우 공원(北投公園) 안쪽.
주소 : 台北市 北投區 光明路 251號
전화 : 02-2897-7682
시간 : 화~토 08:30~21:00, 일~월 09:00~17:00
홈페이지 : www.tpml.edu.tw

농내탕 瀧乃湯 룽나이탕

1907년 일제강점기에 개업한 타이완 최초의 대중 온천탕이다. 초기 지역의 저명인사들이 즐겨 찾았고 당시 히로히토(裕仁) 왕세자가 방문하며 세간에 알려졌다.

베이터우에는 바이 황(白磺, 약산성유황천), 칭황(青磺, 산성녹반천), 톄황(鐵磺, 중성탄산염천)의 세 가지 온천수가 분출되는데 룽나이탕의 온천수는 푸른색을 띠고 산도(PH) 1~2의 산성을 나타내며 미량의 라듐이 함유된 칭황이다. 칭황은 신진대사 촉진, 근육통 완화, 만성피부병, 통풍 같은 효능이 있어 치유의 온천이라고도 한다. 칭황 온천은 세계적으로 베이터우와 일본 아키타현(秋田縣)의 다마가와 온센(玉川溫泉), 단 2곳뿐이라고 한다.

교통 : MRT 신베이터우(新北投) 역 나와, 오른쪽 광밍루(光明路) 이용, 투슈관(圖書館) 지나 룽나이탕(瀧乃湯) 방향. 도보 8분

주소 : 台北市 北投區 光明路 244號

전화 : 02-2891-2236

시간 : 06:30~21:00

요금 : 대중탕 NT$ 150, 독탕(2인, 1시간 NT$ 400, 족탕(40분) NT$ 100

홈페이지 : www.longnice.com.tw

지열곡 地熱谷 디러구

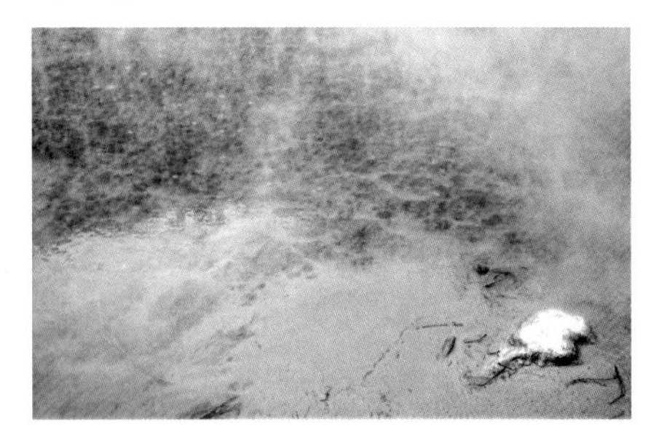

베이터우(北投) 안쪽에 위치한 온천 수원지로 연일 짙은 수증기와 진한 유황 냄새가 진동하는 곳이다. 이 때문에 지옥 계곡인 디유구(地獄谷 지옥구), 귀신 호수인 구이후(鬼湖)라고도 불린다. 디러구의 수온은 다툰산 지역의 온천 중 가장 높은 90~100℃이고 온천수는 속염산산성천(屬鹽酸 酸性泉), 산도(PH)는 1.6이다.

온천수에는 소량의 라듐이 포함되어 있고 푸른색을 띄어 칭황(青磺) 또는 룽추안(龍泉)이라 한다. 이곳에서 출토되는 광석 역시 라듐이 포함되어 있어 희귀하게 여겨지고 세계에서 유일하게 타이완 지명이 붙어 베이터우석(北投

石)이라 한다.

교통 : MRT 신베이터우(新北投) 역에서 베이터우 온천 박물관(北投溫泉博物館) 지나 중산루(中山路) 직진. 도보 14분

주소 : 台北市 北投區 地熱谷

전화 : 02-2883-5156

시간 : 09:00~17:00, 휴무 : 월요일

요금 : 무료

베이터우 문물관 北投文物館 베이터우 원우관

1921년 일제강점기에 세워진 일식 건물로 당시 베이터우 최고의 온천장이었던 지아산 뤼관(佳山旅館)이었다. 제2차 세계대전 때에는 일본군 장교 클럽이었고 해방 후에는 정부 관료를 위한 초대소로 쓰였으며 현재는 전시장 겸 일식당으로 이용된다. 일식 가옥 특유의 좁은 복도와 다다미 방, 잘 정리된 정원 등이 볼만하고 전시장에서는 다양한 찻주전자인 자사호, 찻잔을 볼 수 있다.

교통 : MRT 신베이터우(新北投) 역에서 중산루(中山路) 직진, 디러구(地熱谷) 입구 삼거리에서 언덕 위, 베이터우 문물관(北投文物館) 방향. 도보 30분/디러구 입구 삼거리에서 도보 17분

주소 : 台北市 北投區 幽雅路 32號

전화 : 02-2891-2318

시간 : 10:00~18:00, 휴무 : 월요일

요금 : 일반 NT$ 120, 학생 NT$ 50

홈페이지 : www.beitoumuseum.org.tw

***레스토랑**

아려소흘 阿麗小吃 아리샤오츠

쳰산 공원(前山公園)의 남탕(男公共浴室) 옆에 위치한 작은 식당으로 양밍산 산책이나 트레킹에 나선 사람들이 들려 식사를 하는 곳이다. 메뉴는 몇 가지 면과 탕, 판(덮밥)뿐이지만 트레킹을 하고 난 뒤에 먹는 식사는 꿀맛이다. 위터우미펀(芋頭米粉)는 이 지역 특산이

라는 토란 국수.

교통 : 타이베이 역(台北車站) 북2문(北二門) 버스정류장에서 260번 또는 MRT 단수이신이선 젠탄(劍潭) 역에서 127, 1717, 훙(紅)5번 또는 민촨다쉐(銘傳大學, 젠탄역에서 도보 2분) 앞 260취(區)번 버스 양밍산(陽明山) 하차. 1시간 20분 소요. 버스 정류장에서 쳰산 공원(前山公園) 내 남탕(男公共浴室) 방향, 바로

주소 : 台北市 北投區 建國街 5-1號

시간 : 11:00~19:00

메뉴 : 양춘몐(陽春麵 국수) NT$ 40, 궁완탕(貢丸湯 어묵탕) NT$ 20, 지파이판(雞排飯 닭고기 덮밥) NT 80, 파이구판(排骨飯 고기덮밥) NT$ 80

쟁선 爭鮮 迴轉壽司-新北投店 정셴

신베이터우(新北投)에서 식사를 하려면 온천 호텔 내 레스토랑을 이용하든지 역 주변의 저렴한 레스토랑을 찾든지 해야 한다. 지갑에 여유가 있다면 여러 온천 호텔 내에 있는 레스토랑에서 식사를 하면 되고 지갑이 가볍다면 역 앞에 위치한 회전스시집 정셴(爭鮮)에 가보자. 장어(鰻魚), 참치(鮪魚), 문어(章魚) 상관없이 1접시에 NT$ 30~90이라 부담 없이 스시를 즐길 수 있다.

교통 : MRT 단수이신이선 베이터우(北投) 역에서 신베이터우선(新北投線) 이용, 신베이터우((新北投)역 하차. 역에서 길 건너 바로.

주소 : 台北市 北投區 泉源路 12號

전화 : 02-2895-3960

시간 : 11:00~21:30

메뉴 : 스시 1접시 NT$ 30~90

홈페이지 : www.sushiexpress.com.tw

*온천

경천 욕실 景天浴室 징톈 유스

디러구(地熱谷) 가는 길에 위치한 대중

온천으로 1인탕, 2인탕, 가족탕 등을 갖추고 있다. 시설은 허름하지만 호텔의 온천탕보다 저렴하고 다른 사람과 함께 이용해야하는 노천 대중탕인 치안시탕(千禧湯), 대중탕인 룽나이탕(瀧乃湯)과 달리 1인이나 2인, 가족이 단란하게 이용하기 좋다.

교통 : MRT 신베이터우(新北投) 역에서

베이터우 온천 박물관(北投溫泉博物館) 지나 중산루(中山路) 직진. 도보 12분
주소 : 台北市 北投區 中山路 28-6號
전화 : 02-2897-6538
시간 : 24시간. 휴무 : 토~일
요금 : 1인(個人)탕 40분 NT$ 150, 2인(雙人)탕 40분 NT$ 250, 가족(家庭)탕 60분 NT$ 700

곡수 회관 曲水會館 취수이후이관

베이터우 문화관(北投文物館) 가는 길에 있는 온천 호텔이다. 호텔 내 온천탕은 표준탕(標準湯屋, 소), 각락탕(角落湯屋, 대), 쌍인포탕방(雙人泡湯房) 등이 있다.
교통 : MRT 신베이터우(新北投) 역에서 중산루(中山路) 직진, 디러구(地熱谷) 입구 삼거리에서 언덕 위, 경도 온천 호텔(京都溫泉行館) 방향. 도보
주소 : 台北市 北投區 溫泉路 105號
전화 : 02-2891-2151
시간 : 09:00~20:00
요금 : 온천_표준탕(標準湯屋) 1시간 NT$ 990, 각락탕(角落湯屋) 1시간 NT$ 1,320, 쌍인포탕방(雙人泡湯房) 2시간 NT$ 2,750, 숙박_표준쌍인방(標準雙人房) NT$ 6,600~
홈페이지 : www.kshotspring.com

가빈각 온천회관 佳賓閣溫泉會館 지아빈거 원취안후이관

1인탕, 2인탕 없이 침실+탕인 타오팡파오탕(套房泡湯)부터 시작하는 고급 온천 호텔이다.
교통 : MRT 신베이터우(新北投) 역 나와 오른쪽 광밍루(光明路) 이용, 지아빈거 원취안후이관(佳賓閣溫泉會館) 방향. 도보 4분
주소 : 台北市 北投區 光明路 230號
전화 : 02-2893-0055
시간 : 09:00~22:00
요금 : 평일 2인_타오팡파오탕(套房泡湯 침실+탕)+우완차(午晚茶) NT$ 920~, 요즈주수(優質住宿 숙박+탕)+우완차(午晚茶) NT$ 2399~
홈페이지 : www.jbg-hotel.com.tw

2. 타이베이 근교

01 단수이 淡水 Tamsui

단수이는 타이베이 시내 북쪽에 있는데 타이베이시가 아닌 신베이시에 속한다. 단수이항은 타이완 최대 항구이자 청나라 말 타이완에 서방문명이 들어오는 거점이었다.

담수이의 타이완 기독장로 교회와 대학인 전리 대학, 고등학교인 담강 고중은 청나라 말 단수이에 들어온 캐나다 의사 겸 목사인 마쉐과 관련이 있다. 소백궁은 청나라 말 개항에 따른 서양식 세관 건물, 홍모성은 청나라 말 스페인과 네덜란드, 영국과 관련이 있는 유적이다.

담강 고중은 타이완 영화 〈말할 수 없는 비밀〉의 촬영지로도 유명하다.

단수이 북쪽 어인 부두에서 보는 석양이 아름답고 왁자지껄한 단수이 라오제에서 카스테라나 위완탕을 맛보거나 펑리수를 구입해도 좋다.

▲ 교통

① MRT 타이베이 역(台北車站)에서 MRT 단수이신이선(淡水信義線) 이용, 단수이 역(淡水站) 하차. 약 40분 소요.
② 젠탄 역(劍潭站)에서 308번, 지룽 역(基隆火車站) 862번 버스 이용, 단수이 역 하차

***단수이 시내교통**

① 단수이 역에서 단수이 라오제, 복우궁, 소백궁, 홍모성까지 도보 가능
② 단수이 역/홍모성~단수이 어인 부두(淡水漁人碼頭)는 836, 857, 홍(紅)23, 紅26번 버스 같은 시내버스 이용. *현금보다 이지카드 편리!
③ 단수이 도선 부두(淡水渡船碼頭, 푸요궁 인근)에서 단수이~어인 부두/바리(八里) 간 연락선 운항

▲ 여행 포인트

① 북적이는 단수이 라오제에서 기념품 쇼핑하고 길거리 음식도 맛보기
② 언덕 위 세워진 홍모성에서 단수이와 단수이강 풍경 감상하기
③ 청나라 말기 세워진 서양식 호미 포대 둘러보기
④ 단수이 어인 부두 둘러본 뒤, 연락선 타고 단수이강 유람하기

▲ 추천 코스

단수이 라오제→단수이 복우궁→소백궁→홍모성→단수이 위런마터우

단수이 노가 淡水老街 단수이 라오제

MRT 단수이(淡水) 역에서 단수이 푸요궁(淡水 福佑宮) 부근에 이르는 중정루(中正路) 거리다. 펑리수(鳳梨酥) 같은 중국 과자와 빵, 액세서리, 기념품 등을 취급하는 상점이 늘어서 있고 차를 마시거나 식사를 할 수 있는 카페나 식당도 많다. 단수이 역에서 단수이 라오제(淡水老街)로 갈 때 중정루보다 궁밍제(公明街) 거리에 상점이 더 많으니 참고.

교통 : MRT 단수이신이선(淡水信義線) 단수이(淡水) 역 1번 출구에서 중정루(中正路) 또는 궁밍제(公明街) 이용, 단수이 라오제(淡水老街) 방향, 도보 3분

주소 : 新北市 淡水區 中正路 一段

단수이 복우궁 淡水福佑宮 단수이 푸요궁

청나라 옹정년간(雍正年間 1723~1735년) 세워진 사원으로 1796년 가경원년(嘉慶元年)에 중건했다. 바다의 수호신 마주(媽祖)를 모시고 있어 마주궁(媽祖)宮)이라고도 한다. 사원 안으로 들어가면 향을 피우는 연기로 자욱하고 마주상 앞에서 연신 고개를 기울이며 기도하는 사람들을 볼 수 있다.

교통 : MRT 단수이신이선 단수이(淡水)역 1번 출구에서 중정루(中正路) 이용, 단수이 라오제 지나. 도보 10분

주소 : 新北市 淡水區 中正路 200號

전화 : 02-2621-1731

시간 : 07:00~21:00. 요금 : 무료

단수이 도선부두 淡水渡船碼頭 단수이 뒤촨마터우

단수이 라오제(淡水老街) 부근에 있는 부두로 연락선을 타고 단수이강(淡水河) 강 건너 바리(八里), 줘안바리(左岸八里), 북서쪽의 위런(漁人) 부두로 갈 수 있다. 바리 행은 10~15분 간격이고 어인 행은 20~30분 간격이다. 도선부두에서 바리, 줘안바리까지 7~10분, 위런 부두까지는 10~15분 정도 소요된다.

교통 : MRT 단수이신이선 단수이(淡水)역 1번 출구에서 중정루(中正路) 직진, 단수이 푸요궁(淡水福佑宮)에서 좌회전 단수이 도선부두(淡水渡船頭) 방향. 도보 11분/단수이 역에서 해안도로인 환허다오루(環河道路) 이용

주소 : 新北市 淡水區 淡水 渡船頭

홈페이지 : www.shuf168.com.tw

단수이 연락선 노선_

운항노선	운항시간 · 운항간격 · 소요시간	요금 (NT$)
단수이(淡水) ~바리(八里)	5~10월 평일/주말_07:00~20:00/21:00 11~4월 평일/주말_07:00~19:00/21:00 평일/주말_10~15분/3~5분 간격, 7~10분 소요	편도 23 왕복 45

단수이(淡水) ~어인(漁人)	5~10월 평일/주말_12:00/10:00~19:00 11~4월 평일_12:00~18:00, 주말_10:00~19:00 평일/주말_20~30분/10~15분 간격, 15분 소요	편도 60
줘안바리(左岸八里) ~어인(漁人)	조석(潮汐) 상황, 날씨에 따라 운항 10~15분 소요	편도 60
단수이(淡水)~ 줘안바리(左岸八里)	조석(潮汐) 상황, 날씨에 따라 운항 7~10분 소요	편도 23 왕복 45

*현지 사정에 따라 노선, 시간, 요금 등 바뀔 수 있음

마해 동상 馬偕銅像 마쉐 퉁샹

캐나다 온타리오 출신의 의사 겸 장로교회 목사 마쉐(馬偕 1844 ~ 1901년), 영어명 조지 리슬리 맥케이(George Leslie Mackay)의 동상이다. 19세기 말 타이완 단수이로 이주해 지금의 마시에 기념 의원(馬偕紀念醫院)인 쉐이관(偕醫館), 지금의 타이완 신학원(台灣神學院), 전리대학(真理大學)인 니우뤼쉐탕(牛津學堂 옥스퍼드 학교) 등을 열거나 개교했다. 그는 타이완에서 선교 및 의료, 교육 활동을 하며 타이완에 큰 기여를 했다.

교통 : MRT 단수이신이선 단수이(淡水)역 1번 출구에서 중정루(中正路) 직진, 단수이 푸요궁(淡水福佑宮) 지나 마시에 동상(馬偕銅像) 방향. 도보 12분

주소 : 新北市 淡水區 中正路 256號

타이완 기독장로 교회 台灣基督長老教會 타이완 지두창라오쟈오후이

캐나다 출신 마쉐(馬偕)와 선교사 일행이 단수이에 교회를 열고 첫 신자인 옌칭화(嚴清華)를 입교시킴으로써 북타이베이에서 선교를 시작했다. 1890년 의사 린리에(Rinnie)가 오래된 주택을 개조해 첫 교회를 세웠고 1932년 마시에가 타이완에 온지 60주년 되는 것을 기념해 현재의 건물을 건축하기 시작해 1933년 완공하였다.

교회는 붉은 벽돌 건물로 한쪽에 종탑이 있고 중앙에 사각형의 현관이 있는 모습이다. 일요일 예배 시간에 교회 안

의 구조와 타이완 사람들이 예배 보는 모습을 살펴볼 수 있다.

교통 : MRT 단수이신이선 단수이(淡水)역 1번 출구에서 중정루(中正路) 직진, 마쉐 동상(馬偕銅像) 지나. 도보 13분
주소 : 新北市 淡水區 馬偕街 24-1號
전화 : 02-2620-2833
시간 : 예배_일 09:30, 11:00
홈페이지 : www.mackay.com.tw

담강 고중 淡江高中 단쟝가오중

1914년 일제 강점기 때 기독장로 교회가 세운 사립 고등학교로 북타이베이에서 가장 오래되었고 예술 교육으로 유명하다. 중학교인 단수이궈중(淡水國中)을 지나 안쪽으로 들어가면 단쟝가오중(淡江高中)이 나온다. 학교 내 'ㄷ'자 건물 중앙의 팔각 탑(八角塔), 설립자 격인 마시에(馬偕)의 묘, 종루 등이 볼만하다. 이 학교 출신으로는 타이완 유명 가수 주걸륜(周杰倫), 전 타이완 총통 리덩후이(李登輝), 유명 작가 중자오정(鍾肇政) 등이 있다.

주걸륜은 영화 〈말할 수 없는 비밀(不能說的祕密) 2007년〉에서 감독 겸 주연을 맡아 단쟝가오중을 배경으로 로맨틱한 사랑이야기를 풀어냈다. 단쟝가오중이 예술 교육으로 유명하여 영화 속 피아노 연주가 괜한 것이 아니었음을 알 수 있다. 영화의 흥행으로 학교를 찾는 관광객이 많으나 2015년 인근 초등학교인 원화궈샤오(文化國小)에서 벌어진 사건으로 인해 주중에서 외부인의 입장을 금지하고 있다. ***주말만 방문**할 수 있는데 학교 사정에 따라 다를 수 있다.

교통 : MRT 단수이신이선 단수이(淡水)역 1번 출구에서 중정루(中正路) 직진. 기독장로교회(基督長老教會) 지나 육교 건너 단쟝가오중(淡江高中) 방향. 도보 18분/단수이 역 1번 출구 길 건너 버스 정류장에서 757, **836**, 837, 857, 880, 883, 1505, **홍(紅) 26**, F101번 시내버스 단수이 도서관(淡水圖書館) 하차. 단쟝가오중 방향
주소 : 新北市 淡水區 真理街 26號
전화 : 02-2620-3850
학교 입장 : 주말
홈페이지 : www.tksh.ntpc.edu.tw

소백궁 小白宮 샤오바이궁

1866년 청나라 때 세워진 세관 건물로 정식 명칭은 쳰칭단수이 중슈이우스관디(前清淡水總稅務司官邸)다. 단수이항이 개방된 것은 1862년으로 이때부터 정식으로 외국과의 무역이 시작되었다. 샤오바이궁은 타원형 회랑이 인상

적인 건물로 흰색의 회랑과 흰 벽 때문에 샤오바이궁이라 불린다.
내부에는 샤오바이궁의 역사를 알려주는 옛 흑백사진, 범선 모형 등이 전시되고 있다. 샤오바이궁은 언덕에 위치해 단수이강(淡水河) 강, 당수이허 강 건너편인 줘안바리(左岸八里) 지역을 조망하기도 좋다.

교통 : MRT 단수이신이선 단수이(淡水) 역 1번 출구에서 중정루(中正路) 직진. 기독장로교회(基督長老教會) 지나 육교 건너 샤오바이궁(小白宮) 방향. 도보 18분/단수이 역 1번 출구 길 건너 버스 정류장에서 836, 홍(紅)26번 버스, 샤오바이궁 하차
주소 : 新北市 淡水區 真理街 15號
전화 : 02-2628-2865
시간 : 월~금 09:30~17:00, 토~일 09:30~18:00, 휴무 : 매월 첫 월요일
요금 : 무료

이학당 대서원 理學堂大書院 Oxford College 리쉐탕 다슈위안

1882년 캐나다 출신 의사 겸 장로교 목사 마쉐(馬偕)가 **전리 대학(真理大學)**를 개교할 때 처음 세운 붉은 벽돌 건물이다. 건물 전면에 새겨진 옥스퍼드 칼리지(Oxford College)라는 이름은 건물을 세울 때 고향 옥스퍼드 카운티 주민들의 도움을 받은 것을 기념하기 위해 붙인 것이다. 건물 내에는 전시관으로 꾸며져 마쉐 박사와 전리 대학의 역사를 전한다.

교통 : MRT 단수이신이선 단수이(淡水) 역 1번 출구에서 중정루(中正路) 직진. 기독장로교회(基督長老教會) 지나 육교 건너 전리 대학(眞理大學) 방향. 도보 20분/단수이 역 1번 출구 길 건너 버스정류장에서 836, 홍(紅) 26번 버스 홍마오청/전리 대학(紅毛城/真理大學) 하차
주소 : 新北市 淡水區 真理街 32號
전화 : 02-2621-2121(#1061)
시간 : 09:00~17:00. 요금 : 무료
홈페이지 : www.au.edu.tw

홍모성 紅毛城 홍마오청

단수이강(淡水河) 강 언덕에 위치한 성으로 1628년 스페인령 포르모사 총독부 건물로 세워졌다가 1644년 네덜란드에 소유권이 넘어가며 중건되었다.

홍마오청(紅毛城)이란 이름은 당시 붉은 머리의 네덜란드인을 홍모(紅毛)라고 불렀기 때문에 홍마오청라고 했다.

1862년 단수이항이 개항되며 정식으로 외부와 무역이 시작되었다. 이때 영국이 청나라로부터 홍마오청을 빌려 1867년부터 1972년까지 영국 대사관으로 이용했다. 영국 대사관저는 홍마오청 동쪽에 새로 지었다. 영국 대사관저는 소백궁과 같이 타원형 회랑이 있는 건물이다.

1980년 타이완 정부는 리모델링을 거쳐 홍마오청을 일반에 개방됐다. 전 영국 대사관저 내부에서 서양풍으로 꾸며진 거실과 서재, 부엌을 볼 수 있고 2층 테라스에서는 단수이강 강, 단수이강 강 건너편인 줘안바리(左岸八里) 지역을 조망하기 좋다. *전리 대학에서 홍마오청으로 간다면 전리 대학 정문에서 언덕을 내려가지 말고 전리 대학 예배당(真理大學禮拜堂) 옆길로 가면 전 영국 대사관저 나옴.

교통 : MRT 단수이신이선 단수이(淡水) 역 1번 출구에서 중정루(中正路) 직진. 기독장로교회(基督長老教會) 지나 육교 건너 홍마오청(紅毛城) 방향. 도보 20분/단수이 역 1번 출구 길 건너 버스정류장에서 836, 훙(紅)26번 버스 홍마오청/전리 대학(紅毛城/真理大學) 하차

주소 : 新北市 淡水區 中正路 28巷 1號

전화 : 02-2623-1001

시간 : 09:00~17:00, 요금 : 무료

호미 포대 滬尾礮臺 후웨이 파오타이

1886년 청나라 때 지방 행정관 순무를 역임한 리우밍찬(劉銘傳)이 단수이항을 지키기 위해 세운 사각형의 포대이다. 독일 기술자의 설계로 포대를 완성했고 1889년 구경 12인치의 대포를 설치하였다. 포대 입구의 '베이먼쉬룬(北門鎖鑰)'이란 비문은 리우밍찬(劉銘傳)이 직접 쓴 것으로 알려진다.

후웨이 포대(滬尾礮臺)는 1884~1885년 벌어진 청나라와 프랑스 간의 전쟁 후에 세워진 지룽(基隆), 후웨이(滬尾 단수이), 안핑(安平), 치허우(旗後), 펑후(澎湖) 등 5개의 포대 중 하나였다.

일제 강점기와 해방 이후 군사기지로 쓰였고 1985년 리모델링을 거쳐 일반에 개방되었다. 포대 내부에는 군사들이 머물던 방과 포탄을 보관하던 창고, 지붕에는 대포를 설치했던 흔적 등이 남아있다.

교통 : 홍마오청(紅毛城) 아래 버스정류장 또는 단수이 역 길 건너 버스정류장에서 836번 버스 후웨이 포대(滬尾礮臺) 하차
주소 : 新北市 淡水區 中正路 一段 6巷 34號
전화 : 02-2623-1001
시간 : 09:00~17:00, 요금 : 무료

≫일적수 기념관 一滴水紀念館 이스수이 지녠관

1915년 일본 후쿠이 현(福井縣) 오이마치(大飯町)에 세워진 목조주택이다. 1995년 한신 대지진 때 피해를 입지 않은 것이 계기가 되어 1999년 같은 지진 피해를 입은 타이완에 양국의 재해극복 징표로 기증되었다. 목조주택은 2004년 후쿠이 현에서 해체되었고 2009년 단수이 허핑 공원(平和公園)에서 다시 조립되어 일본 전통 민가 건축양식을 볼 수 있는 전시장으로 공개되었다.

교통 : 후웨이 포대(滬尾礮臺)에서 남쪽 허핑 공원(平和公園) 방향, 바로
주소 : 新北市 淡水區 中正路 一段 6巷 30號
전화 : 02-2626-3350
시간 : 화~금 09:00~17:00, 토~일 ~18:00, 휴무 : 월요일, 요금 : 무료

단수이 어인 부두 淡水漁人碼頭 단수이 위런 마터우

단수이 북서쪽 끝에 위치한 단수이 항의 부두다. 부두에서 연락선을 타면 단수이 부두 또는 줘안바리(左岸八里) 부두까지 갈 수 있다. 연락선을 타지 않는다면 단수이 항을 가로지르는 단수이

정인교(淡水情人橋)를 건너 단수이강(淡水河) 강 풍경을 감상해보자. 특히 단수이 워런 부두에서 보는 단수이강 일몰은 눈부시게 아름다운 것으로 알려져 있다.

교통 : 후웨이 포대(滬尾礮臺) 또는 단수이 역 길 건너 버스정류장에서 836, 857, 훙(紅) 23, 훙26번 버스, 단수이 워런 부두(淡水漁人碼頭) 하차

주소 : 新北市 淡水區 觀海路 91號

시간 : 운항시간_5~10월 평일/주말_12:00/10:00~19:00, 11~4월 평일_12:00~18:00, 주말_10:00~19:00, 운항간격_평일/주말_20~30분/10~15분, 소요시간_10~15분

요금 : 여객선_어인마두(漁人碼頭)-단수이(淡水) 편도 NT$ 60

주명 미술관 朱銘美術館 주밍 메이슈관

1999년 문을 연 개인 미술관으로 타이완 유명 작가 주밍(朱銘)의 작품을 전시한다. 주밍은 1938년 11남매 중 막내로 태어나 15세 때 사당을 고치러 온 리진촨(李金川)에게 조각과 회화를 배웠다. 30세 때 타이완 국립 미술대학 교수 양잉펑(楊英風) 문하로 들어가 전통목재 조각과 현대 조각을 융합시켰고 이후 독자적인 스타일을 만들어 냈다. 1976년 타이완국립 박물관에서 처음 개인전을 열었고 1977년 일본에서 첫 해외개인전을 개최하기도 했다.

주밍 메이수관은 타이완 최대 미술관으로 제1, 2전람관과 야외 미술관으로 되어 있고 이곳에서 주밍의 다양한 조각 작품을 만날 수 있다. 주밍 메이수관 인근에 덩리쥔의 묘가 있으므로 함께 둘러보면 좋으나 덩리쥔 묘에서 메이슈관 간의 교통이 불편하므로 참고!

교통 : MRT 단수이신이선 단수이 역 1번 출구에서 길 건너 버스정류장에서 862번 타이완하오싱(台灣好行) 버스, 주밍 메이수관 하차/진산취이웬지라오런 훠둥중신다러

우첸(金山區藝文暨老人活動中心大樓前)에서 무료 셔틀버스(화~금 10:30, 14:00, 토~일 10:30, 12:30, 14:00), 주밍 메이수관 하차/**궈광커윈 타이베이처잔(國道客運 台北車站) 버스터미널**에서 진산(金山)행 궈광커윈(國光客運) 1815번, 황지아커윈(皇家客運) 1717번 또는 단수이에서 단수이커윈(淡水客運) 이용, 진산취이원지라오런훠둥중신다러우첸 하차. 무료 셔틀버스 이용
주소 : 新北市 金山區 西勢湖 2號
전화 : 02-2498-9940
시간 : 10:00~17:00, 휴무 : 월요일
요금 : 일반 NT$ 350, 학생 NT$ 320
홈페이지 : www.juming.org.tw

균원 筠園 윤위안

타이완 국민 가수 등려군, 덩리쥔(鄧麗君)의 묘가 있는 곳으로 덩리쥔 기념공원(鄧麗君紀念公園)이라도 한다. 윤위안(筠園)은 타이완 북쪽 진산(金山) 부근 대규모 묘원인 진바오산 경관묘원(金寶山景觀墓園) 내에 위치한다. 윤위안은 덩리쥔 묘와 덩리쥔을 닮은(?) 여인의 조각상, 발로 연주할 수 있는 피아노 등으로 꾸며져 있다.
덩리쥔은 일찍이 타이완과 중국에서 국민 가수였지만 우리에게는 영화 〈첨밀밀(甜蜜蜜) 1995년〉에 삽입된 동명의 노래가 히트하며 알려졌다.
교통 : MRT 단수이신이선 단수이 역 1번 출구에서 길 건너 버스정류장에서 862번 타이완하오싱(台灣好行) 버스, 윤위안(筠園) 하차/**궈광커윈 타이베이처잔(國道客運 台北車站) 버스터미널**에서 진산(金山)행 궈광커윈(國光客運) 1815번, 황지아커윈(皇家客運) 1717번 또는 단수이에서 단수이커윈(淡水客運) 이용, 진산(金山) 하차. 진산에서 택시, 12분 소요
주소 : 新北市 金山區 西勢湖 18號
전화 : 02-2498-5911

***레스토랑**

락탕포 樂湯包 러탕바오
중정루(中正路)에 위치한 만두 노점이다. 단수이에 이런저런 식당이 있지만 단수이 라오제(淡水老街)의 떠들썩함과 어울리는 것은 거리의 먹거리가 아닐까. 고기만두인 탕바오(湯包), 새우만두인 샤쟈오(蝦餃), 찐만두인 정쟈오(蒸餃) 등에서 어느 것을 먹어도 딤섬 전

문점에서 먹는 것에 비해 떨어지지 않는 맛을 자랑한다. 만두에 생강 채가 함께 나오므로 간장에 찍어 생강 채와 함께 만두를 먹어보자. 만두 이름 옆에 커(顆)는 '(몇)개'를 뜻한다.

교통 : MRT 단수이신이선(淡水信義線) 단수이(淡水) 역 1번 출구에서 중정루(中正路) 이용, 단수이 라오제(淡水老街) 방향, 중정루 129강(中正路 129巷) 삼거리. 도보 6분
주소 : 新北市 淡水區 中正路 8巷 15號
전화 : 02-2629-1486
시간 : 18:00~23:00
메뉴 : 탕바오(湯包 고기만두) 8커(顆), 샤쟈오(蝦餃 새우만두) 7커(顆), 정쟈오(蒸餃 찐만두) 9커(顆) 각 NT$ 70 내외

가구어환 可口魚丸 커커우위완

단수이 라오제에 위치한 50년 전통의 어묵인 위완(魚丸) 전문점이다. 위완은 어묵이라고 번역하지만 우리가 보는 노란색 어묵이 아니고 흰색의 좀 더 단단한 어묵이다. 메뉴는 위완탕(魚丸湯), 만둣국인 훈툰탕(餛飩湯), 훈툰(餛飩)+위환(魚丸), 고기 왕만두인 러우바오(肉包), 만두인 만터우(饅頭) 등으로 단출하다.

교통 : MRT 단수이신이선 단수이(淡水) 역 1번 출구에서 중정루(中正路) 이용, 단수이 라오제(淡水老街) 방향, 단수이 푸요궁(淡水福佑宮) 지나. 도보 10분
주소 : 新北市 淡水區 中正路 232號
전화 : 02-2623-3579
시간 : 07:00~16:00
메뉴 : 위완탕(魚丸湯 어묵탕) NT$ 30, 훈툰탕(餛飩湯 만둣국) NT$ 30, 훈툰(餛飩)+위완(魚丸)탕 NT$ 30, 러우바오(肉包 고기왕만두) NT$ 10, 만터우(饅頭 만두) NT$ 10 내외

어장 魚藏 海鮮宴會廣場 위창 하이셴옌후이광창

생선과 건어물 시장인 단수이 위스(淡水魚市) 2층에 위치한 해산물 식당으로 단수이 항을 바라보며 식사하기 좋은 곳이다. 메뉴는 조개탕인 쟝스거즈탕(薑絲蛤仔湯), 해물볶음밥인 하이시안차오판(海鮮炒飯), 두부튀김인 추이피자더우푸(脆皮炸豆腐), 게 튀김 샹차오황진시에(香炒黃金蟹) 등.

교통 : 단수이 역 길 건너 버스정류장에서 836, 857, 훙(紅)23, 훙26번 버스, 단수이 위스(淡水魚市) 하차

주소 : 新北市 淡水區 觀海路 201號

전화 : 02-2805-9888

시간 : 11:00~14:00, 17:00~21:00

메뉴 : 쟝스거즈탕(薑絲蛤仔湯 조개탕) 소 NT$ 180, 하이셴차오판(海鮮炒飯 해물볶음밥) 소 NT$ 180, 추이피자더우푸(脆皮炸豆腐 두부튀김) NT$ 220, 샹차오황진시에(香炒黃金蟹 게 튀김) NT$ 360 내외

홈페이지 : www.fishiegoodies.07168tw.net

***쇼핑**

쌍원성 双元成 餅店 솽위안청

단수이 라오제에 위치한 40년 전통의 중국 과자 노포(老鋪)로 60년대의 옛 맛을 선보인다. 참깨 빵인 즈마단황(芝麻蛋黃 NT$ 150), 파인애플 빵인 펑리단황(鳳梨蛋黃 NT$ 160), 단팥빵인 훙더우샤단황(紅豆沙蛋黃 NT$ 140) 화하오웨에위안(花好月圓 월병 NT$ 400) 등이 주 메뉴!

교통 : MRT 단수이신이선(淡水信義線) 단수이(淡水) 역 1번 출구에서 중정루(中正路) 이용, 단수이 라오제(淡水老街) 방향, 도보 5분

주소 : 新北市 淡水區 中正路 50號

전화 : 02-2623-0930

시간 : 07:30~21:00

홈페이지 : www.shuyc.com.tw

담수 일구소 淡水一口酥 단수이 이커우수

단수이 역에서 가까운 궁밍제(公明街)에 위치한 펑리수(鳳梨酥) 전문점으로 상호인 이커우수(一口酥)는 '한 입 펑리수'라는 뜻. 실제 기다란 펑리수를 반 잘라 한 입에 먹기 좋게 판매한다. 평리수 종류는 빵에 멜론을 넣은 하미

구아(哈密瓜), 단팥을 넣은 훙더우(紅豆), 파인애플을 넣은 펑리수((鳳梨酥) 등이 있다. 가격은 2봉지에 NT$ 100 내외

교통 : MRT 단수이신이선 단수이(淡水) 역 1번 출구에서 궁밍제(公明街) 이용, 도보 4분
주소 : 新北市 淡水區 公明街 17號
전화 : 02-8675-2233
시간 : 09:00~22:00
홈페이지 :
https://tamsuionebite.oddle.me/zh_TW

아마적 산매탕 阿媽的酸梅湯 아마더 쏸메이탕

매실을 발효시켜 만든 음료로 매실 음료로 맛이 달달하면서 씁쓸해 한약 느낌이 난다. 효능은 피로회복, 원기증진 등으로 몸에 좋다고. 1컵 NT$ 30 내외

교통 : MRT 단수이신이선 단수이(淡水) 역 1번 출구에서 중정루(中正路) 이용, 단수이 푸요궁(淡水福佑宮) 지나 왼쪽 골목 안. 도보 11분
주소 : 新北市 淡水區 中正路 135-1號
전화 : 02-2621-2119
시간 : 10:00~22:00

연미고조미 현고단고 緣味古早味 現烤蛋糕

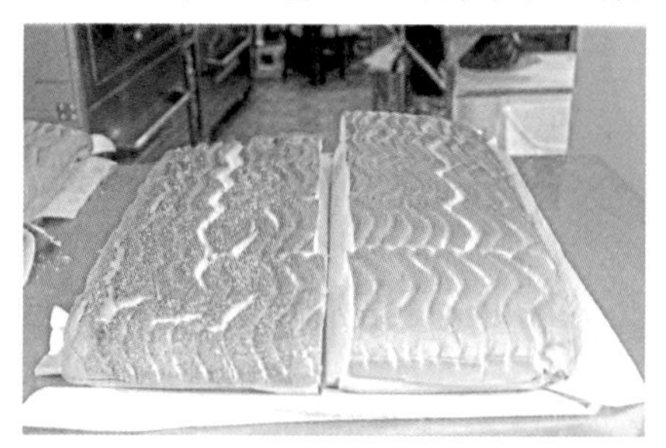

카스테라인 단가오(蛋糕)를 판매하는 곳으로 상호의 시안카오단가오(現烤蛋糕)하면 '막 구운 카스테라', 구자오웨이(古早味)는 '옛날 맛'라는 뜻. 단가오 종류는 원래의 계란의 고소한 맛을 살린 위안웨이(原味 NT$ 90) 두 겹의 치즈를 넣은 쌍청치스(雙層起司 NT$ 130)가 있다.
교통 : MRT 단수이신이선 단수이(淡水) 역 1번 출구에서 중정루(中正路) 이용, 단수이 푸요궁(淡水福佑宮) 지나. 도보 12분
주소 : 新北市 淡水區 中正路 228-2號
전화 : 02-2626-7860
시간 : 12:00~19:00

02 예류 野柳 Yehliu

타이완 북쪽 신베이시 완리구의 작은 어촌에 불과했던 예류는 바닷가 기암괴석이 관광객의 인기를 끌자, 이내 타이완 북부의 인기 관광지로 떠올랐다.

바다 쪽으로 삐쭉 나간 예류 반도에 자리한 예류 지질 공원에는 풍화와 해식이 만들어낸 여왕 머리 바위, 선녀신발 바위, 촛대 바위 같은 기묘한 바위가 가득하고 바닥에는 식물의 화석도 볼 수 있다. 예류의 암층은 대략 1,000~2,500년 전에 형성되었고 사암이 주성분이다.

예류 반도 끝에는 사면으로 기울어진 구이터우산 정상에 등대가 있어 등대에서 예류 반도 일대를 한눈에 바라보기 좋다.

예류 지질 공원을 본 뒤, 야류 해양세계에서 돌고래와 물개의 재롱도 놓치지 말자.

▲ 교통

타이베이 궈광커윈 타이베이처잔(國道客運 台北車站) 버스터미널에서 진산청년활동센터(金靑中心)행 궈광커윈(國光客運) 1815번 버스(07:00~23:10, 약 10~20분 간격, 약 1시간 20분 소요, NT$ 98), 예류(野柳) 하차

***단수이 ↔ 예류**

단수이(淡水)에서 단수이커윈(淡水客運) 862번(05:50~20:30, 약 30분 간격), 타이완하오싱(台灣好行) 862번 황관베이하이안선(皇冠北海岸線 5~10월/11~4월 9:00~17:00/16:00
약 1시간 간격), 예류 하차

***지룽 ↔ 예류**

① 지룽(基隆)에서 지룽커윈(基隆客運) 790번(05:50~22:50, 약 20분 간격, NT$ 30), 1068번(타이완대학 출발, 07:15~22:05, 약 20분 간격, NT$ 29), 타이완하오싱(台灣好行) T99번(09:00~17:00, 1시간 간격) 버스, 예류 하차

② 젠탄 역(劍潭站)에서 308번, 지룽 역(基隆火車站) 862번 버스 이용, 단수이 역 하차

*지룽_스펀, 지우펀 방향, 교통 요지

▲ 여행 포인트

① 예류 어항에서 항구 풍경 둘러보고 식당에서 해산물 요리 맛보기

② 예류 지질 공원 내 여왕머리 바위를 배경으로 기념촬영 하기

③ 예류 지질 공원 내 구이터우산 올라, 예류 일대 조망하기

④ 예류 해양세계에서 타이완 어류 보고 돌고래와 물개의 재롱 관람!

▲ 추천 코스

예류 어항→예류 지질 공원→구이터우산→예류 해양세계

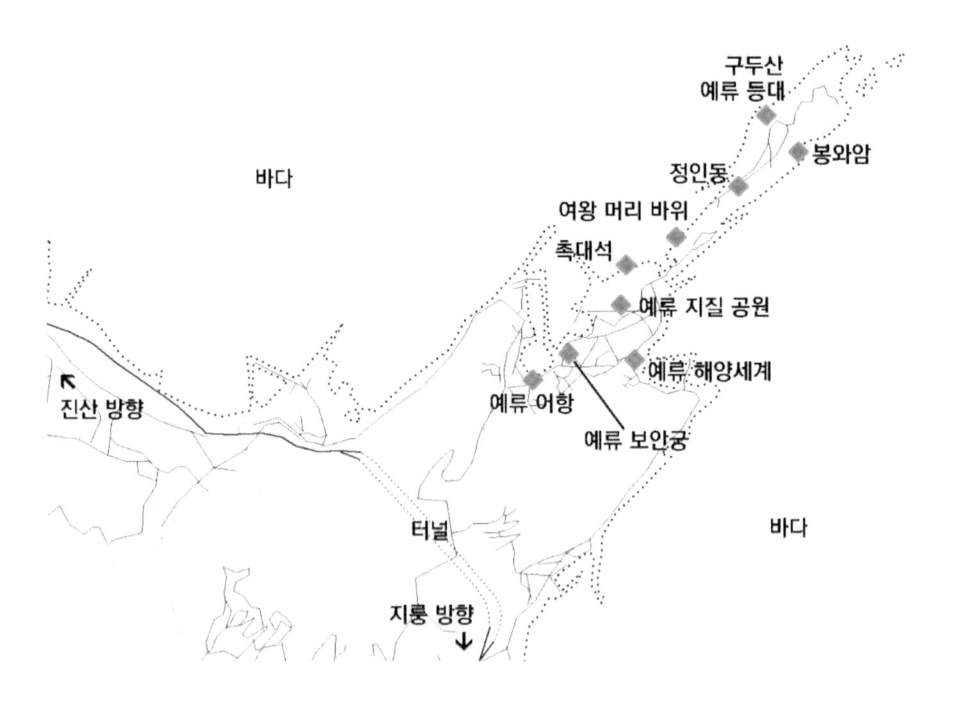

예류 어항 野柳漁港 예류 위강

예류 반도 서쪽에 위치한 천연 항구로 부두에는 조업을 마친 고깃배들이 정박해 있고 부두 거리에는 해산물 식당이 늘어서 있다.

교통 : 궈광커윈 타이베이처잔(國道客運 台北車站) 버스터미널에서 진산청년 활동센터(金靑中心)행 궈광커윈(國光客運) 1815번 버스, 예류(野柳) 하차. 예류 위강(野柳漁港) 방향, 도보 3분

주소 : 新北市 萬里區 港東路, 野柳漁港

≫예류 보안궁 野柳保安宮 예류바오안궁

1820년 청나라 가경 25년 세워진 사

원으로 당나라 때 장군인 카이장성쥔(開漳聖君), 바다의 수호신 마주(媽祖), 관우의 부장인 저우창쟝쥔(周倉將軍), 토지신인 투디궁(土地公) 등을 모신다. 매년 농력(農曆, 24기력절) 5월 15일 맨발로 숯불을 위를 걷는 행사(神明淨港過火繞境)로 유명.
위치 : 예류 어항에서 바로

야류 지질 공원 野柳地質公園 예류 디즈 궁위안

타이완 북부의 다양한 지질을 엿볼 수 있는 공원이다. 입구부터 버섯 바위인 순좡옌(蕈狀岩)과 쟝스(薑石)가 집중된 1구역, 코끼리 바위(象石)·선녀신발(仙女鞋)·땅콩(花生) 바위 같은 순좡옌(蕈狀岩)과 쟝스(薑石)가 집중된 2구역, 바닷물에 의해 평평해진 하이스핑다이(海蝕平台)와 예류 반도 끝에 불쑥 솟은 구이터우산(龜頭山)이 있는 3구역 등으로 나뉜다.
공원에서 많이 볼 수 있는 순좡옌(蕈狀岩)는 풍화작용으로 사암의 아래 부분이 깎여 기둥이 있는 기묘한 형상을 만들고 쟝스(薑石)는 사암이 깎기긴 했으나 아직 기둥을 만들지 못해 지면과 붙어 기묘한 형상을 만든 것을 말한다. 바닷가의 구멍이 송송 뚫린 바위는 하이스후쉐(海蝕壺穴)라고 하고 간혹 돌 바닥에 아주 오랜 옛날의 식물이나 곤충의 흔적을 품은 화스(化石)도 보이니 잘 찾아보자. 바닷가에 종 모양을 깎인 바위는 두다이스(燭台石)라고 하는데 사암인 순좡옌(蕈狀岩)에 비해 단단해 보이는 바위다.
입구에서 1구역~3구역까지 안내도를 따라 기묘한 형상의 바위를 둘러보며 탐방할 수 있고 예류 반도 끝의 구이터우산에 올라 예류 일대의 경치를 감상해도 좋다.
교통 : 궈광커윈 타이베이처잔(國道客運台北車站) 버스터미널에서 진산청년활동센터(金靑中心)행 궈광커윈(國光客運) 1815번 버스, 예류(野柳) 하차. 약 1시간30분 소요. 버스정류장에서 예류항 지나 예류 지질 공원 방향, 도보 10분
주소 : 新北市 萬里區 港東路 167-1號
전화 : 02-2492-2016
시간 : 08:00~17:00
요금 : 일반 NT$ 120, 학생 NT$ 60
홈페이지 : www.ylgeopark.org.tw

≫여왕 머리 바위 女王頭 위왕터우
예류 지질 공원에서 가장 인기 있는 순좡옌(蕈狀岩)으로 바람에 머리를 휘날리는 여인상이다. 이 모양이 고대 이

집트 네페르티티 여왕을 닮았다고 하여 여왕 머리하는 이름이 붙었다. 여왕 머리 바위의 높이는 약 2m, 목 부분 직경은 약 50cm 정도이고 사면에 비스듬히 서 있다. 공원 입구 부근에 모조품(?)이 하나 있고 2구역에 진품이 있는데 관리인의 안내에 따라 줄을 서서 사진을 찍을 수 있다.

위치 : 예류 지질 공원 2구역

≫화석 化石 화스

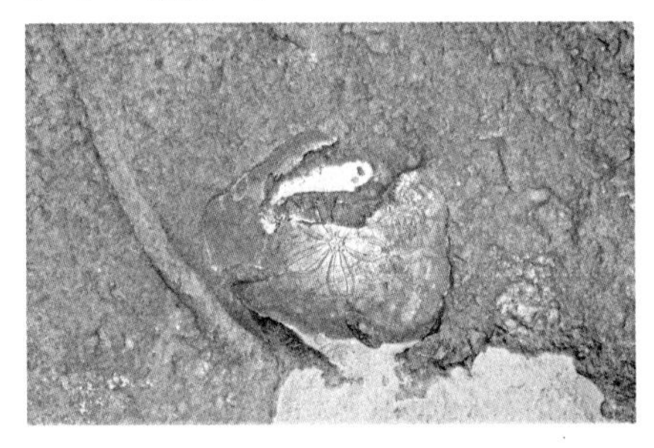

예류 지질 공원에서 버섯 모양의 순좡옌(蕈狀岩)과 오톨도톨한 쟝스(薑石)가 주된 볼거리이지만 돌바닥을 유심히 관찰하다보면 뜻밖에 화석을 만나게 된다. 화석은 주로 나무 단면, 식물 이파리 형태인데 옛날 옛적의 나무나 식물의 흔적을 볼 수 있어 신기한 느낌이 든다.
위치 : 예류 지질 공원

≫구두산 龜頭山 구이터우산

예류 지질 공원 3구역에 위치한 산으로 해발 93m이고 서쪽에서 동쪽으로 기울어진 형태를 보인다. 달리 말하면 단층이 서쪽은 솟고 동쪽을 주저앉은 모습. 구이터우산 가는 길의 서쪽 해변에 사각형 모양의 바위가 일렬로 늘어서 있는데 이것을 두부암, 더우푸옌(豆腐岩)이라고 한다.
구이터우산 정상에서 예류 반도의 모습을 한눈에 들어오고 좌우로 타이완 북부 해안의 풍경도 감상할 수 있다. 정상에 있는 11.3m 높이의 등대는 1966년 세워진 것이다.

교통 : 예류 지질 공원 입구에서 구이터우산까지 도보 20분
위치 : 예류 지질 공원 3구역

북해안 도로 北海岸道路 베이하이안 다오루

단수이에서 예류까지 북해안 도로를 통해 갈 수 있는데 가는 동안 북해안의 아름다운 해안을 감상할 수 있다. 구불구불 이어지는 해안 길을 흡사 제주도 해안 길을 연상케 한다. 창문으로 태평

양 바다를 만끽하고 따스한 해살을 즐기며 가는 길은 한가롭다. 예류에서 진산 지나 절반까지 북해안 도로, 나머지는 짧은 해안 도로였다가 내륙 도로로 이어진다.

교통 : 예류 또는 단수이에서 862번 시내버스. 단수이-예류 약 4시간 소요

야류 해양세계 野柳海洋世界 예류하이양스제

예류 지질 공원 옆에 위치한 해양 공원으로 200여종의 해양생물을 관찰할 수 있는 해양생물 전시관, 다양한 해양생물의 골격을 볼 수 있는 해양생물 표본관, 돌고래와 물개의 재롱을 볼 수 있는 해양 극장 등으로 이루어져 있다.

위치 : 예류 지질 공원 옆, 바로
전화 : 02-2492-1111
시간 : 월~금 09:00~17:00, 토~일 ~17:30/쇼_10:30, 13:30, 15:30
요금 : 일반 NT$ 450, 학생 NT$ 380
홈페이지_www.oceanworld.com.tw

***레스토랑&쇼핑**

예류 특산가 野柳特產街 예류 터찬제

예류 지질 공원을 둘러보고 나오면 건어물 시장 겸 식당가인 예류 특산가(野柳特產街)로 나온다. 건어물 상점에서는 쥐포, 문어포, 건 멸치, 건새우 등 건어물을 구입할 수 있고 간이식당에서는 굴전인 커짜이젠(蚵仔煎), 고둥 구이, 게 튀김 등의 해산물 요리를 맛볼 수 있다.

위치 : 예류 지질 공원 옆, 바로
시간 : 08:00~18:00

03 스펀&핑시&징퉁 十分&平溪&菁桐 Shifen&Pinxi&Jingtong

핑시선이 다니는 루이팡에서 징퉁까지 핑시선 지역이라고 하기로 한다.

1908년 처음으로 스펀, 핑시, 징퉁 같은 핑시선 지역에서 탄광이 개발되기 시작했고 1920년대 일제강점기 핑시선 철도가 건설된 후 절정기를 맞이하다가 1970년 대 점차 석탄이 고갈되자 탄광이 폐쇄되었다. 현재 석탄을 캐던 산골 마을에는 폐허로 남은 석탄 갱도와 석탄 생산 시설, 일제강점기 때 세워진 일식 저택이 쓸쓸하게 남아 있다.

석탄을 실어 나르던 핑시선도 이제는 산골마을 풍경을 감상하려는 관광객들을 운송한다.

다행인 것은 스펀에서 시작된 것으로 알려진 천등 날리기가 관광객의 인기를 얻으면서 핑시선 지역 어느 곳에서는 천등 날리기로 관광객을 불러 모으고 있다는 것이다.

▲ 교통

• 타이베이 ↔ 루이팡

타이베이 역(台北車站)에서 취젠처(區間車)/쯔창(自强) 등, 05:03~23:32, 취젠처 30분~1시간 간격, 약 50분 소요, NT$ 49/76, 루이팡 역(瑞芳站) 하차

*지룽 ↔ 루이팡

지룽 역(진과스,지우펀)에서 787, 788번 버스 이용, 루이팡 역 하차

• 루이팡 ↔ 스펀

① 루이팡 역에서 핑시선(平溪線 區間車), 05:19~22:30, 약 1시간 간격, 약 30분 소요, NT$ 20, 스펀(十分) 역 하차 *핑시선 일일주유권(하이커관-루이팡-징퉁) NT$ 80

② 루이팡 역에서 846번(평일 06:00·12:30·15:00·17:00) 버스 이용

*타이베이 ↔ 스펀

MRT 원후선(文湖線) 무자 역(木柵站)에서 타이베이커윈(臺北客運 대북객운) 795(1076)번 버스(NT$ 24), 스펀랴오챠오(十分寮橋) 하차

• 루이팡/스펀 ↔ 핑시

① 루이팡 역에서 핑시선(약 50분 소요, NT$ 27), 핑시(平溪) 하차/스펀 역에서 핑시선(05:46~21:25, 약 1시간 간격, 12분 소요, NT$ 15), 핑시 하차

② 루이팡 역에서 846번(평일 06:00·12:30·15:00·17:00) 버스 이용.

*타이베이 ↔ 핑시

MRT 원후선 무자 역에서 타이베이커윈 795(1076)번 버스(NT$ 24), 핑시 하차

• 루이팡/핑시 ↔ 징퉁

루이팡 역에서 핑시선(약 1시간 소요, NT$ 29), 징퉁(菁桐) 하차/핑시 역에서 핑시선(05:59~21:38, 약 1시간 간격, 4분 소요, NT$ 15), 징퉁 하차

*타이베이 ↔ 징퉁

MRT 원후선 무자 역에서 타이베이커윈 795(1076)번 버스(NT$ 24), 징퉁 하차

▲ 여행 포인트

① 스펀 라오제에서 천등 고르고 철로에서 천등 날리기

② 호쾌하게 스펀 폭포 쏟아지는 폭포

수를 배경을 기념촬영하기

③ 핑시 역에서 핑시선 기차 사진 찍으며 소원 빌어보기

④ 탄광 석저 대사경 유적의 으스스한 풍경 속에 나만의 화보 찍어보기

⑤ 핑시선 종착역인 징퉁역에서 연인과 철로 위를 걸어보기

▲추천 코스

스펀 라오제→스펀 폭포→핑시→징퉁→석저 대사경 유적→대광광업 핑시 초대소

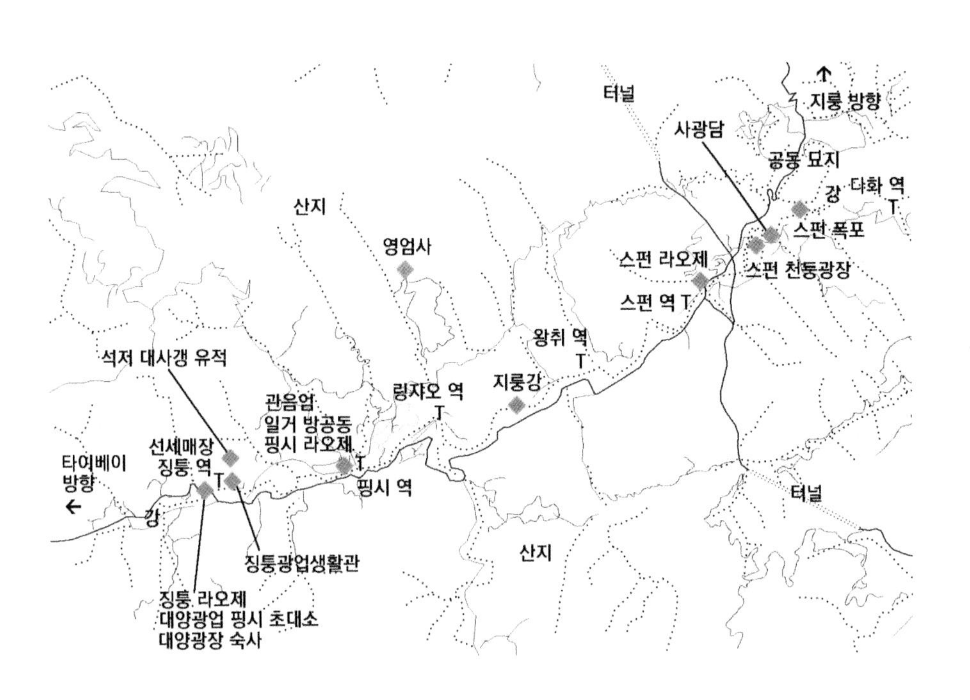

〈스펀(十分)〉

스펀 노가 十分老街 스펀 라오제

스펀(十分) 역에서 이어진 거리로 철로 양쪽에 천등, 텐덩(天燈) 상점, 기념품 상점, 먹거리 노점, 식당 등이 늘어서 있다. 상점이나 식당이 철길과 가깝게 붙어 있어 핑시선(平溪線) 기차가 마

치 시장 통을 가로질러 오는듯하다. 이런 독특한 풍경 때문에 허우샤오시엔(侯孝賢) 감독의 영화 〈련련펑천(戀戀風塵) 1986년〉 촬영지가 되기도 했다. 기차가 다니지 않을 때에는 철로에서 기념촬영을 하거나 철로에서 텐덩을 날리는 사람이 많다.

교통 : 루이팡 역(瑞芳車站)에서 핑시선(平溪線), 스펀(十分) 역 하차. 25분 소요
주소 : 新北市 平溪區 十分 老街
전화 : 02-2495-1510

☆여행 이야기_천등 날리기

천등은 창호지로 만든 역사다리꼴 등을 말한다. 등 안에 종이 또는 솜뭉치 매달려 있어 그것에 불을 붙이면 등이 밝혀진다. 등을 밝혀 하늘로 날리므로 천등이라는 이름이 붙었다. 천등의 발원지는 스펀으로 알려져 있다. 옛날에는 마을 간 긴급한 사항이 있을 때 신호용으로 날리곤 했으나 근년에 들어 새해 소망이나 소원을 적어 날리는 기원용으로 바꿨다. 매년 음력 정월 15일 원소절(정월대보름) 밤, 천등에 소원을 적어 날리는 행사가 유명하고 평소에도 사업번창, 건강기원, 시험합격 등 다양한 소원을 빌 때 날리곤 한다. 최근에는 핑시 지역을 찾는 관광객의 필수체험(?) 코스로 자리 잡기도 했다.
천등의 색에 따라 의미가 달라, 적색(赤色)은 건강과 평안, 황색(黃色)은 금전과 발재(發財 사업번창), 녹색(綠色)은 순심(順心 착한마음), 자색(紫色)은 독서(讀書 공부)와 고시(考試 시험합격), 백색(白色)은 광명(光明 희망), 도홍색(桃紅色)은 인연(만남), 남색(藍色)은 전업과 공작(工作 직업), 귤색(橘色)은 애정과 혼인, 분홍색(粉紅色)은 행복과 쾌락을 뜻한다. 사면의 천등에 이들 색을 조합해 뜻을 만들기도 하는데 '남+귤+백+황'은 건강발재(健康發財 건강과 사업번창), '자+백+홍+분홍'은 만사여의(萬事如意 모든 일이 뜻대로 잘됨), '황+남+적+분홍'은 행복미만(幸福美滿 행복과 원만), '홍+백+남+도홍'은 애정순리(愛情順利 사랑과 순리) 등의 뜻을 나타낸다.

천등은 보통 철로 위에서 날리는데 스펀은 물론 핑시(平溪), 징퉁(菁桐) 등에서도 천등을 날릴 수 있다. 타이완 영화 〈그 시절, 우리가 좋아했던 소녀(那些年 , 我們一起追的女孩) 2011년〉에서 주인공 커징텅과 션자이가 천등을 날리는 장면이 나오는데 촬영지는 핑시와 징퉁이었다. 천등을 날리기 전, 천등상점 주인장이 천등과 함께 기념촬영을 해주고 천등에 불을 붙여 천등 날리는 것을 도와준다.
단색 천등은 NT$ 150, 채색(혼합) 천등은 NT$ 200 내외

사광담 四廣潭 쓰광탄

스펀 여행자센터(十分 旅遊服務中心) 뒤쪽에 지룽허(基隆河) 강이 흐르고 강물이 옴폭한 곳을 만나 연못을 이룬 곳을 쓰광탄(四廣潭)이라고 한다. 쓰광탄이란 이름은 연못 모양이 정방형으로 생긴 것에 기인한다. 쓰광탄은 하류와 약 10m 낙차가 있어 비가 많이 오는 여름에는 폭포가 만들어지기도 한다. 여행자센터 전망대에 오르면 쓰광탄 일대가 한눈에 들어온다.

교통 : 스펀(十分) 역에서 스펀 라오제(十分老街) 지나 우회전, 난산챠오(南山橋) 건너 쓰광탄(四廣潭), 스펀 푸부(十分 瀑布) 방향. 1.5km, 도보 19분/스펀 라오제에서 전기 스쿠터(1시간 NT$ 100) 이용, 스펀 관광대교(十分觀光大橋) 건너 스펀 여행자센터(十分旅遊服務中心) 하차, 여행자센터에서 쓰광탄 방향 도보. 총 4분 소요
주소 : 新北市 平溪區 四廣潭

스펀 폭포 十分瀑布 스펀 푸부

스펀 라오제(十分老街)에서 스펀 폭포(十分瀑布)까지 한가롭게 숲길을 거닐며 이마에 땀이 날 때쯤 스펀 폭포에 도착한다. 스펀 폭포는 높이 12m, 길이 40m의 타원형 폭포로 생긴 모양이

미국 나이아가라 폭포를 닮았다고 해서 타이완의 나이아가라 폭포로 불리기도 한다. 연중 풍부한 수량이 낙하하며 만들어내는 일곱 빛깔 무지개로 인해 무지개 연못, 차이훙위안(彩虹淵)이라고도 한다. 호쾌하게 쏟아지는 폭포수가 시원하고 '쏴-쏴-' 들리는 폭포 소리는 귀를 간질인다. 아울러 폭포 주변에 울창한 산림에서 내뿜는 피톤치드가 상쾌함을 더한다.

폭포까지 갔다면 폭포에서 기념사진만 찍고 바로 올 것이 아니라 주변에서 커피 한잔 마시며 폭포 기운을 느끼고 돌아와도 좋다. *여행 시간 부족하면 스펀 라오제에서 전기 스쿠터를 대여, 이용

교통 : 스펀(十分) 역에서 스펀 라오제(十分老街) 지나 우회전, 난산챠오(南山橋) 건너 쓰광탄(四廣潭), 스펀 폭포(十分瀑布) 방향. 2.2km, 도보 28분/스펀 라오제에서 전기 스쿠터 이용, 징안루(靜安路三段) 직진 후 징안루 392강(靜安路 三段 392巷), 스펀 폭포 표지판 보고 우회전, 주차장 하차, 스펀 푸부 방향, 총 8분

주소 : 新北市 平溪區 乾坑 10號

전화 : 02-2495-8409

시간 : 6~9월 09:00~17:30, 10~5월 09:00~16:30

〈핑시(平溪)〉

핑시 노가 平溪老街 핑시 라오제

핑시(平溪) 역에 내리면 철로에서는 천등(天燈 톈덩)을 날리는 사람들을 볼 수 있다. 역 서쪽 골목으로 발길을 돌리면 1930~1940년대 세워진 목조 건물이 늘어서 핑시 라오제(平溪老街)를 이룬다. 요즘은 핑시선 라인 어디서나 천등을 날릴 수 있으므로 천등 상점이 먼저 눈에 들어오고 기념품 상점, 먹거리 노점, 식당 등도 보인다. 기념품 상점에서 꽃무늬 앞치마, 천등 날리는 장면을 그린 그림엽서, 타이완 농부들이 일할 때 쓰는 대나무 모자 등 기념품을 구입해도 좋다.

교통 : 루이팡 역(瑞芳車站)에서 핑시선(平溪線), 핑시(平溪) 역 하차. 40분 소요. 역에서 핑시 라오제(平溪老街) 방향/MRT 1호선 원후선(文湖線) 무자(木柵) 역에서 타이베이커윈(臺北客運) 795번 버스, 핑시 역 하차
주소 : 新北市 平溪區 靜安路 二段
요금 : 텐덩_단색 NT$ 150, 4색 NT$ 200 내외

일거 방공동 日據防空洞 르쥐팡쿵둥

핑시 라오제에서 우회전 하여 산 쪽으로 올라가면 보이는 동굴이다. 제2차 세계대전 때 일제가 폭격을 피하기 위해 만들었다. 팡쿵둥은 총 5개로 입구의 높이는 약 1.3m이고 내부는 깊지 않고 일부 동굴만 서로 연결되어 있다. 팡쿵둥을 돌아 산으로 올라가면 산정에 일제강점기 때 세워진 종루 바오중러우(報鐘樓)가 있으나 있어야할 종은 사라지고 없다. 종은 마을에 위급 사항을 알리던 역할을 했다.
교통 : 핑시(平溪) 역에서 핑시 라오제(平溪老街) 지나 팡쿵둥(日據防空洞) 방향. 도보 3분

관음엄 觀音嚴 관인옌

1949년 창건되었고 관세음보살과 민간 신앙에 대해 기원을 드리는 사원이다. 1952년 관인옌(觀音嚴)으로 개칭됐으나 관인옌(觀音嚴)이란 이름과 달리 중앙에 관우인 관성디(關聖帝)가 자리하고 있다.
교통 : 핑시(平溪) 역에서 핑시 라오제(平溪老街) 지나 관인옌(觀音嚴) 방향. 도보 3분
주소 : 新北市 平溪區 觀音嚴
시간 : 09:00~18:00

*여행 이야기_핑시선 平溪線
싼댜오링(三貂嶺) 역에서 징퉁(菁桐) 역에 이르는 12.9km 구간을 말한다. 1921년 일제 강점기 때 완공되었고 대양광업(臺陽礦業)의 석탄 운반용으로 사용되어 스디선(石底線)이라고 불렀다. 1980년대 핑시 지역 탄광이 대거 문을 닫음에 따

라 핑시선이 운행을 중단할 운명에 처해졌으나 지역 주민들의 청원에 의해 운행을 계속하게 되었다. 현재, 핑시 지역 관광을 위한 관광 기차로 이용되는데 평일에도 기차를 이용하려는 사람이 많으므로 가급적 일찍 출발하는 것이 좋다.

핑시선은 우리의 전철과 비슷한 취젠처(區間車) 기차가 운행되고 노선은 루이팡(瑞芳)-허우둥(猴硐)-싼댜오링(三貂嶺)-다화(大華)-스펀(十分)-왕구(望古)-링쟈오(嶺腳)-핑시(平溪)-징퉁(菁桐)이다. 루이팡 역에서 해양과학 박물관이 있는 하이커관(海科館) 역까지는 셴아오선(深澳線)이라고 한다. 주요 역의 볼거리는 허우둥 역_먀오춘(猫村 고양이 마을), 싼댜오링 역_싼다오링구다오(三貂嶺古道), 다화 역_다화후쉐(大華壺穴 강가 구멍난 바위), 스펀 역_쓰광탄(四廣潭 사각 연못)·스펀 폭포, 왕구 역_왕국 폭포, 링쟈오 역_링쟈오 폭포, 핑시 역_핑시 라오제, 징퉁역_징퉁 라오제·쾅예셩훠관(礦業生活館 일식 건물) 등

여행 일정은 핑시선을 출발하는 루이팡 역에서 가까운 역부터 보고 마지막 역인 징퉁역에서 돌아오는 것이 좋다. 승차권은 하루 동안 타고 내릴 수 있는 핑시-셴아오선 일일주유권(일반 NT$ 80, 학생 NT$ 40)을 구입해 사용하자. 핑시선 운행 시간은 05:19~22:25, 약 1시간 간격, 징퉁 역 막차는 21:42

〈징퉁(菁桐)〉

징퉁 광업 생활관 菁桐礦業生活館 징퉁 쾅예 셩훠관

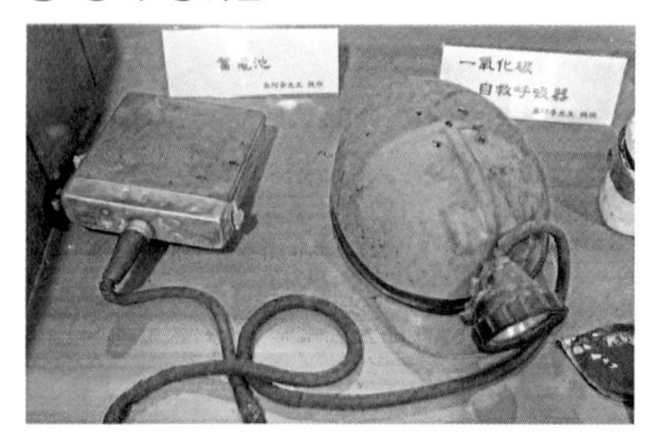

2005년 개관한 지역 박물관으로 1층에 핑시(平溪) 지역의 대표적인 볼거리인 톈덩(天燈)·톄루(鐵路)·푸부(瀑布) 풍경, 2층에 탄광과 탄광촌 모습을 보여준다. 흑백 탄광 사진 당시 열악했던 작업 여건을 잘 보여주고 광부가 쓰던 안전모에서는 광부들의 노고가 서려있는 듯하다.

교통 : 루이팡 역(瑞芳車站)에서 핑시선(平

溪線), 스펀(十分) 역 하차. 44분 소요. 역에서 바로/MRT 1호선 원후선(文湖線) 무자(木柵) 역에서 타이베이커윈(臺北客運) 795번 버스, 징퉁컹(菁桐坑) 하차. 징퉁(菁桐) 역에서 바로
주소 : 新北市 平溪鄉 菁桐村 菁桐街 113-117號
전화 : 02-2495-2749
시간 : 9:30~17:00, 휴무 : 월요일
요금 : 무료

석저 대사갱 유적 石底大斜坑遺址 스디다쉐컹 이즈

1937년 일제강점기 대양광업(臺陽礦業)이 석탄생산을 위해 갱을 파기 시작해 1939년 갱을 완성했다. 갱구의 높이는 해발 254m이고 갱구의 길이는 5km에 달하고 1,000명 이상의 광부가 일했다. 스디다쉐컹(石底大斜坑)은 석탄 매장량이 많고 품질이 우수해 '타이완 메이(台灣煤 타이완 석탄)'이라 불렸다.
현재 폐허가 된 광산 사무실 건물, 자재창고, 폐쇄된 스디다쉐컹, 광차에 석탄을 나르던 철로 등이 남아있다. 한때 광부들로 북적였을 광산은 잡초로 뒤덮여 있어 으스스한 분위기를 낸다. *유적 주위는 **징퉁 석탄기념공원(菁桐煤礦紀念公園)**으로 조성되어 있음.
교통 : 징퉁(菁桐) 역에서 북쪽 언덕 위, 스디다쉐컹 유적(石底大斜坑遺址) 방향. 도보 4분
주소 : 新北市 平溪區 石底大斜坑 遺址

선세매장 選洗煤場 솬시메이창

1939년 세워진 선탄장으로 스디다쉐컹(石底大斜坑)에서 생산된 석탄을 모으고 분류하는 작업을 하는 곳이다. 석탄이 분류되면 징퉁역에 세워진 기차에 석탄을 실어 외부로 보냈다. 이곳 역시 스디다쉐컹의 폐광으로 한동안 방치되다가 현재 일부 건물에서 커피점이 운영되고 있다.

교통 : 징퉁(菁桐) 역에서 북쪽 언덕 위
주소 : 新北市 平溪區 菁桐街 50號
전화 : 02-2495-2513
시간 : 월~금 10:00~20:00, 토~일 09:00~20:00

징통 노가 菁桐老街 징통 라오제

징통(菁桐) 역 앞, 골목에 오래된 목조 건물이 늘어서 징통 라오제(菁桐老街)를 형성한다. 우선, 역사 내에 있는 기념품 판매장인 징통 철도고사관(菁桐鐵道故事館)에서 천등(天燈) 기념품, 부엉이 도기인형, 고양이 캐릭터 가방 등을 살펴보자.

이제 골목으로 나와, 천등 상점, 기념품점, 먹거리 노점, 식당 등을 둘러보며 하늘로 날릴 천등을 구입하거나 꼬치, 옥수수 같은 먹거리를 맛보자. 이곳 천등 상점 역시 천등을 구입하면 철로에서 기념촬영을 해주고 천등을 날리는 것을 도와준다. 징통 라오제 끝에는 천등 모양으로 디자인한 핑시 파출소(平溪分駐所)도 있으니 지나는 길에 살펴보자.

교통 : 징통(菁桐) 역에서 징통 라오제(菁桐老街) 방향, 바로

주소 : 新北市 平溪區 菁桐 老街

전화 : 02-2495-1510

대양광업 핑시 초대소 臺陽鑛業平溪招待所 타이양광예 핑시 자오다이쉬

징통(菁桐) 역 아래 지룽허(基隆河) 강가에 위치한 일식 저택으로 이곳에서 탄광을 운영하던 대양광업(臺陽鑛業)의 숙소 겸 연회장이었다. 원래는 석저구락부(石底俱樂部)라고 불렸다. 대지 600평에 건평 202평의 대저택으로 일본 저택 건축양식을 살펴볼 수 있으나 일반에 개방되지 않는다.

교통 : 징통(菁桐) 역에서 징통 라오제(菁桐老街) 지나 핑시 초대소(平溪招待所) 방향. 도보 4분

주소 : 新北市 平溪區 菁桐街 167號

대양광장 숙사 臺陽鑛長宿舍 타이양광창 수서

1938년 일제 강점기 세워진 일식 저택으로 대양광업(臺陽鑛業)의 소장이 머물던 숙소였다. 저택 주변으로 몇몇 일식 주택들이 세워져 있어 일본 마을 분위기가 난다. 현재 찻집으로 운영되어 차를 마시며 저택 내부를

둘러볼 수 있다. 저택에서 나와, 거리에 서면 지룽허(基隆河) 강 건너편의 핑시 파출소, 솬시메이창(選洗煤場), 징퉁 라오제(菁桐老街) 등이 한눈에 들어온다.

교통 : 징퉁(菁桐) 역에서 핑시 초대소(平溪招待所) 지나 타이양쾅창 수서(臺陽鑛長宿舍) 방향. 도보 4분

주소 : 新北市 平溪區 白石里 白石路 5號

전화 : 황궁차팡(皇宮茶坊)_02-2495-2021

시간 : 10:00~20:00

*레스토랑&쇼핑

철도 열장 鐵道熱腸 톄다오 러창

핑시 라오제(平溪老街)에 위치한 소시지 노점으로 30년 전통을 자랑한다. 메뉴는 닭튀김인 샹수지파이(香酥雞排), 순대인 눠미창(糯米腸), 구운 소시지인 탄카오샹창(碳烤香腸), 소시지 롤인 다창바오샤오장(大腸包小腸) 등. 소시지에 생마늘 끼워 준다는 곳!

교통 : 루이팡 역(瑞芳車站)에서 핑시선(平溪線), 핑시(平溪) 역 하차. 40분 소요. 역에서 핑시 라오제(平溪老街) 방향, 바로 /MRT 1호선 원후선(文湖線) 무자(木柵) 역에서 타이베이커윈(臺北客運) 795번 버스, 핑시 역 하차

주소 : 新北市 平溪區 平溪街 18號

시간 : 10:00~20:00

메뉴 : 샹수지파이(香酥雞排 닭튀김), 눠미창(糯米腸 순대), 탄카오샹창(碳烤香腸 구운 소시지), 다창바오샤오장(大腸包小腸 소시지 롤) NT$ 50 내외

호가 천등 胡家天燈 후지아 톈덩

스펀(十分)은 천등(天燈) 발상지로 알려져 있고 스펀의 여러 천등 상점 중 후지아 천등(胡家 天燈)은 천등 창시점이다. 물론 다른 상점 중에도 천등 창시점을 자처하는 곳이 있기는 하다. 어느 상점이든 천등 단색, 4색의 가격이 같으므로 어느 곳을 이용하든 상관없다.

천등 색깔 별 의미는 상점 내의 한국어 설명을 참고하자. 천등을 구입했다면 원하는 글자를 쓴 뒤 철로로 나가 기념촬영을 하고 날리면 된다.
교통 : 스펀(十分) 역에서 스펀 라오제(十分老街) 방향, 바로
주소 : 新北市 平溪區 十分街 91號
전화 : 0981-333-568
시간 : 08:00~19:00
요금 : 천등 단색 NT$ 150, 4색 NT$ 200 내외

징퉁 철도 고사관 菁桐鐵道 故事館 징퉁 톄다오구스관

징퉁 라오제(菁桐老街)에 위치한 기념품 상점으로 천등(天燈) 기념품, 부엉이 도기인형, 고양이 캐릭터 가방, 기차 모형, 승무원 인형 등 다양한 기념품을 만날 수 있다.
교통 : 징퉁(菁桐) 역에서 징퉁 라오제(菁桐老街) 방향, 바로
주소 : 新北市 平溪區 菁桐街 54號
전화 : 02-2495-1258
시간 : 09:00~19:00

중포아마적점 中埔阿嬷的店 중푸아마더뎬

징퉁(菁桐) 역 남쪽 바이스팅위안(白石庭園) 부근에 있는 동네 매점으로 르번빙(日本冰)이라 불리는 꽃 모양 하드로 인기를 얻고 있다. 상점에서 볼 수 있는 차예단(茶葉蛋)은 찻물에 삶은 계란으로 타이완 사람들이 즐겨먹는 간식. 매점에서 지룽허(基隆河) 건너편 텐덩 모양의 핑시 파출소, 징퉁 라오제(菁桐老街) 일대를 조망하기도 좋다.
매점 내부에는 장난꾸러기 주인장 할머니와 슈퍼주니어의 최시원, 헨리가 함께 찍은 사진이 걸려 있으니 찾아보자.
교통 : 징퉁(菁桐) 역에서 핑시 자오다이쉬(平溪招待所) 지나 중푸아마더뎬(中埔阿嬷的店) 방향. 도보 5분
주소 : 新北市 平溪區 白石里 中埔 190號
전화 : 02-2495-1425
시간 : 08:00~22:00
메뉴 : 르번빙(日本冰 하드), 차예단(茶葉蛋 삶은 계란), 칭차오차(青草茶 청차)

04 지우펀 九份 Jiufen

지우펀은 타이완 동북쪽 옛 광산 마을로 신베이시 루이팡구에 속한다. 옛날 산골에 아홉 가구가 살았는데 인근 마을에서 가져온 생필품을 아홉 가구가 공평하게 나눴다고 하여 지우펀이란 이름이 붙었다고 한다.

1889년경 산골 오지에 불과했던 지우펀에서 금맥이 발견되면서 금광이 개발되기 시작했고 각지에서 사람들이 몰려들었다. 1903년~1904년 일제강점기 때 금 생산량이 일본 본토의 생산량에 필적했으나 해방 후 점차 금광이 쇠락해 1971년 폐광되었다. 지금도 당시에 지어진 일식 건물과 지우펀 금광 박물관, 갱도 같은 금광 유적이 남아 있다.

산비탈의 지우펀 수치루를 따라서는 중국 찻집이 늘어서 있어 지우펀의 풍경을 감상하며 차를 마시기 좋다.

▲ 교통

① MRT 원후선(文湖線)·반난선(板南線) 중샤오푸싱(忠孝復興) 역 1번 출구 뒤, 버스정류장에서 1062번 버스(평일 05:55~21:30, 약 20분 간격, 약 1시간 소요, NT$ 106), 지우펀 라오제(九份老街) 하차
② 타이베이 역에서 취젠처(區間車)/쯔창(自强) 등 05:03~23:32, 취젠처 30분~1시간 간격, 50분 소요, NT$ 49/76, 루이팡(瑞芳) 역 하차. 루이팡 역에서 788, 827번(평일 07:40~17:30, 1시간 간격), 825번(토~일 09:00~18:00, 30분 간격, 22분 소요) 버스, 지우펀 라오제 하차

***지룽 ↔ 지우펀**

지룽(基隆)에서 지룽치처커윈(基隆汽車客運) 788번 버스(평일 05:55~22:15, 약 20분 간격, 1시간 15분 소요), 지우펀 라오제 하차

▲ 여행 포인트

① 지우펀 라오제에서 기념품 쇼핑한 뒤, 식당에서 맛난 것 맛보기
② 수치루 계단 따라 위치한 찻집에서 지우펀 조망하며 차 마시기
③ 지우펀 금광 박물관에서 광부 용품과 황금 원석 살펴보기
④ 지우펀 파출소 부근에서 지우펀 야경 감상하기

▲ **추천 코스** 지우펀 라오제→수치루→승평희원→지우펀 금광 박물관→하해성황묘

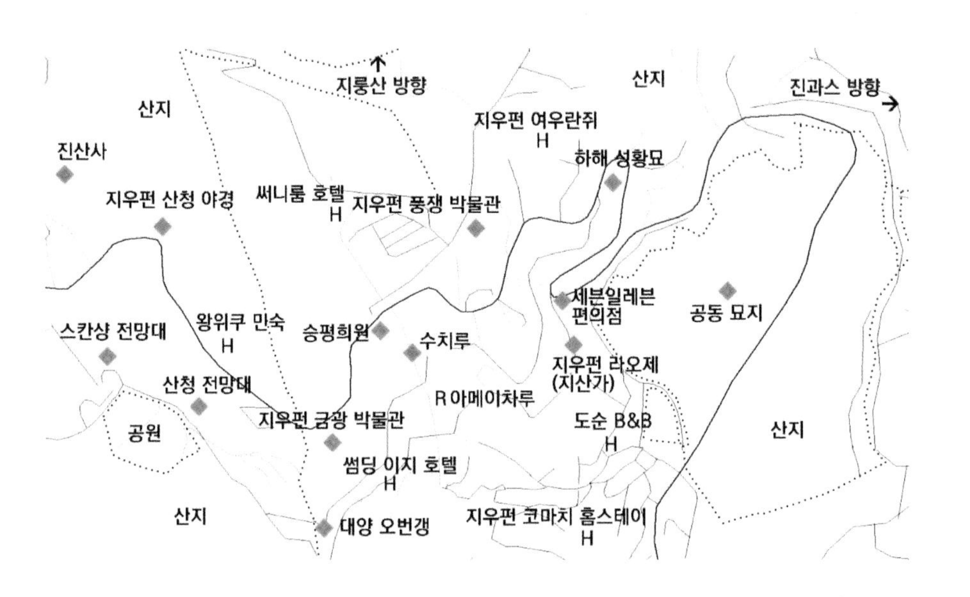

지우펀 노가 九份老街 지우펀 라오제

지우펀 세븐일레븐(7-ELEVEN) 편의점에서 남서쪽으로 이어지는 **지산루(基山街)**에는 기념품점과 식당, 찻집이 늘어서 있어 지우펀의 중심가를 이룬다. 지산루는 산허리를 가로 질러 가는 길로 산허리에 지우펀 사람들이 모여 산다. 관광객들은 편의점에서 지산루 방향으로 걸으며 꼬치, 풀빵, 음료 같은 길거리 음식을 맛보고 간혹 바다 쪽으로 시야가 열리는 곳에서 지우펀의 앞바다 풍경을 감상하기도 한다. 밤이면 골목에 늘어선 홍등에 불이 밝혀져 이국적인 느낌이 들게 한다.

교통 : 지우펀 세븐일레븐(7-ELEVEN) 편의점에서 지산제(基山街) 방향, 바로

주소 : 新北市 瑞芳區 基山街 九份老街

수기로 豎崎路 수치루

지우펀 라오제(九份老街) 중간에서 아래위로 이어진 골목으로 위쪽에 귀신가면으로 유명한 니런우 구이롄관(泥人吳鬼臉館), 아래쪽에 옛 영화관인 셩핑시위안(昇平戲院), 지우펀의 상징이라 할 수 있는 전통찻집들이 자리한다. 좁은 골목을 사이로 홍등을 내걸은 찻집 풍경은 로맨틱한 분위기를 자아내고 찻

집 테라스에서 바다 풍경을 보며 마시는 차 한 잔은 여행을 더욱 풍요롭게 한다.
교통 : 지우펀 세븐일레븐 편의점에서 지산제(基山街) 직진, 지우펀 라오제(九份老街) 중간에서 수치루(豎崎路) 방향. 도보 5분
주소 : 新北市 瑞芳區 豎崎路

니인오 귀검관 泥人吳鬼臉館 니런우구이롄관

수치루(豎崎路) 위쪽에 기묘한 가면으로 유명한 니런우(泥人吳) 박물관이 있다. 2006년 문을 연 박물관에는 장화(彰化) 출신의 공예가 우즈창(吳志强)이 진흙으로 만든 두상과 가면 약 2,000여점을 전시하고 있다. 대부분의 가면은 도깨비나 귀신 형상이고 일부 유명인을 모델로 한 가면도 보인다. ***2023년 현재 폐업**, 청각문창(青角文創) 기념품점 영업.

교통 : 지우펀 세븐일레븐 편의점에서 지산제(基山街) 직진, 지우펀 라오제(九份老街) 방향, 수치루(豎崎路)에서 좌회전. 도보 6분
주소 : 新北市 瑞芳區 豎崎路 7號

승평희원 昇平戲院 성핑시위안

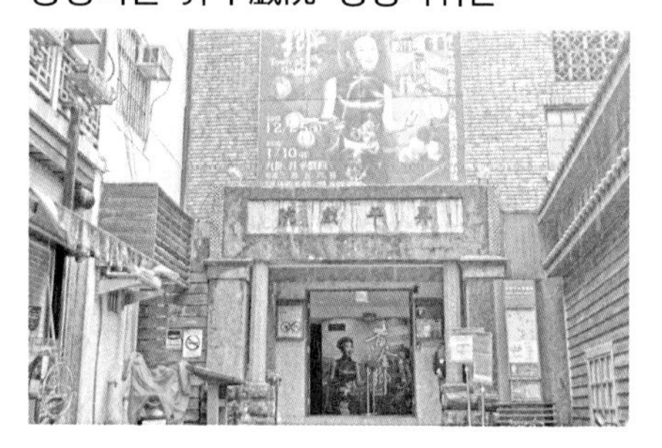

수치루(豎崎路) 아래쪽에 위치한 극장으로 1914년 세워졌다. 당시의 명칭은 시타이쯔(戲臺仔)였고 1951년 지금의 성핑시위안(昇平戲院)으로 개칭됐다. 극장은 1~2층 약 600석 규모로 당시 타이완 북부의 최대 극장이었다.
1920~30년대 골드러시 때 사람들이 몰려 성황을 이루기도 했으나 금맥이 끊기고 영화 인기가 시들해지면서 1986년 폐관하였다. 이 극장에서 상영된 주요 작품으로는 〈베이칭청스(悲情城市 비정성시)〉, 〈둬쌍(多桑)〉, 〈란산카페이(藍山咖啡)〉 등.
현재 극장은 보수를 거쳐 때때로 지우펀의 골드러시 시대를 다룬 〈황진샹(黃金鄉)〉 같은 가무극이나 특별 영화 상영이 열린다. 공연이나 영화가 상영되

지 않을 때에는 극장 내부를 둘러볼 수 있는데 빛바랜 영화 포스터, 옛날 그대로의 매점, 녹슨 영사기 등이 있어 당시의 모습을 상상하게 한다.

교통 : 지우펀 세븐일레븐 편의점에서 지우펀 라오제(九份老街) 직진, 수치루(豎崎路)에서 우회전. 도보 7분

주소 : 新北市 瑞芳區 輕便路 昇平戲院

전화 : 02-2496-2800

시간 : 월~금 09:30~17:00, 토~일 09:30~18:00, 휴무 : 첫째 월요일

요금 : 무료

≫대양 오번갱 臺陽五番坑 타이양 우펀컹

1935년 채광을 시작한 갱으로 타이양(臺陽) 회사에서 운영했다. 이 갱에서는 주로 대간림계단층(大竿林溪斷層)에서 황금을 캐냈다. 수치루(豎崎路) 아래쪽 치처루(汽車路) 건너에는 타이양 광업회사의 사무실이 아직 남아 있다. 대양 오번갱(臺陽五番坑)은 지우펀이 산간 마을이 아닌 광산촌이라는 것을 알려주는 유적! 현재 대양 오번갱이 있는 곳은 **오번갱 기념 공원(五番坑道紀念公園)**으로 조성되어 있다.

위치 : 셩핑시위안(昇平戲院) 뒤쪽

지우펀 금광 박물관 九份金礦博物館
지우펀 진쾅 보우관

1993년 문을 연 광석 박물관으로 지우펀의 채광 역사와 광물에 대해 알 수 있는 곳. 지우펀은 1920~30년대 금광으로 유명했으나 당시는 일제 강점기여서 금광의 혜택은 모두 일제에 돌아갔다. 보우관에 입장하기 전, 우선 입구에 재현해놓은 갱에서 광석을 실어 나르던 갱차와 광부들이 사용하던 헬멧, 전등, 곡괭이 등을 살펴볼 수 있다. 박물관 내부에서 갱에서 캐낸 금광석, 수정 등 진귀한 광석 샘플이 즐비해 살펴보는 재미가 있다.

교통 : 지우펀 세븐일레븐 편의점에서 지우펀 라오제(九份 老街) 직진, 수치루(豎崎路)에서 우회전, 칭피엔루(輕便路)에서 좌회전, 박물관 방향. 도보 10분

주소 : 新北市 瑞芳區 石碑巷 66號

전화 : 02-2496-6379

시간 : 09:00~18:00

요금 : 일반 NT$ 100, 학생 NT$ 80

하해 성황묘 霞海城隍廟 샤하이청황먀오

1923년 문을 연 사원으로 도시의 수호신인 청황(城隍)을 모시고 있고 자오링먀오(昭靈廟 소령묘)라고도 한다. 지우펀이 바닷가 있으므로 수재(水災)나 천재(天災) 등으로부터 마을을 보호하는 역할을 했다. 현재의 건물은 1988년 새로 지은 것으로 2층에서 지우펀 앞바다를 조망하기 좋다.

교통 : 지우펀 세븐일레븐 편의점에서 패밀리마트 지나 샛길 내려가 샤하이 청황먀오(霞海城隍廟) 도보 2분

주소 : 新北市 瑞芳區 汽车路 11號

시간 : 06:00~20:00

지우펀 풍쟁 박물관 九份風箏博物館 지우펀 펑정 보우관

1996년 문을 연 타이완 최고의 연 박물관 겸 민박(民宿)이다. 관장 라이원샹(賴文祥)이 세계 각지에서 수집한 약 2,000여개의 연 중 약 1,000여개를 전시한다. 연의 모양은 용을 닮은 용연, 나비 연, 방패 연, 가오리 연, 창작 연 등으로 매우 다양하다. 박물관에서는 연을 관람하는 것 외 연을 만들어보거나 연 날리기에 대해 배워볼 수 있다. 관람을 마친 뒤에는 용 연(소형 NT$ 1,000)이나 지네 연(중형 NT$ 1,000) 같은 연 제품을 기념품 삼아 구입해도 좋고 광장에서 날려보아도 즐겁다.

교통 : 지우펀 세븐일레븐 편의점에서 패밀리마트 지나 샛길 내려가 샤하이 청황먀오(霞海城隍廟) 거쳐 치처루(汽车路) 직진, 박물관(博物館) 방향. 도보 5분

주소 : 新北市 瑞芳區 坑尾巷 20號

전화 : 02-2496-7709

시간 : 월~금 10:00~17:00, 토~일 10:00~18:00

요금 : NT$ 100 내외

홈페이지 : www.cfkite.com.tw

기륭산 基隆山 지룽산

지우펀(九份)과 진과스(金瓜石) 사이에 위치한 산으로 해발 588m이고 치룽산 화산군에 속하는 원추형 휴화산이다. 지우펀에서 진과스 넘어가는 산등성이에 있는 등산로 입구에서 치룽산으로 올라갈 수 있다. 치룽산에는 큰 나무가

없이 들풀뿐임으로 정상을 보며 등산로를 오르게 된다. 치룽산 정상에 서면 남동쪽으로 진과스, 남서쪽으로 지우편, 북쪽으로 지우펀 앞바다가 한눈에 들어온다.

교통 : 지우펀 버스정류장(패밀리마트)에서 지룽산쟈오까지 도보 8분 또는 지우펀 버스정류장에서 827번 버스, 지룽산쟈오(基隆山腳) 하차. 등산로 입구에서 치룽산 방향, 도보 약 30분

주소 : 新北市 瑞芳區 基隆山

코스 : 850m, 약 30분, 지룽산쟈오(基隆山腳)→지룽산(基隆山) 정상

*레스토랑

소사부 小師父 샤오시푸

수치루(豎崎路) 위쪽에 위치한 식당으로 딤섬인 샤오룽탕바오(小龍湯包), 닭고기 절편인 팡산투지(放山土雞), 고기덮밥인 뤄러우판(魯肉飯), 닭기름 밥인 지여우판(雞油飯) 등 간단히 먹을 수 있는 메뉴를 선보인다.

교통 : 지우펀 세븐일레븐 편의점에서 지우펀 라오제(九份老街) 직진, 수치루(豎崎路)에서 좌회전. 도보 8분

주소 : 新北市 瑞芳區 基山街 155號

시간 : 10:00~20:00

메뉴 : 팡산투지(放山土雞 닭고기 절편) NT$ 250, 뤄러우판(魯肉飯 고기덮밥) NT$ 40, 지요판(雞油飯 닭기름밥) NT$ 20, 샤오룽탕바오(小龍湯包) NT$ 120 내외

아감이우원 阿柑姨芋圓 아간이위위안

수치루(豎崎路) 제일 위쪽에 있는 토란 경단인 위위안(芋圓) 전문점이다. 위위안은 토란에 녹말을 넣고 반죽하여 경단처럼 만들어 찜통에 쪄서 만드는데 찹쌀떡처럼 쫄깃한 식감을 낸다.

교통 : 지우펀 세븐일레븐 편의점에서 지우펀 라오제(九份老街) 직진, 수치루(豎崎路)에서 좌회전. 도보 8분
주소 : 新北市 瑞芳區 豎崎路 5號
전화 : 02-2497-6505
시간 : 09:00~20:30
메뉴 : 위위안(芋圓)+중허더우(綜合豆)/훙더우(紅豆 팥)/뤼더우(綠豆 녹두)/다더우(大豆 콩) 각 NT$ 50, 위위안(芋圓)+중허탕(綜合湯)/훙더우탕(紅豆湯) 각 NT$ 50 내외

희몽인생 戲夢人生 茶飯館 시멍런셩 차판관

찻집 겸 식당으로 찻집이 모여 있는 수치루(豎崎路) 아래쪽에 위치한다. 식당 내부를 옛날 텔레비전이나 전화기, 빛바랜 영화 포스터 등을 꾸며놓은 것이 재미있고 산비탈에 있어 식당 창문으로 바라보는 지우펀 풍경이 멋지다.
*23년 5월 현재 휴업 중!
교통 : 지우펀 세븐일레븐 편의점에서 지우펀 라오제(九份老街) 직진, 수치루(豎崎路)에서 우회전. 도보 6분
주소 : 新北市 瑞芳區 豎崎路 13號
전화 : 02-2496-6639
시간 : 10:00~20:30
휴무 : 화요일
메뉴 : 샤오롱바오(小龍包) NT$ 120, 차샤오바오(叉燒包 찐빵) NT$ 90, 자오파이러우차오판(招牌肉炒飯 볶음밥) 세트 NT$ 250, 뉴러우몐(牛肉麵) 세트 NT$ 250 내외

산해관 山海觀 茶坊 산하이관 차팡

지우펀 라오제(九份老街)에 있는 찻집 겸 식당으로 과일주스, 훠궈((火鍋) 세트, 딤섬, 덮밥, 볶음밥 같은 메뉴를 낸다. 지우펀 라오제에서 바다 쪽에 위치한 찻집이나 식당이라면 어느 곳이든 바다를 조망할 수 있는데 이곳도 창밖으로 바다를 감상하기 좋다.
교통 : 지우펀 세븐일레븐 편의점에서 지우펀 라오제(九份老街) 직진, 도보 6분
주소 : 新北市 瑞芳區 基山街 150號
전화 : 02-2406-3069
시간 : 08:00~23:30
메뉴 : 과일주스 NT$ 120~150, 훠궈(火鍋) 세트 1인 NT$ 250, 딤섬 NT$ 80~100, 덮밥&볶음밥 NT$ 180~220 내외

*찻집

지우펀차방 九份茶房 지우펀차팡

지우펀 라오제(九份 老街)에 위치한 찻집으로 입구에 지우펀차팡(九份茶房)이란 간판과 함께 지우펀예술관(九份藝術館)이란 간판도 보인다. 지우펀차팡은 말 그대로 차를 마실 수 있는 곳이고 지우펀이슈관은 화병이나 찻잔인 자사호를 만들어 전시, 판매하는 곳이다. 이 때문에 지우펀차팡 내부에서 수많은 화병과 자사호, 찻잔을 볼 수 있다.

교통 : 지우펀 세븐일레븐 편의점에서 지우펀 라오제(九份老街) 직진, 도보 5분
주소 : 新北市 瑞芳區 基山街 142號
전화 : 02-2496-9056
시간 : 09:00~21:00
메뉴 : 차, 펑리수(鳳梨酥), 차빙(茶餅 떡), 단가오(蛋糕 카스테라)
홈페이지 :
www.jioufen-teahouse.com.tw

아매차루 阿妹茶樓 아메이차러우

수치루(豎崎路)에서 가장 아름다운 찻집 중 하나로 목조 건물로 되어 있어 더욱 운치가 있다. 내부는 옛날 전화기, 불상 등으로 장식되어 있고 좌석과 의자도 나무 재질이어서 따뜻한 느낌을 준다. 이곳은 영화 〈비정성시(非情成市)〉의 촬영지이기도 했다.

교통 : 지우펀 세븐일레븐 편의점에서 지우펀 라오제(九份老街) 직진, 수치루(豎崎路)에서 우회전. 도보 6분
주소 : 新北市 瑞芳區 市下巷 20號
전화 : 02-2496-0833
시간 : 10:00~21:30
메뉴 : 각종 차, 빙수이궈차(冰水果茶 아이스과일주스), 차빙(茶餅 떡), 위나이좐(芋乃捲 토란 롤), 싱런둥(杏仁凍 아몬드젤리), 덮밥, 면 요리. *좌석 기본료 NT$ 100+음료/음식비(NT$ 600~)
홈페이지 :
www.amei-teahouse.com.tw

비정성시 悲情城市 베이칭청스

아메이차러우(阿妹茶樓) 맞은편에 위치한 찻집 겸 식당으로 찻집이라기보다 식당 분위기가 나는 곳이다. 입구에 빛바랜 사진과 빨간 입간판으로 친절하게 영화 〈비정성시(悲情城市)〉 촬영지임을

밝히고 있으나 내부는 특별할 것이 없다.

교통 : 지우펀 세븐일레븐 편의점에서 지우펀 라오제(九份 老街) 직진, 수치루(豎崎路)에서 우회전. 도보 6분
주소 : 新北市 瑞芳區 豎崎路 35號 2樓
전화 : 02-2496-0852
시간 : 10:00~20:30
메뉴 : 바이샹뤼차(百香綠茶) 1병 NT$ 200, 주여우판(猪油飯 돼지기름 밥), 충여우지(蔥油雞 닭고기 절편), 샤좐(蝦捲 새우 롤), 탕바오(湯包 찐만두) NT$ 150 내외

해열루 관경차방 海悅樓景觀茶坊 하이위에러우 징관차팡

찻집 겸 식당으로 아메이차러우(阿妹茶樓) 맞은편에 위치한다. 수치루(豎崎路)의 찻집 중 가장 뛰어난 조망을 자랑하는 곳 중 하나로 테라스 좌석에 앉으면 지우펀 앞바다가 한눈에 들어온다.

교통 : 지우펀 세븐일레븐 편의점에서 지우펀 라오제(九份老街) 직진, 수치루(豎崎路)에서 우회전. 도보 6분
주소 : 新北市 瑞芳區 九份豎崎路 31號
전화 : 02-2496-7733
시간 : 09:00~21:00
메뉴 : 차 세트 NT$ 400~600, 음료 NT$ 100~160, 커피 NT$ 150, 멘(麵)&판(飯 밥) 요리 NT$ 200~600, 딤섬 NT$ 80~160 내외

구호다어 九戶茶語 주후차위

베이칭청스(悲情城市) 아래에 있는 찻집 겸 식당으로 1층에서 차와 다구, 선물세트를 판매하고 2~3층에서 차를 마시거나 식사를 할 수 있다.

교통 : 지우펀 세븐일레븐 편의점에서 지우펀 라오제(九份老街) 직진, 수치루(豎崎路)에서 우회전. 도보 7분
주소 : 新北市 瑞芳區 輕便路 300號
전화 : 02-2406-3388
시간 : 09:30~20:00
메뉴 : 차&음료 NT$ 200 내외, 요리 세트 NT$ 250/450, 애프터눈 티(下午茶) NT$ 250 내외 *1인 최저 소비 NT$ 200
홈페이지 : www.kunohe.com.tw

05 진과스 金瓜石 Jinguashi

지우펀에서 산을 넘으면 광산 마을 진과스로 신베이시 루이팡구에 속한다.

진과스는 동쪽으로 반핑산(713m)과 우얼차후산, 남쪽으로 찬광랴오산(738.3m)와 무단산(656.9m), 서쪽으로 지룽산(586.8m)과 진과산(571.2m)으로 둘러싸인 분지. 1890년 청나라 말 처음 금맥이 발견되며 금광이 개발되었고 일제강점기 '일본 제일의 금광산', '아시아 제일의 귀금속 광산'이라는 명성을 얻었다. 1905년 진과스 북쪽 수이난둥 바닷가에 구리 제련을 위한 제련소가 세워지기도 했다. 해방 후 점차 금광과 동광이 고갈되자 1985년 제련소, 1987년 광산이 폐쇄되었다.

현재 진과스 황금원구에서 당시 금광 흔적을 살필 수 있는 황금 박물관, 갱도, 일식 저택, 황금 신사 등을 둘러볼 수 있다.

진과스 황금원구 아래쪽에는 광산 유출수가 황금색 폭포를 이룬 황금 폭포, 구리 제련소 유적인 13층 유적이 있어 당시 시대를 상상케 한다.

▲ 교통

① MRT 원후선(文湖線)·반난선(板南線) 중샤오푸싱(忠孝復興) 역 1번 출구 뒤, 버스정류장에서 1062번 버스(평일 06:35~18:35, 약 30분 간격, 약 1시간 5분 소요, NT$ 113), 진과스 황진 박물관(金瓜石黃金博物館) 하차
② 타이베이 역(台北車站)에서 취젠처(區間車)/쯔창(自强)등, 05:03~23:32, 취젠처 30분~1시간 간격, 약 50분 소요, NT$ 49/76, 루이팡 역(瑞芳車站) 하차. 루이팡 역에서 788, 827번(평일 07:40~17:30, 1시간 간격), 825번(토~일 09:00~18:00, 30분 간격, 27분 소요) 버스, 진과스 황진 박물관 하차

***지룽 ↔ 진과스**
지룽(基隆)에서 지룽치처커윈(基隆汽車客運) 788번 버스(평일 05:55~22:15, 약 20분 간격, 1시간 20분 소요), 진과스 황진 박물관 하차

***진과스 시내교통**
진과스 버스정류장에서 황금 박물관, 본산 5갱, 황금 신사는 도보 가능, 황금 폭포, 진과스 13층 유적은 버스 이용.

▲ 여행 포인트

① 황금 박물관에서 지우펀과 진과스의 광산 역사와 문화를 살펴본다.
② 진과스 황금원구 위쪽의 황진 신사에서 진과스 풍경을 조망한다.
③ 반짝반짝 사금이 흘러내리는 듯한 황금 폭포를 배경으로 기념촬영하기
④ 일제 때 건설된 진과스 13층 유적에서 당시의 풍경을 떠오려 본다.

▲ 추천 코스

황금 박물관→번산 오갱→황금 신사→황금 인상 커피숍→황금 폭포→진과스 13층 유적

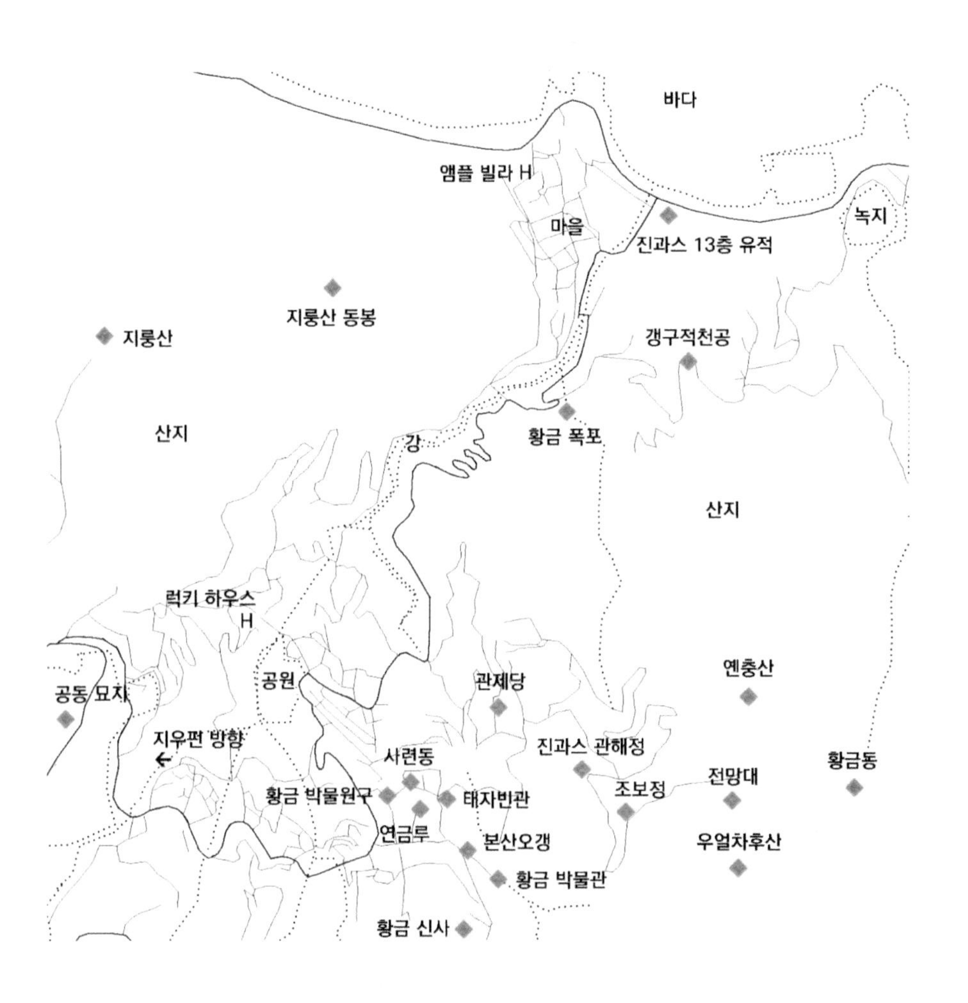

황금 박물원구 黃金博物園區 황진 보우위안취

일제 강점기 일본광업의 광산이 있던 번산(本山) 지역을 광산 박물관으로 리모델링하였다. 이곳에서 주로 금이 출토되어 황진 박물원구(黃金博物園區)라고 불린다. 황진 박물원구 입구의 여행자센터(遊客中心)에서 개괄적인 정보를 얻을 수 있고 안쪽으로 일본인 직원의

숙소로 쓰였던 쓰리안둥(四連棟), 출토된 금을 보관했던 리안진러우(煉金樓),

당시 히로히토(裕仁) 왕세자의 숙소로 쓰인 타이쯔빈관(太子賓館), 금광인 번산 우컹(本山五坑), 광산 박물관인 황진 박물관(黃金博物館), 일제 신사인 황진 신사(黃金神社) 순으로 돌아볼 수 있다.

교통 : MRT 원후선(文湖線)·반난선(板南線) 중샤오푸싱(忠孝復興) 역 1번 출구 버스정류장에서 루이팡(瑞芳)·지우펀(九份) 경유 지룽커윈(基隆客運) 1072번 버스, 진과스 황진 박물관 하차/지룽처잔(基隆車站)에서 지우펀(九份) 경유 지룽커윈(基隆客運) 788번 버스, 진과스 황진 박물관 하차

주소 : 新北市 瑞芳區 金瓜石金光路 8號

전화 : 02-2496-2800

시간 : 월~금 09:00~17:00, 토~일 09:00~18:00, 휴무 : 첫째 월요일

요금 : NT$ 80 *사련동, 환경관, 연금루, 금수특별전시실, 황금관 입장

홈페이지 : www.gep.ntpc.gov.tw

≫사련동 四連棟 쓰리안둥

진과스 지구에서 가장 보존이 잘된 일식 건물로 1930년대 일본광업에 의해 세워졌다. 당시 일본인 직원과 가족들이 사용했고 해방 후에는 대금공사(臺金公司)의 직원숙소로 이용되었다. 현재 생활미학 체험방(生活美學體驗坊)이란 이름으로 개방된다.

교통 : 황진 박물원구 여행자센터(黃金博物園區遊客中心)에서 바로

≫연금루 煉金樓 리안진러우

일제강점기 금광에서 캐낸 황금을 보관하던 장소였고 해방 후 대금공사(臺金公司) 건물로 쓰였다. 황진 박물관(黃金博物館) 개관 뒤에는 금 제련법을 알려주는 전시장으로 이용된다. 리안진러우(煉金樓) 옆 환징관(環境館)은 1974년 지어졌고 대금공사의 클럽 및 식당으로 이용되었다.

교통 : 황진 박물원구 여행자센터(黃金博物園區遊客中心)에서 쓰리안둥(四連棟) 지나 우회전 계단 위쪽. 도보 1분

≫태자빈관 太子賓館 타이쯔빈관

1922년 당시 일본의 다나카(田中)광업

이 히로히토(裕仁) 왕세자의 방문을 맞아, 세운 일식 저택이다. 해방 후에는 장제스(蔣介石) 총통의 휴가를 위한 별장으로 이용한 적이 있다. 1995년 전체적으로 보수하였고 2007년 고적으로 지정되며 일반에 개방되었다. 건물은 하늘에서 볼 때 '凹'자를 앞뒤로 붙여놓은 모양으로 일본식과 서양식이 절충된 양식.

교통 : 황진 박물원구 여행자센터(黃金博物園區遊客中心)에서 진과스 파출소(金瓜石派出所) 지나. 도보 2분

≫본산 오갱 本山五坑 번산 우컹

진과스(金瓜石) 지구의 총 갱도 길이는 약 600km가 넘고 황진 박물관((黃金博物館) 남쪽 번산(本山)에 9개의 갱이 있었다. 이중 번산 5갱을 보수하여 약 200m 정도 일반에 광산 체험형식으로 개방하고 있다. 번산 5갱은 해발 약 295m 지점에 위치한다. 황진 박물관 북쪽의 진과스 광산은 1972년 금광 채굴이 정지되었고 번산 광산은 1978년 철수하였다.

광산 체험은 입구에서 안전모를 쓰고 운행을 멈춘 광차를 본 뒤, 번산 5갱으로 들어간다. 바위틈으로 물방울이 떨어지는 광산 안에는 광부들이 광석 캐는 모습, 도시락 먹는 모습 등이 마네킹으로 실감나게 재현되어 있다.

교통 : 황진 박물원구 여행자센터(黃金博物園區遊客中心)에서 진과스 파출소(金瓜石派出所) 지나. 도보 2분

요금 : NT$ 50

≫황금 박물관 黃金博物館 황진 보우관

번산 우컹(本山五坑) 옆에 위치한 박물관으로 220kg의 황금을 전시하고 있어 황진관(黃金館)으로도 불린다. 1층 전시장에서 지우펀과 진과스 지역의 광산 역사와 광산 관련 물품을 살펴볼

수 있고 2층 전시장에서는 고대 동서양의 황금의 역사, 관혼상제에 쓰인 황금 제품 등이 있어 눈길을 끈다. 3층 도금 체험장에서는 금속에 황금이 입혀지는 신기한 과정을 직접 확인해볼 수 있다.

교통 : 황진 박물원구 여행자센터(黃金博物園區遊客中心)에서 진과스 파출소(金瓜石派出所) 지나. 도보 7분

주소 : 新北市 瑞芳區 金光路 8號

전화 : 02-2496-2800

시간 : 보우관_월~금 09:30~17:00, 토~일 09:30~18:00, 도금체험_10:30, 11:30, 13:30, 14:30, 15:30(1회 인원 50명, 체험시간 약 30분)

휴무 : 매월 첫째 월요일

요금 : 도금체험_NT$ 100(1층 매표소)

예약 : 최소 1주일 전화 예약

≫황금 신사 黃金神社 황진 선서

번산(本山) 산기슭에 위치한 일본 신사로 원래 1905년 황진 박물관(黃金博物館) 북쪽에 세워졌다가 1933년 현재의 자리로 이전되었다. 해방 후 관리하는 사람이 없어 폐허상태로 남아 있다.

교통 : 황진 박물원구 여행자센터(黃金博物園區遊客中心)에서 황진 박물관(黃金博物館) 지나 황진 신사(黃金神社) 방향. 도보 13분

주소 : 新北市 瑞芳區 黃金 博物館園區

무이다호산 無耳茶壺山 우얼차후산

진과스 동쪽의 찻주전자 모양의 산으로 황진 신사(黃金神社)에서 그 모양을 잘 볼 수 있다. 산 이름인 우얼차후산(無耳茶壺山)은 '귀(손잡이)가 없는 찻주전자 산'이란 뜻으로 차후산이라 불리기도 한다. 촨지탕(勸濟堂) 사원에서 등산을 시작해 우얼차후산으로 올라갈 수 있는데 산에 나무가 없어 정상을 보며 방향을 잡기 좋다. 촨지탕은 1896년 청나라 광서 26년에 창건된 도교 사원으로 사원 지붕 위에서 책을 보고 있는 조각은 관우인 관셩디쥔(關聖帝君)이다.

교통 : 황진 박물관(黃金博物館)에서 891번 버스 촨지탕(勸濟堂) 하차. 촨지탕 뒤쪽 등산로 입구에서 우얼차후산 방향

주소 : 新北市 瑞芳區 金瓜石 無耳茶壺山
코스 : 1.4km, 약 40~50분 소요/찬지탕-우얼차후산

황금 폭포 黃金瀑布 황진 푸부

진과스 북쪽 산기슭에서 물이 흘러내려 폭포를 이루고 폭포 표면이 밝은 갈색이어서 황금 폭포라 한다. 여러 갈래로 흐르는 폭포수가 제법 볼만한데 천연 폭포는 아니고 번산 류컹(本山六坑)과 장런 우컹(長仁五坑)에서 흘러나오는 침출수이다. 실제 폭포 표면의 밝은 갈색은 황금과는 관계없이 비소(砷), 구리(銅) 같은 광물질이 침착되어 보이는 것이다.

교통 : 황진 박물관(黃金博物館)에서 891번 버스 황진 폭포(黃金瀑布) 하차/826번 버스(토~일 09:00~18:00, 약 1시간 간격) 황진 폭포 하차
주소 : 新北市 瑞芳區 黃金 瀑布

갱구적천공 坑口的天空 컹커우더텐쿵

옛 제련소인 진과스 스싼청 유적(金瓜石十三層遺址)의 최상층부이다. 산비탈을 따라 옛 제련소를 지었기 때문에 황진 푸부에서 약간 언덕을 오르면 진과스 스싼청 이즈의 최상층부에 도달한다. 이곳에서 수이난둥(水湳洞) 앞바다를 한눈에 조망할 수 있고 옛 제련소 건물을 살펴보기도 좋다.

또한 근처에 우얼차후산(無耳茶壺山)으로 오를 수 있는 등산로가 있어 관심이 있다면 등산을 즐겨도 괜찮다. 컹커우더텐쿵 서쪽의 산은 지룽산(基隆山)인데 풀밭만 있는 산 남쪽과 달리 산 북쪽에는 화산의 흔적인 검은 암릉으로 되어 있어 다헤이진강산(大黑金剛山)이라고 부른다.

교통 : 황진 폭포(黃金瀑布)에서 북쪽으로 직진 후 우회전 컹커우더텐쿵(坑口的天空) 방향. 도보 16분
주소 : 新北市 瑞芳區 坑口的天空

진과스 13층 유적 金瓜石十三層遺址 진과스 쓰싼청 이즈

일제강점기 세워진 제련소로 산비탈을 따라 13층으로 건축되어 진과스 쓰싼청 유적(金瓜石十三層遺址)라고 한다.

제2차 세계 대전 시 미군의 폭격으로 파괴되었고 해방 후에는 타이완동광에서 접수하여 제품을 생산했다. 1985년 생산이 중지되었고 이후 방치되어 오늘에 이른다. 수이난둥(水湳洞) 바닷가까지 내려가면 유적 전체를 볼 수 있다.
교통 : 황진 폭포(黃金瀑布)에서 북쪽으로 가다가 좌회전 후 길 따라 바다 방향. 도보 16분/황진 폭포에서 891번 버스 수이난둥 팅처창(水湳洞停車場) 하차
주소 : 新北市 瑞芳區 金瓜石 十三層 遺址

*레스토랑&카페

금광정 식당 金礦晶食堂 진광징 쉬탕

황진 박물원구(黃金博物園區) 입구에서 제일 가까운 곳에 있는 식당이다. 메뉴는 광부 도시락인 쾅궁벤당(礦工便當).
위치 : 황진 박물원구 입구에서 바로
메뉴 : 돼지/소고기/닭다리/채식 쾅궁벤당(礦工便當) 각 NT$ 180 내외

광공 식당 礦工食堂 쾅궁 쉬탕

광산 파출소인 진과스 파출소(金瓜石派出所) 지난 곳에 있는 목조 건물로 광부 도시락인 쾅궁벤당(礦工便當)을 판매하는 곳이다. 광부 도시락은 예전 광부들이 먹던 도시락을 재현한 것으로 둥근 스테인리스 도시락 통에 밥, 돼지갈비, 반찬 등을 차곡차곡 올려, 완성한다. 식사 후, 도시락 통을 가지고 갈 수도 있다.

위치 : 황진 박물원구(黃金博物園區) 입구에서 도보 2분
메뉴 : 쾅궁벤당(礦工便當 광부도시락+통) NT$ 290, 무피안벤당(木片便當 나무도시락) NT$ 200, 파이구판(排骨飯 돼지갈비 밥) NT$ 180, 뉴러우멘(牛肉麵) NT$ 180, 아메리카노(美式咖啡) NT$ 90 내외

4. 호텔&호스텔

01 특급 호텔

팔레 드 쉰 호텔 君品酒店 PALAIS de CHINE HOTEL 쥔핀주뎬

타이베이처잔(台北車站 기차역) 북쪽에 위치한 특급 호텔로 97개 싱글룸, 175개 더블룸, 12개 스위트 등 총 286개의 객실을 보유하고 있다.

교통 : MRT 단수이신이선(淡水信義線)·반난선(板南線) 타이베이 역(台北車站)에서 지상의 타이베이 역(기차역) 지나 호텔 방향 Y7번 출구, 도보 4분

주소 : 台北市 大同區 承德路 一段 3號

전화 : 02-2181-9999

요금 : 슈페리어트윈 NT$ 5,750, 디럭스 킹/디럭스 트윈 각 NT$ 6,050 내외

홈페이지 :
www.palaisdechinehotel.com

카이사르 파크 호텔 凱撒大飯店 CAESAR PARK 카이사르다판뎬

타이베이처잔 남쪽에 있어 기차역과 MRT역과의 접근성이 매우 뛰어난 특급 호텔이다. 객실은 슈페리어, 디럭스, 스위트 등 6가지 종류가 있고 총 객실 수는 478개에 이른다.

교통 : MRT 단수이신이선·반난선 타이베이 역에서 M6 출구, 도보 1분
주소 : 台北市 中正區 忠孝西路 一段 38號
전화 : 02-2311-5151
요금 : 슈페리어 NT$ 4,205, 메트로 NT$ 4,750, 메트로폴리스 NT$ 4,932, 스위트 NT$ 6,700 내외
홈페이지 :
http://taipei.caesarpark.com.tw

오쿠라 프리스티지 호텔 大倉久和大飯店 The Okura Prestige 오쿠라주허다판뎬

MRT 중산 역 부근에 위치한 일본계 특급 호텔이다. 객실은 프리스티지 트윈, 프리스티지 킹 등으로 다양하고 부대시설로는 옥상에 노천온수수영장, 사우나, 피트니스센터 등이 있다.

교통 : MRT 단수이신이선·쑹산신뎬선(松山新店線) 중산(中山) 역 4번 출구에서 호텔 방향, 도보 3분
주소 : 台北市 中山區 南京東路 一段 9號
전화 : 02-2523-1111
요금 : 프리스티지 트윈 NT$ 6,900, 프리스티지 킹 NT$ 7,400, 오쿠라 프리스티지 킹 NT$ 7,900 내외
홈페이지 : www.okurataipei.com.tw

리젠트 호텔 晶華酒店 Regent 장화쥬뎬

오쿠라 프리스티지 호텔(大倉久和大飯店) 북쪽에 위치한 특급 호텔로 슈페리어에서 스위트까지 총 478개의 객실을 갖추고 있다.

웨스트 게이트 호텔 永安棧 West Gate Hotel 융안잔

타이베이 중심 시먼(西門) 역에서 가까운 곳에 있는 특급호텔이다. 객실은 슈페리어, 디럭스, 프리미어, 시티뷰, 스위트 등 121개이고 객실 내에 침대, TV, 욕실 등 기본 시설이 충실하다.

타이베이 W호텔 台北 W飯店 타이베이 W판뎬

MRT 시정푸(市政府) 역 부근에 위치한 최고급 호텔로 원더플룸, 패블러스룸, 스펙타큘러룸 등 넓고 고급스런 객실을 보유하고 있다.

르 메르디앙 타이베이 台北寒舍艾美酒店

쇼핑센터, 특급호텔이 모여 있는 스정푸(市政府) 지역에 있는 최고급 호텔이다. 가장 저렴한 프리미어룸의 가격이 NT$ 8,300이고 가장 비싼 스위트는 NT$ 20,000에 달한다.

그랜드 호텔 圓山大飯店 The Grand Hotel 위안산다판뎬

중국풍의 최고급호텔로 한국예능 〈꽃보다 할배〉에 등장한 적이 있는 곳이다. 1952년 세워진 14층 건물에 스탠더드, 치린룸, 디럭스, 스위트 등 500개의 객실을 보유하고 있다. 특이하게 호텔 내 박물관(圓山文物館)에 있어 오래된 중국과 타이완 문화재를 관람할 수 있다.

교통 : MRT 단수이신이선 위안산(圓山) 역 또는 젠탄(劍潭) 역에서 택시 이용

주소 : 台北市 中山區 中山北路 四段 1號

전화 : 02-2886-8888

요금 : 봉주르 패키지_스탠더드 NT$ 9,000, 치린룸 NT$ 12,100, 디럭스 NT$ 13,200 내외

홈페이지 : www.grand-hotel.org/taipei

02 비즈니스(중급) 호텔

시티 인 호텔 新驛旅店-復興北路店 City Inn Hotel 신이뤼뎬

MRT 중산궈중(中山國中)역 인근에 위치한 호텔로 쑹산공항과도 가깝다. 건물은 일본 건축팀이 세웠고 객실은 타이완의 인테리어 전문가가 모던하게 꾸몄다. 엘리트, 엘리트트윈, 트리플룸 등 120개의 객실은 보유하고 있다.

교통 : MRT 원후선(文湖線) 중산궈중(中山國中)역에서 호텔 방향, 도보 2분

주소 : 台北市 中山區 復興北路 338號

전화 : 02-2515-8777

요금 : 엘리트 NT$ 1,900, 엘리트트윈 NT$ 2,100, 트리플룸 NT$ 2,400 내외

홈페이지 : www.cityinn.com.tw

오렌지 호텔 福泰桔子商務旅館 Forte Orange Hotel 푸타이졔즈샹우뤼관

리틀 도쿄로 불리는 린썬베이루(林森北路) 지역에 있는 호텔이다. 객실은 심플하게 꾸며진 스탠더드, 디럭스, 스탠더드트윈 등이 있다.

교통 : MRT 단수이신이선(淡水信義線)·쑹산신뎬선(松山新店線) 중산(中山)역 2번 출구에서 린썬베이루(林森北路) 방향, 도보 7분

주소 : 台北市 中山區 林森北路 139號

전화 : 02-2563-2688

요금 : 스탠더드 NT$ 2,400, 디럭스 NT$ 2,600, 스탠더드트윈 NT$ 2,800 내외

홈페이지 : www.orangehotels.com.tw

와이(Y) 호텔 타이베이 台北 青年國際旅館 Y Hotel Taipei 타이베이 칭녠궈지뤼관

MRT 타이베이 역(台北車站)과 가까운 곳에 있는 호텔로 타이베이에서 다른 지역으로 이동하기 편리하다. 객실은 슈페리어더블, 슈페리어트윈, 슈페리어트리플 등이 있고 객실 내 침대, TV, 욕실 등 기본시설이 잘되어 있다.

교통 : MRT 단수이신이선·반난선(板南線) 타이베이 역(台北車站) 역 6번 출구에서 호텔 방향, 도보 1분

주소 : 台北市 中正區 許昌街 19號

전화 : 02-2311-3201

요금 : 슈페리어더블 NT$ 2,500, 슈페리어트윈 NT$ 3,000, 슈페리어트리플 NT$ 4,000 내외

홈페이지 : www.ymcataipei.org.tw

뮤직 호텔 儷夏商旅 西門捷運館 Muzik Hotel 리샤샹뤼

타이베이 젊음의 거리 시먼딩에 위치한 호텔이다. 객실은 슈페리어 더블과 트윈, 디럭스 더블과 트윈, 트리플룸으로 구성되어 있다.

교통 : MRT 쑹산신뎬선·반난선 시먼(西門) 역 6번 출구에서 호텔 방향, 도보 3분

주소 : 台北市 萬華區 中華路 一段 90號

전화 : 02-2311-6168

요금 : 슈페리어더블 NT$ 2,140, 슈페리어트윈 NT$ 2,320, 디럭스더블 NT$ 1,870, 디럭스트윈 NT$ 1,960 내외

홈페이지 : www.muzikhotel.com.tw

호텔 73 新尚旅店 Hotel 73 신샹뤼뎬

젊은 감각으로 꾸며진 호텔로 스탠더드, 디럭스, 엘리트, 패밀리룸 등의 객실을 보유하고 있다.

교통 : MRT 단수이신이선·중화신뤼선(中和新蘆線) 둥먼(東門) 역 2번 출구에서 바로

주소 : 台北市 中正區 信義路 二段 73號

전화 : 02-2395-9009

요금 : 스탠더드 NT$ 2,300, 디럭스 NT$ 2,600, 엘리트 NT$ 2,900, 패밀리룸 NT$ 4,000 내외

홈페이지 : www.hotel73.com

03 저가 호텔&호스텔

퍼플 가든 호텔 紫園大飯店 Purple Garden Hotel 즈위안다판뎬

MRT 중산(中山) 역과 타이베이 역 중간에 위치한 호텔로 미술관 당다이 이슈관(當代藝術館) 옆에 있다. 객실은 스탠더드, 트윈, 패밀리룸 등으로 단출하고 객실 내부도 침대, TV, 욕실등 기본 시설만 있다.

교통 : MRT 단수이신이선(淡水信義線)·쑹산신뎬선(松山新店線) 중산(中山) 역 R4번 출구에서 바로

주소 : 台北市 大同區 南京西路 18巷 30號

전화 : 02-2555-7178

요금 : 스탠더드 NT$ 1,800, 트윈 NT$ 1,800~2,100, 패밀리룸 NT$ 2,800 내외

홈페이지 : www.purplegarden.com.tw

호텔 비세븐(B7) Hotel B7

젊은 감각으로 꾸민 객실이 인상적인 호텔이다. 객실은 싱글룸, 2인 이용 가능한 뱅크 도미토리, 스탠더드더블, 스탠더드트윈 등이 있다.

교통 : MRT 단수이신이선·반난선 타이베이 역 M6번 출구에서 타이완 박물관(臺灣博物館) 방향. 도보 9분

주소 : 台北市 中正區 重慶南路 一段 111號

전화 : 02-2383-2088

요금 : 싱글룸 NT$ 1,300, 벙크 도미토리 NT$ 1,500, 스탠더드더블 NT$ 1,700, 스탠더드 트윈 NT$ 2,100 내외

홈페이지 : www.hotelb7.com.tw

이씨에프에이 호텔 愛客發商務旅館 昆明館 ECFA Hotel 아이커파샹우뤼관

젊음의 거리 시먼딩에 있어 쇼핑이나 식사를 하기 좋은 곳이다. 별다른 부대시설 없고 객실은 심플함 그 자체이나 이용하는데 불편은 적다.

티오 호텔 T.O. Hotel 野趣旅舍 예취뤼서

동네에 있는 작은 호텔이지만 객실은 그런대로 깔끔한 편이다. 1층에 카페가 있어 조식을 먹거나 커피 한잔을 하기 좋다.

교통 : MRT 단수이신이선 썅롄(雙連)역 2번 출구에서 닝샤 야시장 방향으로 가다가 사거리에서 좌회전, 호텔 방향, 도보 6분

주소 : 台北市 大同區 承德路 二段 28號

전화 : 02-2552-1300

요금 : 더블 NT$ 1,500, 쿼드러플 NT$ 2,480 내외

홈페이지 : https://tohotel.ezhotel.com.tw/2

문 호텔 新月商旅 The Moon Hotel 신위에샹뤼

린썬베이루(林森北路) 동쪽에 위치한 호텔이다. 침대, TV, 욕실 등 기본 시설을 갖춘 객실은 하룻밤을 보내는데 불편이 없다.

〈타이베이〉

플립플록 호스텔 夾腳拖的家 Flipflop Hostel 쟈쟈오투오더지아

타이베이처잔 북쪽, 쇼핑센터 스샹광창(時尚廣場 Q Square) 지난 곳에 있어 기차역과 MRT역, 버스터미널에서의 접근성이 매우 좋다. 약간 좁지만 도미토리에서 지낼 만하고 여러 사람과 이용하는 것이 불편한 사람은 싱글룸이나 더블룸 이용.

교통 : MRT 단수이신이선(淡水信義線)·반난선(板南線) 타이베이 역(台北車站) Y8 또는 Y5출구 나와, 스샹광창(時尚廣場 Q Square) 지나 우회전. 도보 2분

주소 : 台北市 大同區 華陰街 103號

전화 : 02-2558-3553

요금 : 도미토리 6인/4인실 NT$ 600/650, 실글룸 NT$ 900, 더블룸 NT$ 1,400 내외

홈페이지 : www.flipflophostel.com

엔젤스 호스텔 天使青旅 台北西門 Angels' Hostel Taipei Ximen 톈스칭뤼

MRT 시먼(西門) 역과 타이완 박물관(臺灣博物館) 중간에 위치한 호스텔이다. 시설은 도미토리, 부엌, 휴게실 등을 갖추고 있는데 새롭게 리모델링을

한 것이다.
교통 : MRT 쑹산신뎬선·반난선 시먼(西門) 역 4번 출구에서 호스텔 방향, 도보 1분
주소 : 台北市 中正區 衡陽路 51號
전화 : 02-2313-1319
요금 : 도미토리 여성전용/남녀공용 NT$ 599 내외
홈페이지 : http://hostel.angelhotel.com.tw

씨유 호텔 CU HOTEL Taipei 西悠飯店 台北店 씨유판뎬

닝샤(寧夏) 야시장 부근에 위치한 호스텔이다. 객실은 도미토리, 싱글룸, 더블룸 등을 갖추고 있고 공동욕실과 샤워실을 사용한다.

펀 타이베이 백팩커스 스린마켓 乐趣台北旅舍 Fun Taipei Backpackers @SHILIN NIGHT MARKET
스린(士林) 야시장 입구에 위치한 호스텔로 도미토리와 3~4인실이 있고 간단한 조식이 제공된다.

〈지우펀〉

산해관 山海觀 民宿 산하이관
진스커잔 옆에 있는 민쑤(民宿)로 침대와 창가 거실(?), 욕실 등 기본 시설이 잘 갖추어져 있다.
요금 : 일~금 NT$ 1,800(1~2인, 조식), 토~일 NT$ 2,400 내외
예약 : 전화_09-7288-7200
이메일_jfshg217@gmail.com
홈페이지 : www.jiufenhotel.com

온 마이웨이 On My Way Jiufen Hostel&Backpacker 途中九份國際青年旅社 다오중 지우펀궈지칭녠루서
지우펀 세븐일레븐(7-ELEVEN) 편의점에서 가까운 곳에 있는 호스텔이다. 2층 침대가 있는 도미토리는 남녀로 구분되어 있어 이용하기 편리.
요금 : 도미토리 NT$ 600 내외
홈페이지 : www.onmywayhostel.com/jiufen

플립 플롭 호스텔 Flip Flop Hostel Jiufen 夾腳拖的家 쟈쟈오투오더지아
진스커잔(金石客棧) 지난 곳에 위치한 호스텔로 옛 저택을 개조해 사용한다. 도미토리는 남녀공용이나 이용자 모두 피곤이 쌓인 여행자임으로 그런대로 지낼 수 있다.
요금 : 도미토리 NT$ 700, 더블룸 NT$ 2,400 내외

5. 여행 정보

01 여권

해외여행은 해외에서 신분증 역할을 하는 여권(Passport) 만들기부터 시작한다. 여권은 신청서, 신분증, 여권 사진 2장, 여권 발급 비용 등을 준비해 서울시 25개 구청 또는 지방 시청과 도청 여권과에 신청하면 발급받을 수 있다. 여권의 종류는 10년 복수 여권, 5년 복수 여권, 1년 단수 여권(1회 사용) 등으로 나뉜다. 여권은 보통 전자 칩이 내장된 전자 여권으로 발급된다. 예전 여권 표지 색은 녹색, 새로운 여권 색은 청색으로 발급!

***대한민국 국민은 타이완 무사증(무비자) 입국, 90일 체류가능**

외교부 여권_www.passport.go.kr

준비물_신청서(여권과 비치), 신분증(주민등록증, 운전면허증 등), 여권 사진 1매(6개월 이내 촬영), 발급 수수료(10년 복수 여권 5만 3천 원/5년 복수 여권 4만 5천 원/1년 단수 여권 2만 원) *병역미필자(18세~37세)_여권 발급 가능. 단, 출국 시 국외여행 허가서(병무청) 필요!
주의 사항_여권과 신용카드, 항공권 구매 등에 사용하는 영문 이름이 같아야 함/여권 유효 기간이 6개월 이내일 경우 외국 출입국 시 문제생길 수 있으므로 연장 신청.

*여행 팁_타이완 기후와 여행 시기

타이완은 한국보다 위도가 아래에 있어 사계절이 뚜렷하지 않고 사철 더운 편이다. 평균 온도는 7~8월이 가장 덥고 1~2월이 가장 추우며 평균 강수량은 8~9월에 가장 많고 12월~2월은 가장 적다. **여행 가기 좋은 시기는 봄과 가을이나 겨울도 옷차림만 든든하게 하면 여행 다니기 괜찮다.** 여행 시기는 여행 성수기(여름 방학, 연말연시)와 비수기로 따지면 여행 비수기에 여유롭게 다닐 수 있다.

봄(3~4월)_봄은 기온이 온화하여 여행하기 좋은 계절이다. 평균 온도는 19.6℃, 평균 강수량은 158.3mm/15일. 3월에서 4월까지는 점진적으로 온도가 오르고 겨울에 비해 비오는 날이 많아지나 여행 다니는데 불편할 정도는 아니다. 3월 긴팔 옷 준비!

여름(5~9월)_여름은 매우 덥고 습해 여행 다니기 불편한 시기이다. 평균 온도는 27.2℃, 평균 강수량은 251.1mm/15일. 5~6월과 9월보다 7월과 8월이 더 덥고, 5~7월보다 8~9월에 비가 더 많이 내린다. 6~9월은 간간히 태풍 발생함으로 주의. 5~9월 가벼운 옷차림, 8~9월 우산 필수!

가을(10~11월)_가을은 맑고 온화한 편이어서 여행 다니기 좋은 시기이다. 평균 온도는 22.3℃, 평균 강수량은 95.2mm/12일. 10월에서 11월까지 점진적으로 온도가 내려가고 10~11월 비는 가끔 온다. 10~11월 가벼운 옷차림, 우산 준비!

겨울(12~2월)_겨울은 쌀쌀하고 종종 바람이 부는 편이어서 옷차림만 든든히 하면 여행하기 나쁘지 않은 시기다. 평균 온도는 16℃, 평균 강수량은 104.3mm/14일. 12월에서 1~2월 온도가 내려가고 12~1월에서 2월 비 오는 날이 늘어나나 많지는 않다. 1~2월 얇은 파커(점퍼) 필수, 12월 긴팔 옷, 12월~2월 우산 준비!

02 항공권

인천에서 타이베이(타오위안)까지 대한항공, 아시아나, 에바항공, 케세이퍼시픽, 중화항공, 타이항공, 제주항공 등, 인천에서 타이베이(쑹산)까지 티웨이항공, 이스타항공, 중화항공 등, 부산에서 타이베이(타오위안)까지 대한항공, 제주항공, 중화항공 등, 부산에서 가오슝까지 에어부산, 케세이퍼시픽 등이 운항한다. 대한항공, 아시아나, 제주항공 같은 항공사는 직항, 케세이퍼시픽, 중화항공의 일부 항공편은 홍콩 같은 도시를 들리는 경유이다.

항공 티켓은 제주항공 같은 저가 항공사가 대한항공, 아시아나 같은 일반 항공사에 비해 저렴한 편이다. 좀 더 싼 항공권을 원한다면 단체 항공권 중 일부가 나온 땡처리 항공권을 찾거나 여행일자 보다 이른 일자에 예매하는 얼리버드 요금을 알아본다. 여행 기간이 길다면 귀국 일자를 변경할 수 있는 일반 항공사의 티켓을 구입한다.

항공 티켓 구입은 인터파크 투어, 네이버 항공 같은 여행전문 인터넷 홈페이지에서 할 수 있고 대한항공, 제주항공 같은 항공사과 하나투어, 모두투어 같은 여행사 홈페이지에서도 구입 가능하다.

*저가 항공권, 땡처리 항공권의 경우 취소 시 큰 손해를 볼 수 있으므로 주의.

03 숙소 예약

숙소는 가격에 따라 특급 호텔, 비즈니스(중가)호텔, 저가 호텔 또는 게스트하우스(호스텔) 등으로 나눌 수 있다. 신혼여행이나 가족 여행이라면 특급 호텔이나 비즈니스호텔, 개인 여행이나 배낭여행이라면 저가 호텔이나 게스트하우스를 이용한다.

숙소 예약은 특급·중가·저가 호텔은 여행사, 아고다와 호텔닷컴 같은 호텔 예약 사이트를 통하는 것이 할인되고 게스트하우스는 호스텔월드 같은 호스텔 예약 사이트를 통해 예약한다. 호텔 가격은 여름방학과 연말 같은 여행 성수기에 비싸고, 봄과 가을 같은 비수기에는 조금 싸다.

04 여행 예산

여행 경비는 크게 항공비와 숙박비, 식비, 교통비, 입장료 등으로 나눌 수 있다. 항공비는 여행 성수기보다 비수기에 조금 싸고 일반 항공사에 비해 저가 항공사가 조금 저렴하다. 저가 항공 기준으로 30만원 내외. 숙박비는 시설이 좋은 호텔의 경우 20~40만원 내외, 중가 호텔의 경우 15만원 내외, 저가 호텔의 경우 6~7만원 내외이고 배낭여행객들이 많이 찾는 게스트하우스의 경우 더블룸 8만원 내외, 도미토리 2만원 내외이다.

식비는 1일 3끼에 3만원(1끼x1만원), 교통비는 1만원(1일x1만원), 입장료+기타는 2만원(1일x2만원) 등 1일 6만원으로 잡는다.

*여행인원이 2명 이상이면 게스트하우스 도미토리보다는 게스트하우스의 더블룸이나 저가 호텔의 더블룸을 이용하는 것이 더 편리!

2박3일 예상경비 :
항공비 300,000원+숙박비(게스트하우스 도미토리) 40,000원+식비 90,000원+교통비 30,000원+입장료+기타 60,000원. 총합_520,000원

3박4일 예상경비 :
항공비 300,000원+숙박비(게스트 하우스 도미토리) 80,000원+식비 120,000원+교통비 40,000원+입장료+기타 80,000원. 총합_610,000원

☆여행 팁_해외여행자 보험

해외여행 시 상해나 기타 사고를 당했을 때 보상받을 수 있도록 미리 해외여행자 보험에 가입해 두자. 해외여행자 보험은 보험사 사이트에서 가입할 수 있으므로 가입이 편리하다. 출국 날까지 가입을 하지 못했다면 인천 국제공항 내 보험사 데스크에서 가입해도 된다. 보험 비용(기본형)은 타이베이 3박 4일 1만 원 내외. 분실·도난 시 일부 보상을 위해 보험 가입할 때 카메라나 노트북 등은 모델명까지 구체적으로 적는다. *여행 중 패러세일링, 스쿠터 운전 등으로 인한 사고는 보상하지 않으니 약관을 잘 읽어보자.

삼성화재_https://direct.samsungfire.com

KB_https://direct.kbinsure.co.kr

05 여행 준비물 체크

타이완은 한국보다 조금 더운 정도임으로 한국의 여름 복장과 준비물을 마련하면 된다. 타이베이의 겨울(1~2월)은 바람이 불어 꽤 쌀쌀하므로 얇은 패딩(점퍼)를 반듯이 준비한다. 여행 가방은 가볍게 싸는 것이 제일 좋다. 우선 갈아입을 여분의 상의와 하의, 속옷, 세면도구, 노트북 또는 태블릿PC, 카메라, 간단한 화장품, 모자, 우산, 각종 충전기, **11자형 2구 콘센트 어댑터(110V/60Hz)**, 백팩 같은 여분의 가방, 여행 가이드북 등이다. 그 밖의 필요한 것은 현지에서 구입해도 충분하다.

내용물	확인
여권 복사본과 여분의 여권 사진	
비상금(여행 경비의 10~15%)	
여분의 상·하의, 재킷	
반바지, 수영복	
속옷	
모자, 팔 토시	
양말, 손수건	
노트북 또는 태블릿	
카메라	
각종 충전기	
멀티콘센트	
세면도구(샴푸, 비누, 칫솔, 치약)	
자외선차단제(선크림)	
수건	
생리용품	
들고 다닐 백팩이나 가방	
우산	
휴대용 선풍기	
스마트폰 방수 비닐케이스	
여행 가이드북	
일기장, 메모장	
필기구	
비상 약품(소화제, 지사제 등)	

06 출국과 입국

- 한국 출국

1) 인천 국제공항 도착

공항철도, 공항 리무진을 이용해 인천 국제공항에 도착한다. 2018년 1월 18일부터 **제1 여객터미널**과 **제2 여객터미널(대한항공, 에어프랑스, 델타항공, 네덜란드 KLM)로 분리, 운영**되므로 사전에 탑승 항공사 확인이 필요하다. 여객터미널의 출국장에 들어서면 먼저 항공사 체크인 카운터 게시판을 보고 해당 항공사 체크인 카운터로 향한다.

*체크인 수속과 출국 심사 시간을 고려하여 2~3시간 전 공항에 도착.

교통 : ① 공항철도 서울역, 지하철 2호선/공항철도 홍대입구역, 지하철 5 · 9호선/공항철도 김포공항역 등에서 공항철도 이용, 인천 국제공항 하차(김포에서 인천까지 약 30분 소요)

② 서울 시내에서 공항 리무진 버스 이용(1~2시간 소요)

③ 서울 시내에서 승용차 이용(1~2시간 소요)

홈페이지_www.airport.kr

• 김포 국제공항

김포 국제공항은 국내선과 국제선 청사로 나눠져 있고 두 청사 간 무료 셔틀버스가 운행된다. 공항의 1층은 입국장, 3층은 출국장, 4층 식당가로 이용된다. 타이완 내 취항지는 타이베이 쑹산공항(松山機場).

교통 : 서울역, 공덕, 홍대, 디지털미디어시티 등에서 공항철도, 5호선, 9호선 지하철 이용, 김포 공항 하차 또는 김포공항행 시내버스, 시외버스 이용

국제선 청사 : 티웨이항공(쑹산), 에바항공(쑹산)

홈페이지_www.airport.co.kr/gimpo

• 김해 국제공항

김해 국제공항은 국내선과 국제선 터미널로 나뉘고 두 터미널 사이에는 무료 셔틀버스가 운행된다. 국제선 청사는 1층 입국장, 2층 출국장, 3층 식당가로 구성된다. 일본 내 취항지는 도쿄, 나고야, 오사카, 후쿠오카, 삿포로, 오키나와 등

교통 : 부산에서 307번 시내버스, 1009번 좌석버스, 리무진버스 이용, 국제선 터미널 하차 또는 지하철 2호선 사상역, 3호선 대저역에서 공항행 경전철 이용, 공항역 하차, 마산, 창원, 양산, 울산 등에서 시외버스 이용

국제선 청사 : 에어부산(타이베이 타오위안, 가오슝), 제주항공(타이베이 타오위안), 중화항공(타이베이 타오위안), V에어(타이베이)

홈페이지_www.airport.co.kr/gimhae

2) 체크인 Check In

항공사 체크인 카운터에 전자 항공권(프린트)을 제시하고 좌석 표시가 된 탑승권을 받는 것을 체크인이라고 한다. 체크인하기 전, 기내반입 수하물(손가방, 작은 배낭 등)을 확인하여 액체류, 칼 같은 기내반입 금지 물품이 있는지 확인하고 기내반입 금지 물품이 있다면 안전하게 포장해 탁송 수하물 속에 넣는다.

***스마트폰 보조배터리. 기타 배터리는 기내반입 수하물 속에 넣어야 함.**

기내반입 수하물과 탁송 수하물 확인을 마치면 탑승 체크인 카운터로 가서 전자 항공권(프린트)과 여권을 제시한다. 이때 원하는 좌석이 통로 쪽 좌석(Aisle Seat), 창쪽 좌석(Window Seat)인지, 항공기의 앞쪽(Front), 뒤쪽(Back), 중간(Middle)인지 요청할 수 있다. 좌석이 배정되었으면 탁송 수하물을 저울에 올리고 수하물 태그(Claim Tag)를 받는다(대개 탑승권 뒤쪽에 붙여 주는데 이는 수하물 분실 시 찾는 데 도움이 되니 분실하지 않도록 한다).

기타 할 일 :

· 만 25세 이상 병역 의무자는 병무청 방문 또는 홈페이지에서 국외여행허가서 신청, 발급, 1~2일 소요

병무청_www.mma.go.kr

· 출국장 내 은행에서 환전, 출국 심사장 안에 은행 없음

· 해외여행자 보험 미가입 시, 보험사 데스크에서 가입

· 스마트폰 로밍하려면 통신사 로밍 데스크에서 로밍 신청

3) 출국 심사 Immigration

출국 심사장 입구에서 탑승권과 여권을 제시하고 안으로 들어가면 세관 신고소가 나온다. 골프채, 노트북, 카메라 등 고가품이 있다면 세관 신고하고 출국해야 귀국 시 불이익을 받지 않는다. 세관 신고할 것이 없으면 보안 검사대로 향한다. 수하물을 X-Ray 검사대에 통과시키고 보안 검사를 받는다(기내반입 금지 물품이 나오면 쓰레기통에 버림). 보안 검사 후 출국 심사장으로 향하는데 한국 사람은 내국인 심사대로 간다.
*자동출입국심사 등록 센터(제1 여객터미널 경우, F 체크인 카운터 뒤. 07:00~19:00)에서 자동출입국심사 등

록을 해두면 간편한 자동출입국심사대 이용 가능!

4) 항공기 탑승 Boarding

출국 심사를 마친 후, 탑승권에 표시된 탑승 시간과 게이트 번호 등을 확인한다. 인천 국제공항 제1 여객터미널의 경우 1~50번 탑승 게이트는 본관, 101~132번 탑승 게이트는 별관에서 탑승한다. 본관과 별관 간 이동은 무인 전차 이용! 제2 여객터미널의 경우 해당 탑승 게이트를 사용한다. 탑승 시간 여유가 있다면 면세점을 둘러보거나 휴게실에서 휴식을 취한다.

항공기 탑승 대략 30분 전에 시작하므로 미리 탑승 게이트로 가서 대기한다. 탑승은 대개 비즈니스석, 노약자부터 시작하고 이코노미는 그 뒤에 시작한다. 탑승하면 항공기 입구에 놓인 신문이나 잡지를 챙기고 승무원의 안내에 따라 본인의 좌석을 찾아 앉는다. 기내 반입 수하물은 캐빈에 잘 넣어둔다.

- 타이완 입국

한국에서 타이완 도착은 인천 공항격의 타이베이 타오위안 공항과 김포 공항격의 쑹산 공항, 김해 공항격의 가오슝 공항 등으로 나뉘는데 각 공항의 규모나 시설만 다를 뿐 공항 도착에서 검역, 입국심사, 세관 통과 등의 절차가 같으니 아래 내용을 참고한다.

1) 타오위안 국제공항 도착

공항에 도착하기 전, 기내에서 입국 신고서(Landing Card)를 받아 미리 작성해 둔다. 입국카드는 빈칸 없이 작성하고 특히 직업(회사원 Office worker, 주부 Housewife 등)과 호텔 주소(숙소 예약하지 않았다면 가이드북의 호텔 주소 적음) 등은 꼭 적는다.

*한국과 타이완은 -1의 시차가 있으므로 시계를 1시간 뒤로 맞추고 스마트폰은 시간대를 타이완으로 변경!

2) 입국 심사 Immigration

입국 심사장에서 외국인(Foreigners) 또는 방문자(Visitors) 심사대에 줄을 서고 여권을 준비한다. 간혹 입국 심사관이 여행 목적, 여행 일수, 직업 등을 물을 수 있으나 간단히 영어로 대답하면 된다. 입국 허가가 떨어지면 여권에 90일 체류 스탬프를 찍어준다.

3) 수하물&세관 Baggage Reclaim &Custom

입국 심사가 끝나면 수하물 게시판에서 항공편에 맞는 수하물 수취대 번호(대개 1·2·3 같은 숫자)를 확인하고 수하물 수취대(Baggage Reclaim)로 이동한다. 수하물 수취대에서 대기하다가 자신의 수하물을 찾는다. 비슷한 가방이 있을 수 있으므로 헷갈리지 않도록 한다(미리 가방에 리본이나 손수건을 매어 놓으면 찾기 편함).

수하물 분실 시 분실물센터(Baggage Enquiry Desk)로 가서, 수하물 태그(Claim Tag)와 탑승권을 제시하고 분실신고서에 수하물의 모양과 내용물, 숙소 주소, 전화번호를 적는다. 짐을 찾으면 숙소로 무료로 전달해주거나 연락해 주고 찾지 못하면 분실신고서 사본을 보관했다가 귀국 후 해외여행자보험 처리가 되는지 문의.

수하물 수취대에서 수하물을 찾은 뒤 세관을 통과하는데 고가 물건, 세관 신고 물품이 있으면 신고한다. 대개 그냥 통과되지만, 간혹 불시에 세관원이 가방이 배낭을 열고 검사하기도 한다.

*위험물, 식물, 육류 등 반입 금지 물품이 있으면 폐기되고, 면세 범위 이상의 물품이 있을 때는 세금을 물어야 한다.

타이완 면세한도는 주류 1병(1리터), 담배 200개비 *술과 담배 20세 이상, 타이완 달러 현금 NT$ 100,000 이상, 미화 US$ 10,000 일 때 세관 신고!

4) 입국장 Arriving Hall

입국 홀은 입국하는 사람과 마중 나온 사람들로 항상 붐비니 차분히 행동한다. 입국장에서 다음과 같은 용무가 있으면 하나씩 처리한다.

· 여행자센터(旅客服務中心 Tourist Service Center)에서 타이베이, 가오슝 등의 관광지도를 입수한다.

· 환전을 못한 사람은 은행을 찾아 환전한다(여행자 수표, 달러→타이완 달러). *원화(한국 돈) 환전 불가!

· 이상 용무를 마친 뒤, 안내 표지판을 보고 공항버스(客運巴士) 또는 택시(計程車) 정류장으로 이동한다.

5) 공항 버스 또는 택시 탑승

공항에서 공항 버스, 택시 등을 이용해 시내로 간다. 일행이 여럿일 때 호텔에서 공항 픽업 서비스가 있으면 택시과 요금이 비슷하므로 이용해 볼 만하다. 호텔까지 바로 도착!

- 타이완 출국

1) 타오위안 국제공항 도착

타이베이 북서쪽 약 40km 지점에 위치한 국제공항으로 원래 명칭은 창카이섹(中正) 국제공항이었다가 타오위안(桃園) 국제공항으로 변경되었다.

공항버스가 출발하는 국광객운 타이베이 역 버스터미널(國光客運 臺北車站)에서 공항까지 약 1시간 소요됨으로 교통체증이 예상되는 아침과 저녁에는 출발을 서두르는 것이 좋다. 정시 도착을 위해 공항까지 MRT(지하철)를 이용해도 된다.

공항은 제1터미널과 제2터미널로 나뉘고 제2터미널은 제1터미널에서 셔틀전철 스카이트레인으로 이동해야 하니 이동시간을 감안한다. 공항에서 택스 리펀드를 받을 사람은 기다리는 시간이 있을 수 있으니 일찍 공항으로 출발하자.

제1터미널_대한항공, 제주항공, 이스타항공, 진에어, V에어, 타이항공

제2터미널_아시아나, 에어부산, 에바항공, 유니항공, 중화항공

홈페이지_www.taoyuan-airport.com

• 타이완 쑹산 공항 臺北 松山機場 Songsan Airport Taiwan

타이베이 시내 북쪽에 위치한 공항으로 원래 군용 공항으로 만들어졌다가 군과 민간이 함께 쓰는 공항이 되었다. 1979년 타오위안 국제공항이 출범하며 국내선 전용 공항이 되었다가 2008년부터 일부 국제선이 운항을 시작했다.

국제선 터미널에서 김포 공항으로 향하는 티웨이항공, 에바항공 등이 출발한다. 공항은 MRT(지하철)와 연결되어 시내로 오가기 편리하다.

국제선 터미널_티웨이항공, 에비항공

홈페이지_www.tsa.gov.tw

2) 체크인 Check In

체크인하기 전, 기내반입 수하물을 확인하여 액체류, 칼 같은 기내반입 금지

물품이 없는지 확인하고 있다면 안전하게 포장해 탁송 수하물 속에 넣는다.
***보조 배터리, 기타 배터리는 기내반입 수하물에 넣어야 함.**

수하물 확인을 끝났으면 체크인 카운터로 가서 전자 항공권과 여권을 제시한다. 좌석이 표시된 탑승권과 탁송 수하물의 화물 태그(Claim Tag)을 받는다.
*셀프 체크인 기기 이용 시 단말기 안내에 따라 이용하면 되고 이용법을 모르면 항공사 직원의 도움을 받는다. 순서_체크인 등록→탑승권 발행→탁송 수하물 계량, 발송

3) 출국 심사 Immigration
출국 심사 전, 기내반입 수하물을 X-Ray 검사대에 통과시키고 보안 검사를 받는다. 보안검사 후 출국 심사장으로 향하는데 외국인(Foreigners) 또는 방문자(Visitors) 심사대로 간다. 출국 심사대에 여권을 제시하고 출국 심사를 받는다. 대개 출국 스탬프 찍어주고 통과!

4) 면세점 Duty Free
우선, 탑승 게이트 게시판에서 탑승 게이트 번호와 탑승 시간을 확인한다(탑승 시간은 대략 30분 전부터 탑승). 면세점을 둘러보고 필요한 물품을 쇼핑한다.

한국의 면세 한도는 US$ 800, 주류 1리터(2병), 담배 200개비(10갑), 향수 60ml(주류와 담배, 향수 가격은 포함되지 않음). 위험물, 육류, 식물 등은 가져올 수 없음.

5) 항공기 탑승 Boarding
면세점 쇼핑을 마치고 탑승 게이트로 이동한다. 항공기 탑승은 대략 출발 시간 30분 전에 시작하므로 미리 탑승 게이트로 가서 대기한다.
탑승은 비즈니스석, 노약자부터 시작하고 이코노미는 그 뒤에 시작한다. 탑승 시 승무원의 안내에 따라 본인의 좌석을 찾아 앉는다. 기내반입 수하물은 캐빈에 잘 넣어둔다.

☆여행 팁_여권 분실 시 대처 방법

타이완 여행 시 여권을 분실하면 한국으로 귀국할 때 문제가 된다. 이럴 때 침착하게 행동하는 것이 중요하다. 우선, 경찰서에 신고하고 분실·도난 증명서(盜難證明書 Police Report)를 발급받는다. 다음으로 싱정푸 이민슈(行政府移民署)로 가서 신고하고 주타이베이 한국대표부로 가서 단수여권을 신청한다. 여권 발급 기간은 1주일 남짓이고 1회 사용할 수 있는 단수 여권이 발급된다.

행정부 이민서 行政府 移民署 싱정푸 이민슈

교통 : MRT 샤오난먼(小南門)역 2번 출구에서 도보 5분

주소 : 台北市 廣州街 15號

전화 : 02-2389-9983, 2388-9393

준비물 : 사진 2매, 신분증(주민등록증, 국제운전면허증, 학생증 등)

작성 : 신청서(外僑護照遺失/尋獲報案記錄表 Report on Passport Lost/Recovered)

주타이베이 한국대표부 駐台北 韓國代表部 p.14 참고

준비물 : 여권 사진 2매, 여권 사본(있는 경우), 신분증(주민등록증, 국제운전면허증, 학생증 등), 여권분실신고증명서, 귀국 항공권

비용 : NT$ 450

가오슝 영사협력원 高雄 領事協力院

소속 : 가오숑시 한인회

전화 : 07-521-1933

홈페이지 : http://homepy.korean.net/~kaohsiung/www/

작가의 말

〈**온리 타이베이 예류 스펀 지우펀**〉은 타이완 수도 타이베이, 타이베이 근교 단수이·예류, 스펀·핑시·징퉁, 지우펀·진과스를 소개하고 있습니다.

타이베이는 타이완의 수도로 시먼딩, 용산사, 화시제 야시장, 디화제, 중정 기념당, 용캉제, 화산1914, 국부 기념관, 타이베이101, 충렬사, 고궁 박물원, 스린 야시장 등,

단수이·예류는 타이베이 근교 바닷가 마을로 **단수이**는 단수이 라오제, 소백궁, 홍모성, 호미포대, 단수이 어인부두, **예류**는 예류 지질 공원의 여왕 머리 바위, 화석, 등대가 있는 구이터우산 등,

스펀·핑시·징퉁은 타이베이 근교 석탄 마을로 천등 날리기가 유명한데 **스펀**은 스펀 라오제와 스펀 폭포, **핑시**는 핑시 라오제, **징퉁**은 징퉁 라오제, 석저대사갱 같은 탄광 유적 등,

지우펀·진과스는 타이베이 근교 금광 마을로 **지우펀**은 지우펀 라오제, 찻집이 있는 수치루, **진과스**는 황금 박물관, 황금 신사, 황금 폭포, 진과스 13층 유적 등 볼거리가 많습니다.

타이베이 시내는 지하철인 MRT 노선이 잘 되어 있어 대부분 관광지를 둘러볼 수 있고 예류, 스펀, 지우펀 같은 타이베이 근교는 시외 버스나 택시 대절로 다녀올 수 있다. 택시 대절은 한번에 예류, 스펀, 지우펀 같은 타이베이 근교를 한번에 둘러 볼 수 있어 편리하다.

끝으로 원고를 저술하며 취재를 기반을 두었으나 타이베이 관련 서적, 인터넷 자료, 관광 홈페이지 등도 참고하였음을 밝힙니다.

재미리